ET

Mark Twain
Le avventure di Huckleberry Finn

Con saggi di T. S. Eliot, Leo Marx e
una nota di Alessandro Portelli

Traduzione di Enzo Giachino

Einaudi

Titolo originale   *The Adventures of Huckleberry Finn*

Copyright 1949, © 1963 e 1994 Giulio Einaudi editore s. p. a., Torino
Per il saggio di Leo Marx, *Mr Eliot, Mr Trilling and Huckleberry Finn*
© 1994 Giulio Einaudi editore s. p. a., Torino

Prima edizione «I millenni» 1949
www.einaudi.it

ISBN 978-88-06-18628-9

Introduzione a *The Adventures of Huckleberry Finn**
di T. S. Eliot

The Adventures of Huckleberry Finn è il solo tra i libri di
Mark Twain a meritare il titolo di capolavoro. Non intendo
con questo dire che è il suo solo libro di interesse duraturo;
ma è l'unico in cui il suo genio si realizza completamente, e
l'unico che crei una categoria tutta per sé. Vi sono pagine in
Tom Sawyer e *Life on the Mississippi* che, entro certi limiti,
equivalgono i brani corrispondenti in *Huckleberry Finn*; e in
altri libri ci sono idee altrettanto valide nel loro genere. Ma
quando vediamo che un solo libro di un autore prolifico è net-
tamente superiore a tutto il resto, dobbiamo cercare di capire
qual è il fatto particolare o l'insieme di fatti che hanno reso
possibile questo libro. Nello scrivere *Huckleberry Finn*, Twain
disponeva di due elementi che, trattati con la sua sensibilità
ed esperienza, hanno formato un grande libro: il Ragazzo e il
Fiume.

Huckleberry Finn è, senza dubbio, un libro che piace ai ragazzi. Non parlo per esperienza diretta: ho idea che i miei genitori, magari per paura che mi ispirasse un prematuro interesse per il tabacco o altre abitudini del protagonista, abbiano
fatto in modo che il libro non mi capitasse fra le mani. Ma
Huckleberry Finn non rientra nella narrativa per adolescenti.
L'opinione dei miei genitori che si trattasse di un libro inadat-
to ai ragazzi me ne ha dato per tutta la vita l'idea che si trattasse in realtà di un libro adatto solo ai ragazzi. Perciò solo
pochi anni fa ho letto per la prima volta, nell'ordine, *Tom Sawyer* e *Huckleberry Finn*.

Tom Sawyer non mi ha preparato per quello che avrei trovato nel suo seguito. *Tom Sawyer* a me sembra un libro per ra-

---

* Questa introduzione, apparsa in *The Adventures of Huckleberry
Finn*, The Cresset Press, London 1950, è compresa nel volume *Interpretazioni di Twain*, a cura di Alessandro Portelli, Savelli, Roma 1978.

gazzi, un ottimo libro per ragazzi. Il fiume e *il* ragazzo vi vengono presentati; il racconto è buono; e c'è anche un ottimo ritratto della società in un villaggio fluviale del West (perché St Petersburg appartiene piú al West che al Sud) cento anni fa. Ma il punto di vista del narratore è quello di un adulto che osserva un ragazzo. E Tom è il ragazzo normale, magari piú svelto e piú fantasioso della media. Tom, credo, somiglia molto al ragazzo che era stato Mark Twain; l'autore lo ricorda e lo descrive come appariva agli adulti del suo tempo, piú che crearlo del tutto. Huck Finn, invece, è il ragazzo che Mark Twain era ancora mentre ne scriveva le avventure. Vediamo Tom con gli occhi sorridenti dell'adulto; Huck non lo vediamo – vediamo il mondo attraverso i suoi occhi. I due ragazzi non sono semplicemente due tipi diversi; devono la loro esistenza a processi diversi. Perciò nel secondo libro i ruoli sono alterati. Nel primo libro Huck è l'umile amico – quasi una variante del servo tradizionale della commedia; e lo vediamo come lo vede la società convenzionale e rispettabile a cui appartiene Tom, e di cui, ne siamo certi, Tom diventerà un giorno un assai convenzionale e rispettabile rappresentante. Nel secondo libro il loro rapporto resta nominalmente lo stesso; ma qui è Tom che tiene il ruolo secondario. L'autore probabilmente non ne era consapevole, quando scrisse i primi due capitoli; *Huckleberry Finn* non è una storia di quelle in cui l'autore sa fin dall'inizio quello che succederà. Poi Tom sparisce; e quando lo rivediamo ha due sole funzioni. La prima è di stabilire un contrasto con Huck. La persistente ammirazione di Huck per Tom non fa che mettere piú chiaramente in rilievo le qualità uniche del primo e l'ordinarietà del secondo. Tom ha l'immaginazione di un ragazzo vivace che ha letto un bel po' di narrativa romantica; può darsi, certo, che da grande diventi scrittore – potrebbe diventare Mark Twain. Huck non possiede immaginazione, nel senso in cui la possiede Tom: possiede, invece, visione. Vede il mondo reale; e non lo giudica – lo mette in condizioni di giudicarsi da sé.

Tom Sawyer è un orfano. Ma ha la zia; ha, come veniamo a sapere poi, altri parenti; e ha un ambiente al quale si adegua. È un essere totalmente sociale. Quando c'è da formare una banda segreta, è Tom che l'organizza e detta le regole. Huck Finn è solo: non c'è personaggio piú solitario nella letteratura. Che abbia un padre non serve che a mettere piú in rilievo la sua solitudine: e osserva suo padre con un distacco terrificante. Perciò alla fine noi vediamo Huck come una delle figure

simboliche permanenti della narrativa: non indegno di prendere posto al fianco di Ulisse, Faust, Don Chisciotte, Amleto
ed altre scoperte che l'uomo ha fatto su se stesso.

Mark Twain sembrerebbe un uomo che – forse come la
maggior parte di noi – non è mai diventato maturo. Potremmo anche dire che il suo lato adulto era infantile e che solo il
ragazzo in lui, cioè Huck Finn, era adulto. In quanto Tom Sawyer adulto, Twain voleva successo ed applausi (Tom aveva
sempre avuto bisogno di un pubblico). Voleva la prosperità,
una felice vita domestica di tipo convenzionale, approvazione
universale e fama. Tutte queste cose le ottenne. In quanto
Huck Finn, di tutto questo non gli importava niente; ed esserlo un misto dei due, Mark Twain da un lato lottava per
conseguirlo, dall'altro lo sentiva come una violazione della sua
integrità. Per questo divenne umorista, anche buffone a volte: con i suoi doni naturali, era una strada sicura per raggiungere il successo, perché tutti potevano apprezzare quello che
scriveva senza sentirsi a disagio, senza doverli riferire a se
stessi e farsi l'autocritica. Ma da qui vengono anche il suo pessimismo e la sua misantropia. Un misantropo è, in un certo
senso, diviso; oppure, è segno di una coscienza inquieta. Il
pessimismo che Mark Twain riversò in *The Man that Corrupted Hadleyburg* e *What is Man?* scaturisce non tanto dall'osservazione della società quanto dall'odio verso se stesso per avere permesso alla società di tentarlo e corromperlo e di dargli
quello che desiderava. Non c'è saggezza nel suo pessimismo.
Ma questo problema personale è stato esaminato esauriente-
mente da Van Wyck Brooks; e l'argomento di questa introduzione non è Mark Twain, ma *Huckleberry Finn*.

Non si può dire che Huck sia un umorista o un misantropo.
È un osservatore impassibile; non interferisce e, come ho già
detto, non giudica. Molti degli episodi che avvengono durante il viaggio sul fiume, dopo l'arrivo del duca e del re (che in-
ventano su se stessi le stesse fantasticherie di cui si compiace
Tom Sawyer), sono di per sé farseschi; e se non fosse per la
presenza di Huck come loro narratore, non sarebbero altro
che farsa. Ma, visti attraverso gli occhi di Huck, anche questi
mascalzoni hanno un profondo pathos umano. D'altra parte,
la storia della faida tra i Grangerford e gli Shepherdson è di
per sé un capolavoro; ma senza Huck, Mark Twain non
avrebbe potuto scriverla cosí, con tanta misura e ritegno, con
i dettagli giusti e niente di superfluo, e lasciando al lettore il

compito di fare da sé le riflessioni morali del caso. Lo *stile* del libro, che è lo stile di Huck, ne fa una denuncia contro la schiavitú assai piú convincente che non la propaganda ad effetto di *Uncle Tom's Cabin* [La capanna dello zio Tom]. Huck è passivo e impassibile, apparentemente sempre vittima degli eventi; eppure nella sua accettazione del mondo e delle sue conseguenze su sé e sugli altri, è piú forte del suo mondo, perché è piú *consapevole* di chiunque altro ne faccia parte.

Ripetute letture del libro non fanno che confermare ed approfondire l'ammirazione che si prova per la coerenza e la perfetta adeguatezza dello stile. Questo stile, in quel periodo, sia in America che in Inghilterra, fu un'innovazione, una nuova scoperta nella lingua inglese. Altri scrittori avevano dotato di un linguaggio naturale dei personaggi particolari – Scott con personaggi che parlavano lo scozzese delle Lowlands, Dickens con il *cockney* londinese; ma nessuno l'aveva retto per tutta l'estensione di un libro. Lo Yellowplush di Thackeray, al confronto, è chiaramente artificioso. In *Huckleberry Finn* non ci sono esagerazioni di grammatica o di ortografia o di linguaggio, non c'è nessuna frase che distrugga l'illusione di trovarsi davanti alle vere parole di Huck. Huck è fedele a se stesso non solo nel modo in cui racconta la sua storia, ma anche nei dettagli che ricorda. Prendiamo, per esempio, la descrizione dell'interno della casa dei Grangerford visto da Huck al suo arrivo; oppure la lista degli oggetti che Huck e Jim recuperano dalla casa alla deriva:

> Si trova pure una vecchia lanterna di latta, un coltello da macellaio senza manico, un coltello Barlow nuovo di zecca, che costava venticinque centesimi in qualsiasi negozio, e una quantità di candele di sego e un candeliere di stagno, una zucca, una tazza di metallo, una miserabile imbottita molto vecchia che era stesa sul letto, e una reticella con aghi e spilli e cera e bottoni e filo, e tanta altra roba del genere, e un'accetta, e alcuni chiodi, e una lenza grossa come il mio dito piccolo, che terminava con degli ami che faceva paura vederli. C'era pure un rotolo di pelli di daino, un collare di cuoio per cane, un ferro di cavallo, alcune boccette di medicine, senza etichetta, e proprio quando stavamo per andarcene trovo una striglia ancora discreta, e Jim un archetto di violino, tutto malandato, e una gamba di legno. Le cinghie erano rotte ma era ancora abbastanza in buono stato, sebbene troppo lunga per me e troppo corta per Jim, e non ci viene fatto di trovare l'altra, anche cercando dappertutto.

> E cosí, tutto considerato, si torna con un discreto bottino.

È proprio il genere di lista che un lettore adolescente legge con entusiasmo; ma questo paragrafo svolge anche altre funzioni di cui il lettore adolescente non si rende conto. Fornisce il giusto contrappunto all'orrore della casa distrutta e del cadavere; possiede una torva esattezza che dice al lettore tutto quello che ha bisogno di sapere sulla vita che conducevano i relitti umani che avevano usato la casa; e (specialmente la gamba di legno e la vana ricerca della sua compagna) ci ricorda al momento giusto dell'affinità mentale e della solidarietà tra il ragazzo escluso dalla società e il negro fuggiasco dall'ingiustizia della società.

E infatti Huck sarebbe incompleto senza Jim, che è una creazione notevole quasi quanto Huck stesso. Huck è osservatore passivo di uomini ed eventi, Jim è colui che ne soffre umilmente; e sono di pari dignità. In nessun punto del libro il loro rapporto emerge piú chiaramente che nella conclusione del capitolo in cui, dopo che i due sono stati divisi dalla nebbia, Huck nella canoa e Jim sulla zattera, Huck in un impulso di malizia infantile, fa credere a Jim che tutto l'episodio era stato un sogno:

> – ... mi sentivo quasi il cuore spaccarsi; perché vi avevo perduto, e non me ne importava piú niente né di me né della zattera. E quando mi sveglio, e vi ritrovo sulla zattera sano e salvo, mi metto a piangere e mi inginocchio e volevo baciarvi i piedi, tanto ero riconoscente. E tutto quello che voi avete saputo pensare è stato come prendere in giro il vecchio Jim, contandogli delle storie. Quelle foglie e quella terra voglion dire la porcheria, e porcheria è la gente che getta immondizie sulla testa dei suoi amici e dovrebbe vergognarsene! [...]
>
> Mi ci vogliono quindici minuti buoni, prima che riesco a decidermi ad alzarmi e a chiedere scusa a un negro, ma infine mi decido, e non me ne sono pentito.

Questo brano è stato citato altre volte, e se lo cito ancora, è perché voglio estrarne un significato che finora è stato, a mio parere, trascurato. Quello che vi è di ovvio sono il pathos e la dignità di Jim, e già questo è abbastanza commovente, ma quello che trovo ancor piú sconcertante, ed ancor piú insolito nella letteratura, è il pathos e la dignità del ragazzo, quando gli viene ricordato in modo cosí umile e umiliante che la sua posizione nel mondo non è quella degli altri ragazzi, che ogni tanto hanno diritto a fare uno scherzo, ma che lui invece deve sopportare, da solo, la responsabilità di un uomo.

È Huck che dà stile al libro. Il Fiume gli dà la forma. Se

non fosse per il Fiume, il libro potrebbe essere poco piú che una sfilza di avventure a lieto fine. Un fiume, un immenso e possente fiume, è la sola forza naturale che sia in grado di determinare interamente il corso delle peregrinazioni umane. In mare, il viaggiatore può far vela o lasciarsi portare dai venti e dalla corrente in una direzione o in un'altra; un cambiamento di vento o di marea può determinare la sorte. Sulla prateria, la direzione del movimento è piú o meno a discrezione della carovana; tra i monti, può esserci spesso la possibilità di un'alternativa, di un'intuizione del passaggio piú favorevole. Ma il fiume, con la sua corrente forte, veloce, è il dittatore della zattera e del battello. È un dittatore infido e volubile. In una stagione, può darsi che si muova pigramente in un canale tanto stretto che chi lo incontrasse per la prima volta a quel punto non riuscirebbe a credere che ha già percorso centinaia di miglia e ne ha ancora molte centinaia davanti a sé; in un'altra, può ridurre la riva bassa dell'Illinois ad un orizzonte d'acqua, mentre scorre con tanta rapidità da travolgere uomini e animali. E allora porta con sé corpi umani, bestie, case. Almeno due volte, a St Louis, la riva orientale e quella occidentale sono state separate dalla caduta dei ponti, finché l'architetto del grande Eads Bridge non ha progettato una struttura capace di resistere alle piene. Nella mia infanzia, non era raro che la piena primaverile interrompesse il traffico ferroviario; e allora i viaggiatori diretti ad Est dovevano prendere il battello dalla diga fino su ad Alton, a monte sulla riva dell'Illinois, prima di poter cominciare il viaggio in treno. Il fiume non può essere mai tracciato perfettamente; cambia velocità, si sposta da un canale all'altro, senza che si possa darne conto; è capace di cancellare un banco di sabbia da un momento all'altro, e di metterne su un altro dove prima c'era acqua navigabile.

È il Fiume che controlla il viaggio di Huck e Jim; che non permette loro di sbarcare a Cairo dove Jim avrebbe potuto raggiungere la libertà; è il fiume che li separa e depone Huck per un certo periodo nella casa dei Grangerford; poi il fiume li riunisce, e poi impone loro l'indesiderata presenza del re e del duca. In continuazione ci vengono ricordate la sua presenza e la sua forza:

> Quando mi sveglio, dapprima non riesco a capire dove mi trovo. Mi rizzo a sedere, mi guardo in giro un po' spaventato, ma poi comincio a ricordare. Il fiume aveva l'aria di stendersi per miglia e miglia. La luna era cosí chiara che potevo contare

tutti i tronchi d'albero che galleggiavano sul fiume, neri e tranquilli a centinaia di jarde dalla riva. Tutto era completamente silenzioso, e si capiva che era tardi, si sentiva quasi dall'odore ch'era tardi. Voi capite cosa voglio dire, ma non so trovare le parole giuste.

Era solenne scendere a valle per quel gran fiume tranquillo, stesi sulla schiena a guardar su le stelle e non si aveva molta voglia di parlare forte, e non capitava sovente che ci mettevamo a ridere; al piú una risatina, soffocata, in gola. Il tempo era splendido, in generale, e durante quella notte non capita niente, né la notte dopo, né quella dopo ancora.

Ogni sera si passava davanti a qualche paese, alcuni lontano su colline scure, e non erano altro che una striscia di luce, non si vedeva una casa. La quinta notte passiamo davanti a St Louis, e si ha l'impressione come se tutto il mondo era illuminato a festa. A St Petersburg si diceva che c'erano venti o trentamila anime a St Louis, ma io non l'avevo mai creduto, finché non vedo quella festa di luci ancora accese alle due del mattino, nella notte silenziosa. Non il minimo rumore; erano tutti a letto.

Arriviamo a capire il fiume vedendolo con gli occhi del Ragazzo; ma il Ragazzo è a sua volta lo spirito del fiume. *Huckleberry Finn*, come altre grandi opere d'immaginazione, sa dare ad ogni lettore quello che il lettore è capace di cogliere. Al livello di osservazione piú superficiale, Huck è una convincente figura di ragazzo. Allo stesso livello, il ritratto della vita sociale sulle rive del Mississippi cento anni fa è, ne sono certo, esatto. Ad un altro livello, Mark Twain ci mostra il Fiume, come è ed era e sempre sarà, piú chiaramente di ogni altro scrittore di mia conoscenza che abbia descritto un fiume. Ma non ci limitiamo a vedere il Fiume, a farne la conoscenza attraverso i sensi: lo viviamo. Mark Twain, nei suoi anni piú tardi di successo e fama, parlava della sua vita da giovane quando faceva il pilota sul fiume come del periodo piú felice che avesse conosciuto. Pur tenendo conto delle illusioni della tarda età, possiamo credere che quelli siano stati gli anni in cui era piú pienamente vivo. Certo, se non avesse seguito quella vocazione, se non si fosse guadagnato la vita con quel mestiere, non avrebbe mai raggiunto la conoscenza che il suo genio espressivo comunica in questo libro. Nella lotta quotidiana del pilota con il Fiume, nella soddisfazione del lavoro attivo, nell'attenzione costante agli imprevedibili capricci del Fiume, la sua consapevolezza era impegnata fino in fondo, ed assorbiva conoscenze di cui poi si sarebbe servito, da artista. Due soli, forse, sono i modi in cui uno scrittore può acquisire la comprensione dell'ambiente in modo da poterne poi dare conto: può avervi trascorso la sua fanciullezza – cioè, avervi vissuto in un periodo della vita in cui si fanno molte piú esperienze di quanto non ci si renda conto; e aver dovuto lottare per guadagnarsi la vita in quell'ambiente – guadagnarsi la vita in modo assolutamente indipendente dall'idea di farne materia letteraria. La conoscenza di Conrad deriva, per lo piú, dal secondo tipo di esperienza. Mark Twain conosceva il Mississippi in tutti e due i modi; aveva trascorso l'infanzia sulle sue rive, e si era guadagnato la vita sfidando le correnti con l'intelligenza.

Ecco in che modo il Fiume rende grande il libro. Come per Conrad, abbiamo sempre la visione della potenza tremenda della Natura e dell'isolamento e debolezza dell'uomo. Conrad resta sempre l'osservatore europeo dei tropici, l'occhio del bianco che contempla il Congo ed i suoi dei neri. Ma Mark Twain è un indigeno, il Dio Fiume è il suo Dio. È come indigeno che accetta il Dio Fiume ed è la sottomissione dell'Uomo che dà all'Uomo la dignità. Perché senza un qualche Dio, l'Uomo non è poi tanto interessante.

I lettori a volte rimpiangono che la storia si abbassi al livello di *Tom Sawyer* dal momento in cui Tom riappare. Questi lettori protestano perché le trovate di Tom, nel tentativo di «liberazione» di Jim, non sono altro che un noioso sviluppo di temi scontati pur ammettendo che alcune trovate sono divertenti e alcune osservazioni marginali memorabili. Ma è giusto che il clima del finale del libro ci riporti a quello dell'inizio. E comunque, se questo non è il finale giusto, quale altro lo sarebbe?

Con *Huckleberry Finn* Mark Twain ha scritto un libro molto piú grande di quanto egli stesso non potesse sapere. Forse tutte le grandi opere d'arte significano molto piú di quanto l'autore non possa rendersi conto; senz'altro *Huckleberry Finn* è fra le opere di Mark Twain quella che, nel complesso, ha questa inconsapevolezza. Perciò quella che sembra la giustezza del ritorno finale al clima di Tom Sawyer è forse arte inconsapevole. Per Huckleberry Finn non sarebbe adatto né un finale tragico né un lieto fine. Nessun successo mondano e affermazione sociale, nessuna conclusione domestica sarebbe stata degna di lui; e anche un finale tragico lo avrebbe ridotto al livello di quelli di cui abbiamo pietà. Huck Finn non deve

venire da nessun posto ed essere diretto in nessun posto. Non
è l'indipendenza del tipico o simbolico pioniere americano la
sua; è piuttosto quella del vagabondo. La sua esistenza mette
in discussione i valori dell'America cosí come quelli dell'Europa; è un affronto allo «spirito del pioniere» come alla «iniziativa economica»; vive in uno stato di natura distaccato come quello di un santo. In un mondo indaffarato rappresenta il
fannullone; in un mondo avido e competitivo, pretende di vivere alla giornata. Non poteva essere esibito in incontri e impegni amorosi, in quegli affetti infantili che vanno bene per
Tom Sawyer. Non appartiene né al catechismo né al riformatorio. Non ha inizio e non ha fine. Perciò, può solo sparire; e
la sua scomparsa può compiersi solo con l'avvento in primo
piano di un altro attore che ne oscuri la scomparsa con una
nebbia di stravaganze.

Come Huckleberry Finn, anche il Fiume non ha né inizio
né fine. All'inizio, non è ancora il Fiume; alla fine, non è piú
il Fiume. Quelle che chiamiamo le sorgenti sono solo una delle innumerevoli fonti che confluendo lo compongono. In quale momento del suo corso il Mississippi diventa ciò che Mississippi *significa*? È al tempo stesso uno e molti; è il Mississippi del libro solo dopo l'unione col grande fiume fangoso, il
Missouri; alcuni caratteri li prende dall'Ohio, dal Tennessee
e da altri affluenti. E alla fine sparisce fra i rami del delta: non
c'è piú, ma è ancora dov'era, centinaia di miglia al Nord. Il
Fiume non tollera che una storia, che è la sua storia, abbia un
disegno capace di interferire col suo dominio. Le cose devono
succedere e basta, qua e là, alla gente che vive sulle sue rive o
si affida alla sua corrente. Ed è impossibile per Huck, come
per il fiume, di avere un inizio o una fine – *una carriera*. Perciò il libro ha la frase conclusiva giusta, l'unica possibile. Non
credo che nessun altro libro mai scritto finisca altrettanto sicuramente con le parole giuste: «Ma magari è meglio che parto per il territorio indiano prima degli altri, perché zia Sally
dice che vuole adottarmi e incivilizzarmi, e questa è una cosa
che proprio non mi va. L'ho già provata una volta».

Samuel Langhorne Clemens nacque a Florida (Missouri) il 30 novembre 1835. Nel 1839 la famiglia – il padre era un agnostico uomo di legge della Virginia, la madre una rigida calvinista del Kentucky – si trasferí nella vicina Hannibal, sul Mississippi, dove Sam trascorse l'infanzia felice e spensierata da cui avrebbe tratto il meglio della sua ispirazione. A dodici anni, morto il padre, interruppe gli studi e si impiegò come apprendista tipografo alle dipendenze del fratello maggiore Orion; e come tipografo-giornalista, negli anni successivi, viaggiò in lungo e in largo per gli stati dell'Est e del Middle-West. Nel 1857 il temperamento irrequieto lo portò a scendere il Mississippi con l'idea di imbarcarsi alla volta del Sudamerica; ma l'incontro con un famoso pilota fluviale gli fece cambiare idea, e fino allo scoppio della guerra civile percorse, pilota lui stesso, il grande fiume, in quella che fu una delle sue esperienze piú formative. Arruolatosi volontario nella milizia confederata, disertò dopo due settimane per raggiungere, con un fantastico viaggio in diligenza, il territorio del Nevada, dove Orion aveva ricevuto un incarico politico. Tentata invano la fortuna come cercatore d'oro, ritornò al giornalismo, per avviarsi quindi, per naturale vocazione ma anche per incoraggiamento di Bret Harte e Artemus Ward, verso la carriera dello scrittore umoristico. Il primo articolo firmato con lo pseudonimo di «Mark Twain» (era il grido lanciato dallo scandagliatore fluviale per indicare una profondità di due braccia) è del 1863. Due anni piú tardi aveva già raggiunto fama nazionale con il racconto *The Celebrated Jumping Frog of Calaveras County*, apparso sulla «Saturday Press» di New York. Nel 1866 fece un viaggio alle isole Sandwich come corrispondente di un giornale californiano, traendone anche materiale per una serie di spassose conferenze: fu l'inizio di un'attività assai remunerativa, che si sarebbe protratta per quasi tutta la sua vita. Trasferitosi all'Est, si imbarcò, sempre come corrispondente, per un viaggio in Europa e in Terrasanta, dal quale nacque il fortunatissimo *The Innocents Abroad* (1869), la cui comicità irriverente nei confronti del Vecchio

Mondo consolidò in modo permanente una reputazione che ben presto divenne internazionale. Ottenuta l'approvazione, ambita da sempre, della buona società dell'Est, nel 1870 sposò Olivia Langdon, figlia di un magnate del carbone, e l'anno successivo si stabilí a Hartford (Connecticut), dove dimorò per circa due decenni e scrisse, intervallate con frequenti e acclamati viaggi all'estero, le opere maggiori: *Roughing It* (1872), resoconto delle sue esperienze nel Nevada; *The Gilded Age* (1873), romanzo satirico scritto in collaborazione con Charles Dudley Warner; *The Adventures of Tom Sawyer* (1876); *The Prince and the Pauper* (1882); *Life on the Mississippi* (1883), rievocazione dei suoi anni di pilota, con una deludente appendice, frutto di un viaggio sul fiume del 1882; *The Adventures of Huckleberry Finn* (1885). Preoccupazioni sempre crescenti di carattere finanziario (aveva investito eccessivamente in una casa editrice e in un'impossibile macchina tipografica) avevano nel frattempo cominciato ad acuire un vecchio disagio nei confronti dei valori dell'America del XIX secolo. Nacque cosí l'inquietante *A Connecticut Yankee in King Arthur's Court* (1889), seguito piú tardi dalle venature di cinismo di *Pudd'nhead Wilson* (1894), romanzo ambientato nel vecchio Sud schiavista, apparso l'anno stesso in cui l'autore finí in bancarotta. Per pagare i debiti Twain intraprese un giro di conferenze intorno al mondo, verso la fine del quale lo colse, nel 1896, la notizia della morte della figlia prediletta, Susy. Il colpo lo spinse sull'orlo della follia, e intensificò un pessimismo che trovò espressione in opere come *The Man that Corrupted Hadleyburg* (1900) e il dialogo filosofeggiante *What is Man?* (1906). Funestati da ulteriori tragedie famigliari – nel 1904 morí la moglie, nel 1909 la figlia Jane – ma caratterizzati al tempo stesso da un continuo trionfo di onori e riconoscimenti pubblici, gli ultimi anni furono ispirati a un sempre piú caustico ed esacerbato scetticismo. Twain si spense a Redding (Connecticut) il 21 aprile 1910. Nel 1916 uscí postumo il lungo racconto *The Mysterious Stranger*, in cui un'oscillazione tra determinismo e consapevolezza dell'illusorietà di ogni esperienza riassume l'amara visione dell'ultimo periodo.

BIBLIOGRAFIA ESSENZIALE

Opere di Mark Twain

*The Celebrated Jumping Frog of Calaveras County, and Other Sket-
ches*, C. H. Webbe, New York 1867 (*Il ranocchio saltatore e al-
tri racconti umoristici*, traduzione di E. Lo Dato, Mursia, Mi-
lano 1984).
The Innocents Abroad, American Publishing Company, Hartford
1869.
Roughing It, American Publishing Company, Hartford 1872.
The Gilded Age, American Publishing Company, Hartford 1873
(*L'Età dell'oro*, Casa del libro, Ponzano Magra 1989).
The Adventures of Tom Sawyer, Chatto & Windus, London 1876
(*Le avventure di Tom Sawyer*, traduzione di E. Giachino, Ei-
naudi, Torino 1994).
A Tramp Abroad, American Publishing Company, Hartford
1880.
The Prince and the Pauper, Chatto & Windus, London 1881 (*Il
principe e il povero*, a cura di P. Rosci, B. Mondadori, Milano
1985).
Life on the Mississippi, Chatto & Windus, London 1883.
The Adventures of Huckleberry Finn, Chatto & Windus, London
1884 (*Le avventure di Huckleberry Finn*, traduzione di E. Gia-
chino, Einaudi, Torino 1994).
A Connecticut Yankee in King Arthur's Court, Charles L. Webster
& Co., New York 1889 (*Un Americano alla corte di Re Artú*,
traduzione di R. Pasini, Mondadori, Milano 1987).
Pudd'nhead Wilson, Chatto & Windus, London 1894 (*Wilson lo
svitato*, a cura di E. Giachino, traduzione di F. Cordelli, Gar-
zanti, Milano 1979).
Personal Recollections of Joan of Arc, Harper and Brothers, New
York 1896.
The Man that Corrupted Hadleyburg, and Other Stories and Essays,
Harper and Brothers, New York 1900 (*L'uomo che corruppe
Hadleyburg*, traduzione di B. Fonzi, Einaudi, Torino 1972).
The Mysterious Stranger, Harper and Brothers, New York 1910
(*N. 44. Lo straniero misterioso*, traduzione di E. Prodon, Ei-
naudi, Torino 1993).

Bibliografia critica

F. ANDERSON (a cura di), *Mark Twain: The Critical Heritage*, Routledge and Kegan Paul, London 1971.

W. BLAIR, *Mark Twain and Huck Finn*, University of California Press, Berkeley 1960.

H. BLOOM (a cura di), *Mark Twain*, Chelsea House Publishers, New York 1986.

V. W. BROOKS, *The Ordeal of Mark Twain*, E. P. Dutton, New York 1920.

G. CARBONI, *Invito alla lettura di Mark Twain*, Mursia, Milano 1992.

G. CELATI, *Finzioni occidentali. Fabulazione, comicità, scrittura*, Einaudi, Torino 1975.

R. CHASE, *The American Novel and Its Tradition*, Double Day, Garden City 1957 (*Il romanzo americano e la sua tradizione*, Einaudi, Torino 1974).

J. COX, *Mark Twain: the Fate of Humor*, Princeton University Press, Princeton 1966.

B. DEVOTO, *Mark Twain's America*, Little Brown, Boston 1932.

T. S. ELIOT, *Introduction to the Adventures of Huckleberry Finn*, The Cresset Press, London 1950.

L. FIEDLER, *Love and Death in American Literature*, Criterion Books, New York 1960 (*Amore e morte nel romanzo americano*, Longanesi, Milano 1960).

S. FISHER-FISHKIN, *Was Huck Black?*, Oxford University Press, New York 1993.

W. D. HOWELLS, *My Mark Twain: Reminiscences and Criticism*, Harper and Brothers, New York 1912.

A. LOMBARDO, *Il diavolo nel manoscritto*, Rizzoli, Milano 1973.

K. S. LYNN, *Mark Twain and Southwestern Humor*, Little Brown, Boston 1959.

L. MARX, *the Machine in the Garden: Technology and the Pastoral Ideal in America*, Oxford University Press, New York 1964 (*La Macchina nel giardino. Tecnologia e ideale pastorale in America*, Edizioni Lavoro, Roma 1987).

A. B. PAINE, *Mark Twain: A Biography*, Harper and Brothers, New York 1912.

V. L. PARRINGTON, *Main Currents in American Thought*, Harcourt, Brace & Co., New York 1930 (*Storia della cultura americana*, a cura di R. Giammanco, Einaudi, Torino 1969).

A. PORTELLI (a cura di), *Interpretazioni di Twain*, Savelli, Roma 1978.

– *Il testo e la voce*, manifestolibri, Roma 1992.

R. J. REISING, *The Unusable Past. Theory and the Study of American Literature*, Methuen, New York-London 1986.

J. A. ROWE, *Equivocal Endings in Classic American Novels*, Cambridge University Press, Cambridge 1989.

C. M. SIMPSON (a cura di), *Twentieth Century Interpretations of Adventures of Huckleberry Finn*, Prentice-Hall, Englewood Cliffs (NJ) 1968.

H. N. SMITH, *Mark Twain: the Development of a Writer*, Harvard University Press, Cambridge 1962.

T. A. TENNEY, *Mark Twain: A Reference Guide*, G. K. Hall, Boston 1977.

L. TRILLING, *The Liberal Imagination: Essays in Literature and Society*, Viking Press, Garden City 1977 (*La letteratura e le idee*, Einaudi, Torino 1962).

E. VITTORINI, *Americana. Antologia di Narratori*, Bompiani, Milano 1941.

[1994].

Le avventure di Huckleberry Finn

Chi cerchi di trovare uno scopo in questa narrazione sarà perseguito a termini di legge; chi cerchi di trovare una morale verrà bandito; chi di trovare un intreccio fucilato.

Per ordine dell'autore.

IL CAPO DELLA SUSSISTENZA

I nomi di fantasia sono in maiuscoletto.

Capitolo primo

Voi non potete sapere niente di me, senza che avete letto un libro chiamato *Le avventure di Tom Sawyer*, ma non importa molto. Quel libro è stato fatto dal signor Mark Twain, che di solito ha detto la verità, o quasi. Qualche volta ha esagerato un poco, ma in genere ha detto il vero. È già qualcosa. Io non ho mai conosciuto nessuno che, in vita sua, non ha mai contato storie, se non è zia Polly, o la vedova, o forse Mary. Zia Polly è la zia Polly di Tom e di Mary; e della vedova Douglas se ne parla in quel libro, che è quasi vero. Con qualche ricamo, s'intende.

Ora quel libro finisce cosí, che Tom e io abbiamo trovato il tesoro che i ladroni avevano nascosto nella grotta, e che siamo diventati ricchi. C'è toccato seimila dollari a testa, dollari d'oro. Era uno spettacolo vedere tutte quelle pile di dollari! Be', il giudice Thatcher li prende, e li mette in banca a interesse, e ci fruttavano un dollaro a testa ogni giorno e per tutto l'anno, ed erano tanti soldi che non si sapeva cosa farne. La vedova Douglas allora mi adotta come figlio, e diceva che voleva incivilizzarmi, ma era un tormento vivere in quella casa, da tanto che era buona e educata da far paura la vedova, qualunque cosa che faceva. Cosí che un bel giorno non ne posso piú e me la batto. Infilo i miei vecchi stracci, torno nella mia botte, e ero libero, e me ne stavo ch'era un incanto. Ma Tom Sawyer viene a cercarmi, e mi trova, e mi dice che voleva cominciare una banda di masnadieri, e che anch'io potevo entrarci, se tornavo dalla vedova e diventavo come si deve. Cosí che ci sono tornato.

La vedova allora si mette a piangere, e mi chiama la sua pecorella smarrita, e mi dà tanti altri nomi, ma non che mi insulta. Poi mi fa infilare un'altra volta quei vestiti nuovi, e a me non mi resta che sudare, e tornare a sudare, e mi

sento tutto legato, che manco potevo muovermi. Allora ricomincia la solita storia. La vedova suonava il campanello
per il pranzo, e bisognava essere pronto al momento giusto. Poi, quando si andava a tavola, non che si poteva mangiare subito, ma bisogna aspettare che la vedova piega la
testa sullo stomaco e borbotta qualche cosa sul vitto, anche se non c'era niente da dirci. Niente, solo che ogni cosa
veniva cotta separata. In un barile di avanzi è diverso,
tutto è mescolato insieme, e la bagna va su tutto e tutto è
molto piú buono.

Dopo cena tirava fuori un libro e mi imparava di Mosè
e del Giunchetto e io morivo dalla voglia di sapere come
andava a finire, ma un bel giorno mi dice che Mosè è da
tanto che è morto, e allora non me ne importa piú un fico
di lui, e del Giunchetto, perché i morti non è che mi interessano molto.

Poco dopo mi viene voglia di fumare, e cosí chiedo alla
vedova se mi lascia. Ma lei no. Dice che era un brutto
vizio, un'abitudine poco pulita, e che devo cercare di smettere. Certa gente è cosí. Ce l'hanno sempre con qualche
cosa, che non sanno manco di cosa si tratta. Ecco che se la
prende tanto calda per Mosè, che manco era suo lontano
parente, e non serviva piú a nessuno, morto com'era, mentre invece ce l'aveva tanto con me, che facevo una cosa che
mi faceva piacere. E dire che lei annusava tabacco, ma naturalmente quello andava bene, perché era lei che lo faceva.

Sua sorella, la signorina Watson, una vecchia zitella abbastanza piatta, portava gli occhiali e era venuta da poco a
vivere con lei, e ben presto comincia a interessarsi a me, e
mi imparava l'abbecedario. Mi faceva sgobbare e sudare
quasi un'ora, poi la vedova gli dice di lasciarmi respirare
un po'. Non potevo certo resistere molto di piú. Poi per
un'ora c'era da crepare di noia, e io non ce la facevo a star
fermo. La signorina Watson allora comincia: – Huckleberry, non mettere i piedi là, – poi: – Non stare cosí gob-
bo, Huckleberry, siedi ben diritto, – e ancora: – Non stare
a bocca aperta, non stirarti cosí, Huckleberry. Perché non
vuoi comportarti bene? – Poi si mette a contarmi del posto brutto, e io dico che avevo tanta voglia di andarci.
Allora gli salta la mosca al naso a lei, ma io non volevo
offenderla. L'unica cosa che mi interessava era di potermе-
ne andare in qualche posto, di cambiare, non importa dove
né come. Ma lei mi dice che è male dire quello che ho

detto; mi dice che lei non direbbe una cosa cosí neanche per tutto l'oro del mondo, perché lei voleva vivere in maniera da poter andare un giorno nel posto bello. Be', per conto mio non riuscivo a capire cosa c'era da guadagnarci a andare anche me dove andava lei, e avevo deciso che non volevo far niente per andarci. Ma naturalmente non ne parlo piú con nessuno, perché serviva solo a farmi sgridare, senza servirmi a niente di buono.

Ma adesso aveva cominciato, e prende su e mi conta tutto per filo e per segno di come è il posto bello. Mi dice che non c'era piú niente da fare lassú, solo andare in giro tutto il giorno con un'arpa e cantare per tutti i secoli dei secoli. Cosí che a me non è che mi interessa molto, ma naturalmente acqua in bocca. Allora gli chiedo se crede che Tom Sawyer ci andava anche lui, e lei mi risponde che manco da pensarci. E io sono rimasto molto contento, perché voglio stare sempre insieme con lui.

La signorina Watson continuava a darmi fastidio, e io ero cosí seccato e mi sentivo tanto solo. Poi, dopo un poco, fanno entrare i negri, e diciamo le preghiere, e dopo tutti vanno a letto. Io salgo nella mia stanza, con un pezzo di candela, e la metto sul tavolo. Poi mi siedo su una sedia, vicino alla finestra, e cercavo di pensare a qualche cosa di allegro, ma proprio non ce la facevo. Mi sentivo cosí solo, che quasi volevo essere morto. Le stelle splendevano tutte, e le foglie nei boschi facevano un rumore tanto triste, e io sento il gufo lontano lanciare il suo lamento per qualcuno che è morto, e un succiacapre e un cane che cominciano a lamentarsi per qualcuno che deve morire presto, e il vento cercava di dirmi piano qualche cosa, ma io non ce la facevo a capire che cosa, tanto che ero pieno di brividi. Poi, lontano nei boschi, sento quella specie di rumore che fa uno spirito, quando vuole parlare di qualche cosa che ha in mente, e non riesce a farsi capire, e cosí non può restare tranquillo nella sua tomba, ma deve andare in giro ogni notte, a lamentarsi. Mi sentivo cosí giú di morale, avevo tanta paura che proprio avevo bisogno di un po' di compagnia. Ben presto mi accorgo che un ragno mi si arrampica sulla spalla, e io gli do un colpo, e quello cade sulla candela, e prima che posso muovere un dito, era già consumato tutto. Non c'era bisogno che nessuno mi dicesse che quello era un segno tremendo, che mi portava sicuro disgrazia, e tremavo tanto che i vestiti quasi non mi stavano piú indosso. Allora mi alzo in piedi, faccio tre giri su di me, e a ogni giro mi facevo un segno di croce sullo stomaco, poi lego una piccola ciocca di capelli con un filo, per tenere lontane le streghe. Ma non è che mi sento molto sicuro. Quello si fa quando si è perduto un ferro di cavallo che si era trovato, invece di inchiodarlo sulla porta. Ma non avevo mai sentito dire che bastava a evitare la scalogna, quando si è ucciso un ragno.

Allora mi siedo di nuovo, e tremavo tutto, e tiro fuori la pipa per farci una pipata, perché adesso tutta la casa era zitta, come morta, e la vedova non poteva mai saperne niente. Dopo un poco sento il campanile del paese che comincia a battere le ore, dodici botti, e poi di nuovo tutto tranquillo anche piú di prima. Ben presto sento un ramoscello che si spezza nell'ombra, sotto gli alberi, e c'era qualcosa che si muoveva. Resto fermo e tendo l'orecchio. E subito dopo sento, piano piano, qualcuno che miagola: miau, miau. Cosí va bene. Rispondo: miau, miau, il piú piano che posso, poi spengo la candela, esco dalla finestra sul tetto della legnaia. Poi mi lascio scivolare giú in giardino, striscio sotto gli alberi e, esatto come immaginavo, trovo Tom Sawyer, che mi aspettava.

Capitolo secondo

Ci allontaniamo in punta di piedi, seguendo il sentiero attraverso gli alberi, verso il fondo dell'orto della vedova, tutti curvi perché i rami non ci graffino la testa. Mentre si passa davanti alla cucina inciampo in una radice e faccio un po' di rumore. Giú per terra, e nessuno si muove. Ma il grosso negro della signorina Watson, Jim, era seduto sulla porta della cucina: lo si vedeva benissimo, aveva la luce alle spalle. Quello si alza in piedi, stira il collo per un buon minuto, tendendo l'orecchio. Poi dice:

– Chi va là?

Resta ancora in ascolto, poi avanza in punta di piedi e si ferma tra di noi due, vicino che quasi potevamo toccarlo. Be', passa un minuto, ne passa un altro, e non si sentiva anima viva; tutti e tre, uno accanto all'altro. Poi una caviglia comincia a prudermi, ma io manco per sogno che me la gratto; poi un orecchio si mette a prudermi, e poi la schiena, proprio in mezzo alle spalle. Mi pareva che morivo, se non potevo grattarmi. Ho notato una cosa cosí tante volte. Se uno si trova con della gente di classe, o a un funerale o cerca di dormire e non ha sonno, insomma se si trova in un posto dove non deve grattarsi, allora si sente subito prudere in mille parti. Poco dopo Jim dice:

– Ehi, chi siete? Dove siete? Possa mangiare un cane se non ho sentito un rumore. Be', lo so io quello che faccio. Mi pianto qui e non mollo, finché non sento di nuovo quel rumore.

Cosí si siede per terra, fra me e Tom. Appoggia la schiena contro un albero, e stende le gambe, che una quasi mi toccava la mia. Il naso adesso comincia a prudermi, si mette a prudermi tanto, che avevo le lacrime agli occhi ma non osavo certo grattarmi. Poi mi sento prudere dentro. Poi sotto. Non so come faccio a star fermo. Questa miseria mi dura per sei o sette minuti buoni, ma a me mi sembrava che erano secoli. Ormai mi prudeva in undici posti, uno diverso dall'altro. Credevo che non ce la facevo un minuto di piú, ma mi mordo le labbra coi denti, crepo piuttosto! Proprio allora Jim comincia a respirare pesante, subito dopo attacca a russare, e io mi sento subito meglio.

Tom mi fa un segno, una specie di piccolo rumore con la bocca, e ci allontaniamo quatti, camminando a quattro zampe. Quando siamo lontani un dieci passi, Tom mi sussurra che vuole divertirsi a legare Jim all'albero, ma io dico di no, che poteva svegliarsi, e piantare un finimondo, e magari si accorgevano che io ero scappato. Allora Tom dice che non aveva abbastanza candele, e voleva andare in cucina a prenderne qualcuna. Io non volevo, naturalmente, e gli dico che Jim poteva svegliarsi e entrare in cucina. Ma Tom non molla, cosí scivoliamo dentro, prendiamo tre candele e Tom mette sul tavolo cinque centesimi in pagamento. Poi usciamo, e io sudavo freddo, perché non vedevo l'ora di battermela, ma non c'era verso di farla piantare a Tom, che striscia vicino a Jim, camminando a quattro zampe, per fargli qualche scherzo. Io resto a aspettarlo, e mi sembra che non tornava piú; tutto era cosí silenzioso e melanconico.

Non appena Tom torna, infiliamo il sentiero lungo lo steccato dell'orto, dopo un po' tocchiamo la ripida cima della collina, dall'altra parte della casa. Tom allora mi dice che aveva tolto a Jim il cappello che aveva in testa, e gliel'aveva appeso a un ramo, che gli pendesse sotto il naso, e che Jim si era mosso un poco, ma non si era svegliato. Andò poi che Jim si mise a contare che le streghe l'avevano incantato, addormentato, e gli erano saltate in groppa, facendolo correre per tutto lo Stato, e poi l'avevano riportato sotto lo stesso albero e attaccato il cappello a un ramo, per fargli capire chi doveva ringraziare per quel tiro. Poi, la volta dopo, Jim conta che lo avevano fatto trottare giú, fino a New Orleans; e tutte le volte che ripeteva la storia aumentava sempre la distanza, finché poco alla volta, dice che gli avevano fatto fare il giro del mondo, che si era stancato tanto che per poco non crepava, e che la schiena era ancora tutta fiaccata dalla sella che gli avevano messo addosso le streghe. Jim era cosí fiero di questa avventura che gli era capitata e si dava tante arie, che quasi non guardava piú gli altri negri. I negri venivano da miglia lontano,

per sentire Jim contare la sua storia, e era diventato il
negro piú importante del paese. Certi negri che non lo conoscevano se ne stavano a bocca aperta e lo guardavano
come fosse l'ottava meraviglia. I negri non parlano d'altro
che di streghe, quando restano al buio, presso il camino
della cucina; ma ogni volta che uno si metteva a discorrer-
ne, come se si intendesse di certe cose, Jim subito gli dava
sulla voce: – Già, ma cosa ne sai tu di streghe? – e quel
negro chiudeva la trappola, e acqua in bocca, tutto mogio.
Jim conservava quella moneta da cinque centesimi, e la
portava sempre legata al collo con un pezzo di spago, e
diceva che era il portafortuna che gli aveva dato il diavolo
in persona, dicendogli che con quella poteva curare qualsiasi malattia, e poteva chiamare le streghe ogni volta che
voleva, solo a recitare certe parole; ma Jim non le diceva
mai a nessuno quelle parole. I negri venivano da miglia in
giro, e regalavano a Jim tutto quello che avevano, per avere il permesso di poter guardare quella moneta da cinque
centesimi, ma non osavano toccarla perché era stata tocca-
ta dal diavolo in persona. Come servo, Jim, dopo di allora,
non valeva quasi piú niente, perché si dava troppe arie per
via che aveva visto il diavolo e era stato cavalcato dalle streghe.

Be', quando Tom e io si arriva ai piedi del cocuzzolo,
guardiamo giú verso il villaggio, e potevamo vedere tre o
quattro lumi che brillavano ancora, magari in camere dove
c'era dei malati, e le stelle su noi luccicavano tutte, che era
un vero spettacolo, e giú accanto al villaggio correva il
fiume, largo un miglio, e cosí tranquillo, magnifico! Noi
scendiamo per la collina e incontriamo Joe Harper e Ben
Rogers e altri due o tre ragazzi, nascosti nella vecchia conceria. Cosí stacchiamo una barca e scendiamo il fiume due
miglia e mezzo, sino al posto dove c'era la grande frana, e
là sbarchiamo.

Ci dirigiamo verso una macchia di fitti cespugli, e Tom
ordina a tutti di giurare di mantenere il segreto, e poi ci
mostra un foro nella costa, proprio dove i cespugli sono
piú folti. Allora accendiamo le candele e strisciamo dentro, camminando a quattro zampe. Avanziamo per circa
duecento jarde, fin dove la tana diventa piú spaziosa. Tom
caccia la testa in diversi corridoi, e ben presto scompare
sotto una parete, dove nessuno si accorgeva che c'era un
buco. Avanziamo per uno stretto passaggio, e finalmente

ci troviamo in una specie di stanza, umida e bagnata e fredda, e lí ci fermiamo. Tom dice:

– Adesso vogliamo fondare questa banda di masnadieri e la chiameremo la Banda di Tom Sawyer. Chi vuole farne parte deve giurare e firmare col sangue.

Tutti sono d'accordo, cosí Tom tira fuori un pezzo di carta, dove ci aveva scritto sopra il giuramento, e lo legge. Ogni membro doveva giurare di restare fedele alla banda, e di non rivelare mai nessuno dei suoi segreti, e se qualcuno faceva male a un membro della banda, chiunque riceveva l'ordine di uccidere quella persona e la sua famiglia doveva eseguire quell'ordine e non poteva né mangiare né dormire finché non li aveva sterminati tutti e tracciato col pugnale una croce sul petto, che era il segno della banda. E chiunque non apparteneva alla nostra banda non poteva usare quel segno, e se l'usava doveva essere perseguito, e se lo usava ancora una volta, allora bisognava ammazzarlo. E se poi qualche membro della banda rivelava i segreti, allora bisognava tagliargli la gola, bruciarne il cadavere, e disperderne le ceneri al vento, e il suo nome doveva essere cancellato col sangue dalla lista dei masnadieri, e mai piú menzionato da nessun membro della banda, ma esecrato e dimenticato per sempre!

Tutti trovano che era un giuramento coi fiocchi, e chiedono a Tom se era stato lui che l'aveva pensato tutto. Lui dice che un poco l'aveva pensato lui, ma che il resto l'aveva trovato nei libri dei pirati e dei masnadieri, e che qualsiasi banda che ha un po' di classe doveva avere un giuramento cosí.

Uno dice che era bene uccidere anche le famiglie dei ragazzi che tradivano qualche segreto. Tom dice che era un'idea molto buona, e cosí prende una matita e ci scrive anche quello. Ma allora Ben Rogers dice:

– Ma c'è Huck Finn qui, che non ha nessuna famiglia, e allora come dobbiamo fare con lui?

– Ma non ha un padre, forse? – dice Tom Sawyer.

– Sí, è vero che ha un padre, ma è già da un po' di tempo che nessuno l'ha piú visto. Una volta andava a smaltire la sbornia tra i porci, nella conceria, ma ormai è da un anno e piú che non l'abbiamo piú visto da queste parti.

Allora si mettono a discutere sul mio caso, e stavano già per escludermi, perché dicono che ogni membro deve avere una famiglia o qualcuno da poter uccidere, altrimenti non è giusto per gli altri. Be', nessuno riusciva a pensare a cosa fare, e s'era tutti in secca. Io avevo quasi voglia di piangere. Ma improvvisamente mi viene un'idea, e cosí offro la signorina Watson: potevano uccidere lei. Tutti allora dicono:

– Ah, benissimo, cosí può andare, cosí va bene. Anche Huck può far parte della banda.

Poi tutti ci pungiamo un dito con uno spillo, per poter firmare col sangue e anche io faccio il mio segno sulla carta.

– E adesso, – dice Ben Rogers, – che tipo di affari si combina con questa banda?

– Solo rapine e omicidi, – risponde Tom.

– Ma cosa ci mettiamo a rubare? Nelle case, o del bestiame, o...

– Piantala! Rubare del bestiame e robe del genere non è fare il masnadiero, quello è lavoro da ladri, – dice Tom Sawyer. – Noi non siamo ladri o roba del genere, noi siamo masnadieri. Noi fermiamo carrozze e diligenze per la strada, tutti mascherati, e ammazziamo i passeggeri e portiamo via gli orologi e il denaro.

– Ma i passeggeri dobbiamo ucciderli sempre?

– Certo. È meglio. Alcuni autori la pensano in modo diverso, ma in genere è sempre meglio ucciderli tutti. Eccetto quelli che porteremo qui nella grotta, da conservare per riscattarli.

– Riscattarli? E cos'è?

– Non lo so, ma è una cosa che si fa sempre. L'ho letto nei libri, e naturalmente dovremo fare cosí anche noi.

– Ma come facciamo a farlo, se non sappiamo nemmeno cosa è?

– Poche storie, dobbiamo farlo e lo faremo! Non te l'ho detto che c'è in tutti i libri? Vuoi forse fare in modo diverso da come è detto nei libri, e combinare una babilonia?

– Già, dirlo si fa presto, Tom Sawyer, ma come diavolo faremo a riscattare questi tali se manco sappiamo come cominciare? Questa è la cosa che vorrei sapere. Dimmi, almeno, cosa pensi che può essere.

– Be', non lo so! Ma forse, se dobbiamo tenerli finché non sono riscattati, vuol dire che dobbiamo tenerli finché non sono crepati.

– Questa è già una cosa che si capisce. Che spiega. Perché non l'hai detto subito? Cosí li teniamo finché non muoiono di riscatto, e ti assicuro che sarà una bella noia, perché quelli mangeranno tutto, e cercheranno sempre di scappare.

– Le sciocchezze che hai il coraggio di dire, Ben Rogers! Come mai possono cercar di scappare, se saranno sempre guardati a vista, e si ricevono un colpo di fucile in pancia, solo che muovono un dito?

– Guardati a vista? Questa è magnifica! Cosí che qualcuno deve star su tutta la notte, e non può chiuder occhio, per guardarli a vista! A me mi sembra una cosa da scemi! Perché non possiamo prendere un bel randello e riscattarli subito noi, non appena arrivano qui?

– Perché nei libri non si fa cosí, ecco il perché. E adesso, stammi a sentire, Ben Rogers, le cose ci stai a farle come si deve, oppure no? Ecco quel che voglio sapere. Credi forse che quelli che scrivono i libri non sanno cosa sono le cose che si devono fare? Credi che proprio tu sai insegnar a loro? Se lo credi, cacciatela via dalla zucca una simile idea! No, mio caro, noi li riscatteremo sempre, come è detto nei libri.

– Bene, bene, a me non me ne importa! Ma però è una maniera ben stupida. E senti, anche le donne le ammazziamo tutte?

– Ben Rogers, fossi ignorante come te, starei sempre zitto! Uccidere le donne? Chi ha mai letto in un libro una cosa del genere? No, le donne si portano qui nella grotta, e le trattiamo bene come fossero di pasta frolla, e, poco alla volta, quelle si innamorano di noi, e non vogliono piú tornare a casa.

– Se è cosí che si deve fare, facciamo pure, ma anche questa è una storia che mi va poco. Ben presto avremo la grotta cosí piena di donne e di uomini che attendono di venir riscattati, che non ci sarà piú un angolo per i masnadieri. Ma fa' pure, fa' come vuoi, che io non dico piú niente.

Il piccolo Tommy Barnes intanto si era addormentato, e quando lo svegliano aveva paura, e si mette a piangere, e dice che vuole tornare a casa dalla sua mamma, e che non vuole piú fare il masnadiero.

Allora tutti si mettono a pigliarlo in giro, e gli dicono che era un pulcino bagnato, e lo fanno irritare tanto, che lui dichiara che va subito a tradire tutti i segreti. Allora Tom gli regala un soldino perché stia zitto, e poi dice che era ora di tornare tutti a casa, e che la settimana prossima dovevamo riunirci per assaltare qualcuno e cominciare gli omicidi.

Ben Rogers dice che lui non poteva uscire di casa sovente, solo la domenica, e cosí era meglio se ci trovavamo la domenica dopo, ma tutti i ragazzi rispondono che era contro la religione ammazzare gente di domenica, e quello sistema tutto. Allora ci mettiamo d'accordo che dovevamo trovarci e fissare un giorno, non appena possibile, poi eleggiamo Tom Sawyer primo capitano, e Joe Harper suo secondo e si torna a casa.

Io m'arrampico sulla legnaia e entro in camera attraverso la finestra, proprio prima che spunti l'alba. I miei vestiti nuovi erano pieni di macchie di cera e sporchi di argilla e ero stanco morto.

Capitolo terzo

Il mattino dopo, la lavata di testa che mi dà la vecchia signorina Watson, per via dei miei vestiti! La vedova invece non mi sgrida, ma toglie tutte le macchie di cera e di argilla, e aveva una aria così triste che io mi dico che, per un po' di tempo, volevo comportarmi bene, se mi riesce. Poi la signorina Watson mi porta in uno stanzino, e si mette a pregare, ma non ne cava nulla. Allora mi dice che dovevo pregare ogni giorno, e così potevo ottenere tutto quello che volevo. Ma erano storie. Una volta avevo una lenza, ma senza ami, che non serviva a niente senza ami. Cerco tre o quattro volte di ottenere degli ami, ma la cosa non funziona. Così, dopo un po' di tempo, un bel giorno chiedo alla signorina Watson di provare lei, se me li faceva avere, ma lei mi dice che sono uno stupido. Non mi ha mai spiegato perché, e io, per conto mio, non sono mai riuscito a capirlo.

Una volta, che mi trovavo nei boschi, mi siedo, e mi metto a pensarci sopra. Mi dico: be', se, pregando, si può ottenere tutto quello che si chiede allora come va che il diacono Winn non ha recuperato i soldi perduti commerciando in maiali? E come mai la vedova non ha ritrovato la tabacchiera d'argento, che gli hanno rubato? Perché la signorina Watson non riesce a ingrassare un poco? No, mi dico io, no, devono essere tutte storie. Allora vado, e ne parlo con la vedova, e lei mi dice che le cose che si potevano ottenere con le preghiere erano solo i *doni spirituali*. Questo era troppo difficile per me, e così lei mi spiega cosa voleva dire: che dovevo aiutare il prossimo, e fare tutto quello che potevo per il prossimo; e pensare sempre al prossimo e mai a me. Questo naturalmente si riferiva anche alla signorina Watson, credo di capire. Allora torno nei boschi e mi metto a pensarci sopra, ma non potevo vedere che vantaggio me ne veniva, tutto il vantaggio era del prossimo, cosí che in ultimo mi dico che non ci avrei piú pensato, e lasciato che tutto vada per la sua strada. Qualche volta la vedova mi prendeva in disparte, e si metteva a parlarmi della Divina Provvidenza, in un modo che mi faceva venire l'acquolina in bocca. Ma poi, magari il giorno dopo, la signorina Watson saltava su lei, e tutto andava di nuovo a farsi benedire. Allora mi è sembrato di capire che c'erano due tipi di Divina Provvidenza, e che un disgraziato poteva trovarsi piuttosto bene con la Divina Provvidenza della vedova, ma che se saltava su la Divina Provvidenza della signorina Watson, allora non c'era da stare allegri. Io ci penso sopra un poco, e poi decido che avrei scelto la Divina Provvidenza della vedova, se mi riusciva, ma non potevo capire che cosa mai ne guadagnava la Divina Provvidenza, visto che sono cosí ignorante, volgare e ordinario.

Papà era già da piú di un anno che nessuno l'aveva piú visto, e io ne ero contento, perché non avevo la minima voglia di rivederlo. Lui non faceva che picchiarmi, quando non era ubriaco, e poteva mettermi le mani addosso, sebbene, quando lui era in paese, io passavo quasi tutto il tempo nei boschi. Be', un bel giorno, verso questo tempo, lo trovano nel fiume annegato, a circa dodici miglia sopra la città, mi dicono. Tutti pensano che era lui, e dicono che questo annegato era proprio della sua statura, e non aveva indosso che stracci, e aveva i capelli molto lunghi, e tutto questo era come papà. Ma la faccia non potevano capire come era, perché era stato tanto in acqua, che la faccia non c'era quasi piú. Dicono che galleggiava sul fiume, con la pancia all'insú, e allora lo portan a riva e lo seppelliscono. Ma io non mi sento tranquillo, perché mi metto a pensare a una cosa. Sapevo benissimo che un uomo annegato non galleggia con la pancia all'insú, ma con la schiena. Cosí capisco subito che non era papà, ma una donna vestita da uomo. Cosí che ritorno a aver paura. Temevo infatti che il vecchio un bel giorno tornava a farsi vivo, e mi auguravo di non vederlo mai piú.

Per circa un mese giochiamo diverse volte a fare i masnadieri, e poi io do le dimissioni. Anche tutti gli altri si stancano. Non avevamo rapinato nessuno, non avevamo ucciso nessuno, ma solo fatto finta. Ci mettevamo a correre per i boschi, e poi si faceva una carica contro dei guardiani

di porci, o delle donne che portavano la verdura al mercato, ma senza mai prendere niente. Tom chiamava i porci
lingotti, e diceva che le rape e le altre verdure erano gioielli, e poi si andava nella grotta e ci mettevamo a vantarci di
quello che avevamo fatto, di tutta la gente che s'era ammaz-
zata, lasciandoci sopra il segno della banda. Ma io non riuscivo a provarci gusto. Una volta Tom manda un ragazzo a
correre per il paese con un bastone acceso, e dice che era il
segnale d'adunata (per avvertire i membri della banda che
dovevano riunirsi) e poi ci comunica che dalle sue spie
aveva avuto informazioni segrete che il giorno dopo una
carovana di mercanti spagnoli e di ricchi arabi si doveva
accampare nella valle della grotta, con duecento elefanti e
seicento cammelli, e piú di mille mule da soma, tutte cari-
che di diamanti, e che avevano solo una scorta di quattrocento soldati e cosí noi dovevamo tendere un'imboscata,
come diceva lui, e li potevamo ammazzare tutti e far piazza pulita. Poi ci dice ancora che dovevamo forbire spade e
fucili e tenerci pronti. Lui non poteva dare l'assalto neppure a una carriola di rape, se non aveva tutte le spade e i
fucili in ordine, anche se erano solo delle assicelle e dei
manichi di scopa, e si poteva forbirli tanto da farci cascare
le braccia dalla fatica e non valevano un centesimo bucato
piú di prima. Naturalmente io non credevo che potevamo
battere una tale folla di spagnoli e di arabi, ma ci tenevo a
vedere i cammelli e gli elefanti, e cosí il giorno dopo, che
era un sabato, mi trovo anch'io a tendere l'imboscata, e
quando ci dà il via saltiamo tutti fuori dai boschi, e giú per
la collina. Ma non si trova manco l'ombra né di spagnoli,
né di arabi, né di cammelli, né di elefanti. Si trattava solo
della scampagnata di una classe di religione, e era una classe di piccoli. Noi saltiamo in mezzo, e facciamo scappare i
bambini a destra e a sinistra, ma non riusciamo a trovare
altro se non qualche ciambella, e un po' di marmellata,
anche se Ben Rogers riesce a impadronirsi di una bambola
di stracci e Joe Harper di un libro di inni e di un opuscolo
religioso. Ma ecco che spunta il maestro, e ci obbliga a
lasciar stare tutto, e a darcela a gambe. Manco l'ombra di
un diamante, e cosí io glielo dico a Tom Sawyer. Lui mi
risponde che invece ce n'erano a carrettate, e dice che c'erano anche gli arabi, e gli elefanti, e tutte le altre trappolerie. Io gli dico: – E allora perché non ho visto niente? – E

lui mi risponde che, se non ero cosí ignorante, sapevo certo di un libro chiamato Don Chisciotte, e potevo capire
tutto, senza fare tante domande. Mi dice insomma che era
tutta colpa di magia. Mi dice che c'erano centinaia di soldati e elefanti e tesori e tutto il resto, ma che avevamo dei
nemici chiamati stregoni, e che quelli avevano trasformato
tutto in un mucchio di bambini, tanto per farci dispetto.
Io allora gli rispondo che, va bene, allora la cosa da fare è
di far guerra a quegli stregoni. Ma Tom Sawyer mi risponde che non ero che un idiota.

— Ma non sai, — dice lui, — che uno stregone può evocare
un reggimento di spiriti, e quelli possono farti a pezzettini
come niente, prima che tu hai avuto il tempo di dire
amen? Sono alti come alberi, e grossi come una chiesa.

— Be', — dico io, — e allora perché non ci facciamo aiutare da qualche spirito, cosí che possiamo suonarle secche a
tutti gli altri?

— Va bene. Ma come si fa a evocare gli spiriti?

— Io non lo so. Gli altri come fanno?

— Be', si mettono a strofinare una vecchia lampada di
stagno, o un anello di ferro, e allora gli spiriti arrivano da
tutte le parti, tra tuoni e fulmini che saettano in giro, tra
nubi di fumo, e qualunque cosa vengono comandati di fare, quelli via di corsa a farlo. Per loro è come niente sradi-
care una torre dalle fondamenta e servirsene per menare un
bel colpo sulla zucca di qualche direttore scolastico, o roba
del genere.

— E chi è che riesce a farli venire?

— Chiunque strofina la lampada o l'anello. Gli spiriti devono servire quelli che strofinano la lampada o l'anello,
chiunque sia, e devono fare tutto quello che gli comanda-
no. Se quello gli ordina di costruire un palazzo lungo quaranta miglia, e tutto di diamanti, e di riempirlo di gomma
da masticare o di quello che si vuole, e poi di andare a
prendere la figlia dell'imperatore della Cina per poterla spo-
sare, ebbene quelli devono ubbidirgli e fare tutto prima
che spunta il sole, il mattino dopo. E per di piú devono
spostare quel palazzo per tutto il paese, e portarlo dove si
vuole, capito?

— Be', — dico io, — questo almeno ho capito, che sono un
branco d'idioti. Perché non si tengono loro il palazzo, invece di regalarlo in giro, a chi lo chiede? E per di piú, se io
fossi uno di loro, aspetterei il giudizio universale, prima di

piantar lí i miei affari e presentarmi, solo perché qualche idiota strofina una vecchia lampada di stagno.

– Le cose che dici, Huck Finn! Ma saresti obbligato a venire, quando quello strofina la lampada, n'abbia o non n'abbia voglia!

– Come, sono obbligato, anche se sono alto come un albero e grosso come una chiesa? Bene, allora vengo sí, certo che vengo, ma quel disgraziato si arrampica subito come un gatto, e sull'albero piú alto che trova in tutto il paese.

– Basta, è inutile sprecare il fiato a parlare con te, Huck Finn. Non sai proprio niente e hai un cervello di gallina.

Io ci penso sopra due o tre giorni, e poi mi dico che voglio vedere cosa c'è in quello che mi ha contato. Cosí tiro fuori una vecchia lampada di stagno e un anello di ferro, e vado nei boschi e mi metto a strofinarli e, strofina che ti strofina, ero piú sudato di un pellerossa, perché avevo voglia di farmi costruire un palazzo, per poi venderlo. Ma tutto è inutile, manco l'ombra di uno spirito! Cosí che ho capito che tutte quelle storie non era altro che una delle tante balle di Tom Sawyer. Magari lui credeva veramente negli arabi e negli elefanti, ma, quanto a me, io la pensavo diverso. Per me puzzavano di classe di religione e di niente altro.

Capitolo quarto

Be', poco alla volta tre o quattro mesi passano anche loro, e ormai si era nel cuore dell'inverno. Io ero quasi sempre andato a scuola, e sapevo compitare, e leggere, e scrivere anche un poco, e recitavo la tavola della moltiplicazione fino a sei volte sette fa trentacinque, e credo che non potevo andare piú in là, anche se andavo a scuola tutta la vita. Non sono fatto per i conti io.

In principio non potevo soffrire la scuola, ma poi, poco alla volta, mi abituo, tanto che quasi la sopportavo. Tutte le volte che non ne potevo piú la salavo, e le vergate che mi davano, il giorno dopo, mi facevano bene e in certo modo mi rallegravano. Cosí che piú andavo a scuola, piú mi abituavo. Cominciavo anche a abituarmi alle maniere della vedova, che non mi davano piú tanto fastidio. Certo che vivere in una casa, e dormire in un letto, era un tormento, ma prima che cominciasse a far freddo ogni tanto scappavo, e andavo a dormire nei boschi, e cosí potevo riposarmi e riprendere coraggio. Preferivo certo la maniera di prima, ma poco alla volta cominciava a piacermi anche la nuova maniera, quasi. La vedova dice che stavo migliorando, lentamente ma sicuramente, e che i risultati erano abbastanza buoni. Dice che ormai non si vergognava piú di me.

Una mattina mi capita che rovescio la saliera a colazione. Stendo subito la mano per prendere un pizzico di sale e buttarlo dietro la spalla sinistra e scongiurare ogni scalogna, ma la signorina Watson è piú lesta di me e non mi lascia. Mi dice: – Su le mani, Huckleberry! Che pasticci combini sempre! – La vedova dice qualche parola per scusarmi, ma certo non basta quello a scongiurare la scalogna, lo sapevo bene. Dopo colazione esco, che mi sentivo molto giú e avevo paura, e mi chiedevo che tipo di disgrazia mi capita addosso, e come e quando. Ci sono delle maniere per vincere la scalogna, ma questo non era del tipo che si possono vincere, cosí che non cerco di fare piú nulla, ma andavo per la mia strada molto giú di corda, e sempre all'erta.

Vado giú per l'orto e salgo il cavalcasiepe, dove si può attraversare lo steccato. Sul terreno c'era un pollice di neve fresca, e subito vedo le impronte di qualcuno. Venivano su dalla cava di pietre, e si vedeva che quel tale aveva girato un poco accanto al cavalcasiepe, e poi aveva costeggiato lo steccato dell'orto. Era strano che non si era deciso a entrare, dopo essere rimasto fuori tanto tempo. Non riuscivo a immaginarne il motivo, ma capivo che era molto strano. Stavo per seguire quelle impronte, ma prima mi chino per guardarle meglio. Da principio non noto nulla, ma subito dopo vedo. Nel mezzo del tacco della scarpa sinistra c'era l'impronta di una croce fatta di grossi chiodi, per tener lontano il diavolo.

Un momento dopo m'ero già rizzato, e scendevo a precipizio la collina. Di tratto in tratto mi volto a guardare indietro, ma non vedo nessuno. Vado subito dal giudice Thatcher, il piú presto che posso. Quando lui mi vede mi dice:

– Cosa hai, ragazzo, che sei cosí accaldato? Sei forse venuto a riscuotere i tuoi interessi?

– No, signore, – dico io. – Forse che ce ne sono?

– Ma certamente. L'interesse di mezza annata è arrivato ieri sera. Piú di centocinquanta dollari, una vera fortuna! Credo che è meglio che io investo anche quelli, insieme con gli altri seimila, perché se li incassi, non sai fare altro che sprecarli.

– No, signore, – dico io, – non ho nessuna intenzione manco di guardarli. Non li voglio, come non voglio neanche i seimila dollari. Voglio che li prendete tutti voi, voglio darli a voi, i seimila e il resto.

Lui mi guarda sorpreso, come se non capissse che cosa volevo dire, poi mi fa:

– Ma, ragazzo mio, che intenzioni hai, con precisione?

Dico io: – Non fatemi nessuna domanda, per favore. Siete disposto a prenderli, non è vero?

Lui dice:

– Be', sono molto sorpreso. C'è qualche cosa che non va?

– Vi prego di prenderli, – dico io, – e non fatemi altre domande, cosí che non devo contare delle storie.

Lui mi guarda un po', e poi mi dice:

– Ah, ah, credo di capire adesso. Tu vuoi vendermi la tua proprietà, non darmela. Adesso ti capisco benissimo.

Poi scrive qualcosa sopra un foglio di carta e lo legge, e mi dice:

– Ecco, vedi cosa dice: per una certa rimunerazione. Questo vuol dire che io l'ho comperata e te l'ho pagata. Ecco il dollaro di pagamento. Adesso non devi far altro che firmare.

Cosí che io firmo e me ne vado.

Il negro della signorina Watson, Jim, aveva una palla di setole, grossa come un pugno, che era stata tirata fuori dal quarto stomaco di un bue, e lui se ne serviva per fare delle magie. Diceva che dentro c'era uno spirito che sapeva tutto. Cosí io vado da lui, appena è scesa la notte, e gli dico che mio padre è tornato, perché ne avevo scoperto le orme sulla neve. Quello che volevo sapere era questo: che cosa aveva intenzione di fare? forse di fermarsi? Allora Jim tira fuori la sua palla di setole, e borbotta qualche cosa sopra, e poi la tiene in mano e la lascia cadere per terra. Quella cade con un colpo sordo, e non si muove piú di un pollice. Jim prova una seconda, una terza volta, e ne ottiene sempre lo stesso risultato. Allora si inginocchia e accosta l'orecchio e resta in ascolto. Ma era inutile, diceva che non voleva parlare. Mi dice che qualche volta si rifiutava di parlare, senza denari. Allora gli dico che avevo un vecchio quarto di dollaro falso, che non valeva piú perché era tutto lustro e l'ottone si mostrava sotto la copertura d'argento, e che ormai non c'era piú verso di farlo passare, anche se l'ottone non si vedeva, perché era cosí lucido che sembrava unto, cosí che tutti se ne potevano accorgere. (Avevo deciso che non gli dicevo niente del dollaro che avevo ricevuto dal giudice). Gli dico che, come moneta falsa, era piuttosto scadente, ma che forse la palla di setole la poteva accettare lo stesso, perché magari non se ne accorgeva. Jim l'annusa un poco, poi la morde, la strofina, e mi dice che avrebbe fatto in modo che la palla di setole l'accettasse per buona. Mi dice che tagliava in due una patata cruda, e ci metteva dentro la moneta e la teneva cosí tutta la notte, in modo che il mattino dopo non si poteva piú vedere l'ottone e non dava piú l'impressione di esser unta, cosí che chiunque in città l'accettava, figuriamoci poi la palla di setole. Be', anche io sapevo che a metterla in mezzo a una patata diventava cosí, ma me n'ero dimenticato.

Jim allora mette il quarto di dollaro sotto la palla di setole, e si inginocchia, e ritorna a scoltare. Questa volta mi dice che la palla funziona. Mi dice che poteva predirmi tutto il mio avvenire, se volevo. Io allora gli dico: forza! e la palla di setole si mette a parlare a Jim e Jim mi ripete tutto, parola per parola. Ecco quello che mi dice:

– Vostro padre non sa ancora cosa farà. A volte pensa che magari va via, a volte invece pensa che rimane. Il meglio da fare è di star tranquillo, e lasciare che il vecchio faccia quello che vuole. Ci sono due angeli che gli girano attorno. Uno è bianco e lucente, e l'altro nero, tutto nero. Quello bianco gli fa fare il bene, per un po' di tempo, ma poi salta su quello nero, che manda tutto a farsi benedire. Ma nessuno sa ancora quale dei due vincerà. Ma per voi adesso tutto va bene. Voi avrete molte pene nella vostra vita, e molte gioie. Qualche volta vi feriranno, e qualche volta vi ammalerete, ma infine poi guarite sempre. Due ragazze entreranno nella vostra vita, una è bionda e l'altra è bruna. Una è ricca e l'altra è povera. Voi sposate prima la povera, e poi piú tardi quella ricca. State lontano dall'acqua quanto potete, e non esponetevi a pericoli, perché è dal pennone di un battello che infine sarete impiccato.

Quando accendo la candela e salgo in camera mia, quella sera, chi ti trovo se non mio padre, seduto sopra una sedia?

Capitolo quinto

Chiudo la porta, poi mi giro, e me lo trovo davanti. Avevo sempre avuto paura di lui, tanto mi picchiava, e penso che anche allora ho paura, ma un minuto dopo mi ero già accorto che non era piú cosí. Voglio dire, il primo colpo in certo modo mi toglie il respiro, tanto resto stupito a una simile visita, ma subito dopo mi accorgo che la paura che avevo di lui non meritava che neppure ci badassi.

Aveva quasi cinquant'anni, e li dimostrava. Capelli lunghi, scarduffati, unti, che gli pendevano sulla fronte e sotto i quali si poteva vedere gli occhi, che brillavano come dietro a delle frasche. I capelli erano tutti neri, non grigi, e cosí gli scopettoni, lunghi e arruffati. La faccia, dove si poteva vedere, non aveva colorito: bianca, ma di un bianco che faceva schifo, faceva accapponare la pelle, faceva pensare a una raganella, alla pancia di un pesce. In quanto ai vestiti, degli stracci, niente altro. Teneva una gamba poggiata sul ginocchio dell'altra, e la scarpa di quel piede era rotta e ne spuntavano due dita, che muoveva di tratto in tratto. Aveva buttato per terra il cappello, un vecchio cappellone floscio con il cocuzzolo che rientrava come il coperchio di una casseruola.

Io mi fermo a guardarlo; lui, seduto su quella sedia in bilico sulle gambe posteriori, resta fermo e mi guarda. Io poso la candela e mi accorgo che la finestra era sollevata: era entrato arrampicandosi sul tetto della legnaia. Lui continua a guardarmi, mi guarda dalla testa ai piedi e poi mi fa:

— Vestiti da signore, eh... tutti ben stirati. E cosí adesso pensi di essere chissà che merlo, eh?

— Forse lo sono, e forse non lo sono, — rispondo io.

— Provati ancora una volta a rispondermi cosí, — dice lui. — Hai imparato a darti delle arie, dall'ultima volta che ti ho visto. Ma prima che ho finito, ti faccio abbassare la cresta. E poi vai anche a scuola, mi hanno detto, e sai leggere e scrivere! Ormai ti credi meglio di tuo padre, adesso, perché lui non sa. Ma ci penso io a farti passare certe arie. Chi ti ha mai dato il permesso di combinare tante sciocchezze, eh? Chi è che te ne ha dato il permesso, dimmi un po'...

– La vedova. È lei che me l'ha dato.

– La vedova, già, e chi ha detto alla vedova che poteva cacciare il naso in affari che non la riguardano affatto?

– Nessuno gliel'ha mai detto.

– Be', le insegno io a cacciare il naso negli affari degli altri! E poi, stammi bene a sentire, quest'idea della scuola piantala subito, capito? Insegnerò io alla gente a allevare un ragazzo che si dà delle arie con suo padre, e crede di essere da piú di lui. Fatti sorprendere una volta sola a fare lo stupido attorno a quella scuola, e vedrai. Tua madre non sapeva leggere, e non sapeva scrivere, finché è stata in vita; nessuno della tua famiglia ha mai saputo, finché sono stati in vita. Neanche io so, e tu, ecco che ti dai tante arie. Ma io non sono un uomo che si lascia pestare i piedi. E adesso, fammi un po' sentire come sai leggere.

Io apro un libro e attacco un pezzo sul generale Washington e le sue guerre. Stavo leggendo da circa mezzo minuto, quando lui molla una pacca al libro, che me lo sbatte in mezzo della stanza. Poi dice:

– È cosí... sai proprio leggere! Avevo i miei dubbi, quando me l'hai detto. Ma adesso stammi a sentire: piantala subito con queste fesserie! Non mi vanno. Ti tengo d'occhio, merlo, e se ti sorprendo ancora vicino alla scuola, ti concio io che te ne ricordi per un pezzo. Se non faccio attenzione, mi diventi persino religioso. Mai visto prima un figlio come te!

Poi prende un quadretto blu e giallo, che c'era dipinto sopra delle vacche condotte al pascolo da un bambino, e dice:

– E questo, cos'è questo?

– È un premio che mi hanno dato, perché sapevo bene la lezione.

Lui allora lo strappa e poi mi dice:

– Ti darò io qualcosa di meglio. Ti mollo una buona cinghiata.

E rimane seduto, a borbottare e grugnire per un minuto, e poi mi dice:

– Mi sei diventato un vero galante, tutto profumato, eh? Un letto, con le lenzuola, uno specchio, persino un tappeto per terra, mentre tuo padre deve andare a dormire tra i porci, nella conceria! Mai visto prima un figlio come te. Ma puoi stare sicuro che ti faccio abbassare la cresta, prima che ho finito. E ti dài tante arie, che non si può neanche ricordarsi di tutto. Dicono persino che sei ricco. Senti un po': cosa c'è di vero?

– Tutte storie, ecco cosa c'è di vero.

– Stammi bene a sentire, e bada a come mi rispondi. Faccio già degli sforzi per controllarmi, cosí non rispondermi delle impertinenze. È da due giorni che sono tornato in paese, e non ho sentito parlar d'altro se non che sei ricco. Ne ho sentito parlare anche giú, lungo il fiume, e è per questo che sono tornato, e domani mattina mi dài tutti i tuoi soldi, capito?

– Ma io non ho un soldo.

– Bugiardo! È il giudice Thatcher che li tiene. Ma tu vai a ritirarli, perché li voglio io.

– Ti assicuro che io non ho un soldo. Chiedi anche tu al giudice Thatcher, e lui ti dice lo stesso.

– Benissimo, glielo chiedo certo, e glieli faccio sputare fuori, o voglio sapere perché non me li dà. Senti, quanto hai adesso in tasca? Dammi subito tutto.

– Non ho che un dollaro, e lo voglio per me, perché...

– Non me ne importa perché lo vuoi... Fuori quel dollaro.

Lo prende, lo morde per vedere se è buono, e poi mi dice che andrà giú in paese a comprarsi un po' di whisky, che era dal mattino che non si era bagnato il becco. Era già uscito sul tetto della legnaia che rimette la testa dentro, e comincia a insultarmi per le arie che mi davo, e perché volevo farmi credere da meglio di lui, e quando pensavo che ormai se ne era andato sul serio, ecco che torna e mi dice di stare attento alla scuola, perché mi avrebbe tenuto d'occhio, e preso a calci, se non la mollavo subito.

Il giorno dopo era ubriaco, e cosí va dal giudice Thatcher e comincia a insultarlo e fa di tutto per farsi dare i miei soldi, ma non ci riesce, e allora giura che andava in tribunale, per farseli consegnare.

Il giudice e la vedova vanno loro in tribunale per ottenere che io gli sia sottratto e uno di loro due sia nominato mio tutore, ma era giunto da poco un giudice nuovo, che non conosceva mio padre, cosí dichiara che il tribunale è bene che non si immischi e non divida una famiglia, se può farne a meno, e che preferiva non sottrarre il figlio al suo legittimo padre. Cosí che il giudice Thatcher e la vedova devono ritirarsi.

Il vecchio ne resta cosí contento, che non riusciva a stare nella pelle. Dice che mi voleva frustare finché non ero del tutto nero e blu, se non riuscivo a fargli dare i miei soldi. Allora mi faccio prestare tre dollari dal giudice Thatcher, e papà li prende e si ubriaca e va in giro a far chiasso, si mette a bestemmiare, urla, dà noia a tutti, e gira per il paese battendo sopra una casseruola, fino a mezzanotte, quando poi lo mettono in guardina, e il giorno dopo lo conducono davanti al giudice che lo condanna a una settimana di carcere. Ma lui dice che non gli importava, che adesso era lui il padrone di suo figlio, e che gliele faceva vedere.

Quando esce, il nuovo giudice dice che vuole fare di lui un uomo nuovo, cosí che se lo porta a casa, lo veste tutto pulito e lo fa stare a colazione, pranzo e cena con la sua famiglia, e insomma non sa piú cosa fare per trattarlo bene. E dopo cena si mette a fargli un discorso sulla temperanza e cose del genere, finché il mio vecchio non sbotta a piangere, e dice che era sempre stato uno stupido, e per delle sciocchezze si era rovinata la vita, ma che adesso voleva voltare pagina, e diventare una persona che nessuno doveva piú vergognarsene, e che sperava che il giudice l'avrebbe aiutato e non disprezzato troppo. Il giudice dice che quelle parole gli facevano tanto piacere, che aveva voglia di abbracciarlo, e poi si mette a piangere anche lui, e anche sua moglie si mette a piangere, e papà dice che nessuno prima di allora era mai riuscito a capirlo, e il giudice dice che doveva essere cosí. Il vecchio dice che un uomo che si trova giú ha bisogno di simpatia, e il giudice gli dà ragione, e cosí tutti e due si rimettono a piangere. E quando è l'ora di andare a letto, il mio vecchio si alza in piedi e stende la mano e dice:

– Guardatela, signori e signore, accettatela, stringetela pure. Questa è la mano che prima era la zampa di un maiale, ma che adesso non lo è piú. Adesso è la mano di un uomo, che ha cominciato una nuova vita, e che morirà prima di ricadere di nuovo in peccato. Ricordatevi bene di

queste parole, e non dimenticatevene. Adesso è una mano
pulita; potete stringerla, senza paura.

E cosí si stringono la mano, tutti in giro e ci ripiangono
sopra un'altra volta. La moglie del giudice addirittura gliela bacia. Il mio vecchio allora firma un solenne impegno di
non bere mai piú, voglio dire che ci fa sotto una croce. Il
giudice dice che era il momento piú bello della sua vita e
cose del genere. Poi accompagnano il vecchio in una bella
stanza, che era la stanza degli ospiti, e durante la notte
ecco che lui ha sete che gli sembra di morire, e allora esce
sul tetto della veranda, si lascia scivolar giú per un pilastro
e vende la giacca nuova per un bottiglione di stura-budel-
le, di quello forte, poi ritorna in camera, se la spassa che è
un incanto, e verso l'alba se ne esce ubriaco marcio. Cerca
di scivolare un'altra volta giú dal tetto della veranda, ma
cade e si spezza il braccio sinistro in due punti e era quasi
congelato quando qualcuno finalmente lo trova che il sole
era già spuntato. Quando quelli fanno per entrare nella
camera degli ospiti, devono scandagliare la stanza, prima
di poterci navigare.

Il giudice allora si irrita sul serio, e dice che qualcuno
forse avrebbe potuto riformare quel vecchio con un buon
colpo di fucile nella schiena, ma che nessun altro metodo
poteva servire a niente.

Capitolo sesto

Be', non passa molto tempo e il vecchio è di nuovo in piedi e in gamba, e allora cita il giudice Thatcher, per ottenere i soldi, e poi se la prende anche con me, perché non avevo piantato di andare a scuola. Mi sorprende un paio di volte e me le molla di santa ragione; ma io continuo a andare a scuola lo stesso, e riuscivo a schivarlo, e se non lo schivavo scappavo e correvo piú di lui. Prima non è che avevo tanta voglia di andare a scuola, ma penso che adesso ci tenevo a andarci, per fare dispetto a mio padre. Il processo era un affare che andava per le lunghe, sembrava che non si decidevano mai a cominciarlo, e cosí di tanto in tanto mi facevo imprestare dal giudice due o tre dollari, perché non mi picchiasse troppo. Ogni volta che aveva qualche soldo si ubriacava, ogni volta che si ubriacava piantava un casino della malora, e ogni volta che faceva cosí finiva in guardina. Ma lui si trovava bene, era proprio la vita che faceva per lui.

Comincia allora a trovarsi troppo sovente nei paraggi della vedova, e lei infine gli dice che, se non la piantava di farsi vedere da quelle parti, gli faceva avere delle noie. Be', avreste dovuto vedere come gli salta la mosca al naso! Dice che avrebbe fatto vedere a tutti chi era il padrone di Huck Finn. Cosí un bel giorno di primavera mi aspetta di nascosto, e mi salta addosso, mi prende prigioniero, risale il fiume in barchetta, per circa tre miglia, poi sbarca sulla riva dell'Illinois, dove non c'erano che boschi e nessuna casa, tranne una vecchia capanna di tronchi, in un posto dove gli alberi erano cosí fitti, che nessuno riusciva a scovarla, se non sapeva già prima dove che era.

Mi tiene sempre chiuso a chiave, e a me non mi riesce mai di scappare. Si viveva tutti e due in quella vecchia capanna, e lui chiudeva sempre la porta a chiave, e di notte dormiva con la testa sopra la chiave. Aveva un fucile, che penso aveva rubato, e cosí si andava a caccia e a pescare, e si viveva di quello che si trovava. Di tanto in tanto mi chiudeva a chiave, e allora andava in una bottega, a tre miglia dal ferry, e barattava pesci e selvaggina per del whisky, che portava a casa, e poi si ubriacava e si sentiva bene e poi me le suonava di santa ragione. Dopo un poco la vedova riesce a scoprire dove che ero, e manda un uomo per cercare di liberarmi, ma mio padre lo fa scappare puntandogli contro il fucile, e non passa molto tempo che ormai io mi ero abituato a vivere cosí, e non mi spiaceva neppure tanto, se non per le botte che ricevevo.

Era una vita abbastanza tranquilla e allegra, e me ne stavo tutto il giorno a far niente, a fumare e a pescare, senza piú libri, né l'obbligo di studiare. Passano due mesi e anche piú, e i miei vestiti erano tutti stracciati e sporchi, e ormai non riuscivo piú a capire come avevo fatto a trovarmi bene in casa della vedova, dove dovevo lavarmi, e mangiare in un piatto, e pettinarmi, e andare a letto, e alzarmi a ore fisse, e dovevo sempre rompermi il capo su qualche libro, mentre la vecchia signorina Watson inventava ogni giorno una maniera nuova di tormentarmi. Non avevo piú ombra di voglia di tornare laggiú. Avevo piantato di bestemmiare, perché alla vedova non gli piaceva, ma adesso avevo ripreso, perché tanto al vecchio non gliene importava un fico. Tutto considerato, non potevo certo lamentarmi troppo di come vivevo in quei boschi.

Ma passa del tempo, e papà comincia a usare un po' troppo il bastone, tanto che non ce la facevo piú. Ero pieno di lividi per tutto il corpo. Poi comincia a stare via per una sfilza di giorni alla volta, e mi chiudeva sempre a chiave. Un giorno mi chiude a chiave e se ne sta via tre giorni filati. Io mi sentivo molto giú di corda. Pensavo che magari era annegato, e che io non potevo piú uscire di là dentro. Allora mi spavento, e mi dico che dovevo trovare a ogni costo un modo per scappare. Già parecchie volte avevo cercato di scappare da quella capanna, ma non avevo ancora trovato una maniera buona. Non c'era una finestra larga abbastanza da lasciar passare un cane. Non potevo arrampicarmi su per il camino perché era troppo stretto. La porta era di tavole di quercia spesse e robuste. Papà, quando andava via, faceva molta attenzione a non lasciare in giro né un coltello né niente del genere. Avevo già esaminato il posto almeno un centinaio di volte; insomma, non facevo altro, quando mi trovavo solo, perché era l'unico modo di far passare il tempo. Ma finalmente trovo qualcosa, e precisamente una vecchia sega arrugginita, senza manico; la trovo nascosta tra una trave e il tavolato del tetto. Allora la ingrasso bene, e comincio a lavorare. Al fondo della capanna, contro le travi e dietro la tavola, era attaccata una vecchia coperta da cavallo, perché il vento soffiando attraverso le fessure, non spegnesse la candela. Cosí mi caccio sotto la tavola, sollevo la coperta, e comincio a lavorare, per segare una parte del grosso tronco di sostegno, in modo da farci un buco che ci potessi scappare. Be', era un lavoro che andava per le lunghe, ma stavo già per finirlo, quando nei boschi sento mio padre che spara qualche colpo. Allora nascondo i segni del mio lavoro, tiro giú la coperta, metto via la sega, e poco dopo papà entra in casa.

Papà non era molto allegro, cioè era del suo solito umore. Mi dice che era sceso al paese, e che tutto andava male. L'avvocato gli aveva detto che credeva che poteva vincere la causa e intascare i soldi, se mai cominciavano la causa, ma che c'erano tanti modi di rinviarla ancora per molto, e che il giudice Thatcher era maestro in quel genere di affari. Poi mi dice che tutta la gente diceva che si doveva fare un altro processo per togliermi a lui e darmi alla vedova, come mia tutrice, e tutti dicevano che questa volta la vedova vinceva la causa. Questa notizia non mi fa molto piacere, perché ormai non avevo piú nessuna voglia di tornare a vivere dalla vedova, che mi dava sempre noia per incivilizzarmi, come diceva lei. Poi il vecchio comincia a bestemmiare e maledice tutto, e tutti quelli che conosceva, poi li maledice un'altra volta tutti, per essere sicuro di non avere dimenticato nessuno, e poi finisce con una specie di maledizione generale, compreso una considerevole sfilza di gente che non ne sapeva i nomi, e cosí malediva quel-tale-come-si-chiama, quando giungeva a quello, e poi continuava a imprecare e a bestemmiare.

Dice che gli piacerebbe vedere la vedova che cerca di portarmi via. Dice che avrebbe aspettato e che se cercavano di giocargli un tiro simile, lui conosceva un posto, lontano sei o sette miglia, dove mi poteva nascondere, e quelli avevano voglia di cercarmi fin che crepavano, ma non mi potevano piú scovare. A sentire queste parole ho di nuovo paura un

poco, ma la paura non dura un minuto, perché mi dico che
non aspettavo certo che si decidesse lui per decidermi io.

Allora il vecchio mi ordina di andare alla barca, a prendere le cose che aveva portato. Trovo un sacchetto di farina
di granturco, di cinquanta libbre, una bella fetta di pancetta affumicata, munizioni, un bottiglione di whisky di quattro galloni, un vecchio libro e due giornali per stoppaccio,
oltre a un po' di canapa. Io ne porto una parte, poi torno e
mi siedo sulla prua della barca per riposare un poco. Mi
metto a pensare alla mia situazione e decido che, appena
posso scappare, mi sarei allontanato col fucile e qualche
lenza e avrei infilato la strada dei boschi. Mi dico che non
sarei rimasto fisso in un posto, ma avrei camminato in genere durante la notte, e potevo mangiare quello che riuscivo
a cacciare e a pescare, e sarei andato cosí lontano che né il
vecchio né la vedova potevano piú trovarmi. Decido che dovevo segare la tavola e scappare quella notte stessa, se mio
padre si ubriacava abbastanza, come ero sicuro che avrebbe fatto. Mi concentro tanto in questi pensieri che non mi
accorgo del tempo che passa, finché il vecchio incomincia
a urlare: m'ero addormentato, o cascato in acqua?

Allora finisco di trasportare tutto nella cabina, e ormai
era quasi buio. Mentre preparo la cena, il vecchio tracanna
una sorsata o due, tanto per scaldarsi un poco, e poi comincia i suoi soliti discorsi. Si era già ubriacato in città, e
aveva passato la notte in un fosso, e era veramente uno
spettacolo. Cosí infangato che poteva passare per Adamo,
il giorno che l'hanno creato. Quando l'alcool gli dava alla
testa se la pigliava quasi sempre col governo. Anche questa volta attacca:

– Sí, bel governo che abbiamo! Pensaci un momento, e
poi dimmi che razza di governo è. Fanno delle leggi per
portar via il figlio a suo padre, il suo proprio figlio, che gli è
costato tanta fatica, e pena, e denaro a tirarlo su. Poi,
quando quel disgraziato è finalmente riuscito a allevare il
figlio, che è in grado di lavorare e far qualcosa per suo
padre, che possa riposarsi un poco, ecco che salta su la
legge, e glielo portano via. E lo chiamano un governo! E non
è ancora tutto. La legge prende le parti del vecchio giudice
Thatcher, e lo aiuta, perché io non possa entrare in posses-
so della mia legittima proprietà. Ecco cosa è la legge! La
legge prende un uomo che vale seimila dollari e anche piú,
e te lo sbatte in una vecchia trappola di capanna come

questa, e lascia che questo disgraziato se ne vada in giro coperto di stracci che non sono adatti a un maiale. Questo è il governo! Un uomo non riesce a far rispettare i propri diritti, con un governo come questo! Qualche volta mi vie-ne proprio voglia di andarmene da questo paese, una buo-na volta per sempre. Sí, e l'ho anche detto a tutti, gliel'ho detto sul muso a quel vecchio Thatcher. C'erano tanti che mi sentivano e possono ripetere quello che ho detto. Ho detto che per due centesimi pianto qui questo dannato pae-se, per non tornarci mai piú, e mai piú sul serio. Questo è quello che ho detto. Ho detto: guardatemi un po' questo cappello, se avete il coraggio di chiamarlo cappello, con il cocuzzolo che se ne va in su e 'il resto che mi casca giú fin sotto il mento, tanto che non sembra piú un cappello, ma ho l'impressione d'aver cacciato la testa nel gomito di un tubo di stufa. Guardatelo, dico io, guardatelo se è un cap-pello che devo portare io, io che sono uno degli uomini piú ricchi del paese, se solo ottengo la mia legittima proprietà.

– Oh sí, un magnifico governo, uno splendido governo! Be', senti questa! Una volta ho visto un negro libero, che veniva dall'Ohio, un mulatto, quasi bianco come un bian-co. E aveva la camicia piú pulita che ho mai visto in vita mia, e un cappello che luccicava, e in tutto il paese non ce n'è un altro che aveva dei vestiti eleganti come i suoi, e aveva un orologio e una catena d'oro, e un bastone col pomo d'argento... mai visto prima un nababbo del gene-re... mai visto in tutto lo Stato. E non è tutto. Mi dicono che è un professore in un'università; e che sa parlare tutte le lingue e che, insomma, sa tutto. E quello non è ancora il peggio, perché mi hanno detto che, nel suo paese, poteva votare. Be', quello è stato troppo. Dove si va a finire, con delle porcherie del genere? Era un giorno di elezioni, e io volevo andare a votare, se non ero troppo ubriaco per an-darci, ma quando mi dicono che c'è uno Stato dove lascia-no votare anche quel negro, allora me ne sono andato via disgustato, e ho dichiarato che non voterò mai piú. Pro-prio le parole che ho detto, e tutti mi hanno sentito, e il paese può andare alla malora, per quello che me n'impor-ta, ma certo che finché vivo non avrà mai piú il mio voto. E dovevi vedere come se ne impipava quel negro, che non m'avrebbe ceduto il passo, se non gli battevo contro la pancia! Io chiedo alla gente, ma perché non prendono quel negro e non lo vendono all'asta? Vorrei che qualcuno me

lo spiegasse perché non lo fanno. E sai cosa mi hanno detto? Mi hanno detto che non poteva essere venduto, finché
non era stato in paese per sei mesi, e che non erano ancora
passati sei mesi. Ecco, queste sono le leggi che fanno. E
chiamano governo un governo che non è capace di vendere
un negro libero, finché non è stato in paese per sei mesi.
Bel governo che osa chiamarsi governo, pretende di essere
un governo, crede di essere un governo, e deve stare con le
mani in mano per sei mesi interi, prima di poter agguanta-
re un dannato negro, ladro e furfante infernale, con la sua
camicia bianca...
    Papà era cosí infuriato che non fa attenzione a dove lo
portano le vecchie zampe, cosí che inciampa nel mastello
di porco salato, e si sbuccia le caviglie, e allora il suo discorso diventa anche piú vivace e violento, e continua a imprecare contro il negro e il governo, senza dimenticare di dare
quello che si merita anche al mastello di porco salato. Poi
si mette a saltellare per la capanna, prima su una gamba, e
poi sull'altra, stringendosi tra le mani prima una caviglia
e poi l'altra, e poi mira col piede sinistro e di colpo molla
un tremendo calcio al mastello. Ma non è una buona idea,
perché il piede sinistro portava una scarpa rotta, che ne
spuntavano due dita, cosí che pianta un urlo che avrebbe
fatto rizzare i capelli in testa anche a un calvo, e cade per
terra, e si mette a rotolarsi, mentre tra le mani si stringeva
le dita dei piedi, e poi attacca a bestemmiare come non
aveva mai fatto prima. Lui stesso lo ha detto piú tardi.
Aveva sentito il vecchio Sowberry Hagan nei suoi giorni
migliori, e lui stesso dice che quella volta aveva battuto
anche il vecchio, ma credo che esagerava, forse.
    Dopo cena papà prende il bottiglione del whisky e dice
che ce n'era abbastanza per due buone sbronze e un deli-
rium tremens. Era la sua frase d'obbligo. Io mi dico che in
un'ora è sbronzo completo, e che allora posso rubargli la
chiave, o finire di segare il tronco per scappare. Lui si
mette a bere, e continua a bere, e poi cade sulla sua cuccia,
ma si vede che quella sera la fortuna non era dalla mia.
Invece di addormentarsi come un ciocco, continua a volto-
larsi inquieto. Gemeva, si lamentava, smaniava, si sbatteva da una parte all'altra, e continua cosí per molto tempo.
Finalmente mi viene tanto sonno che non potevo piú tener
gli occhi aperti e cosí, prima ancora d'accorgermene, m'ero
addormentato sodo, con la candela accesa.

Non so quanto resto addormentato, ma improvvisamente sento un urlo terribile, e salto in piedi. Vedo papà con degli occhi che facevano paura, e saltava da una parte all'altra, e urlava che c'erano delle serpi. Diceva che gli si attorcigliavano su per le gambe, e allora spiccava un salto e piantava un urlo, e diceva che una l'aveva morsicato sulla faccia, ma io non riuscivo a vedere nessun serpente. Lui allora comincia ad andare in giro per la capanna urlando: – Strappala, toglimela via, che mi morde il collo! – Non ho mai veduto un uomo con degli occhi cosí. Ben presto era cosí stanco che non ce la faceva piú, e allora cade per terra ansimando, e si mette a rotolarsi sempre piú in fetta, dando dei calci a tutto ciò che gli capita a portata, e menando dei gran colpi, e muovendo le mani come per afferrare qualcosa nell'aria, e urlava e diceva che c'erano dei diavoli che volevano prenderlo. Dopo un poco si stanca, e rimane per un po' di tempo tranquillo a gemere. Poi resta anche piú fermo, e non faceva il minimo rumore. Potevo udire le civette e i lupi, lontani nei boschi, e il silenzio era cosí completo che faceva paura. Lui era tutto rincantucciato in un angolo. Dopo un poco si alza a metà; e tende l'orecchio con la testa piegata sopra una spalla. Poi, a voce bassa:

– Senti i passi, sono i morti, senti, vengono a prendermi, ma io non ci vado. Sono qui, sono qui... No, non toccatemi, via, via, via quelle mani... Oh come sono fredde! Ma lasciatemi stare, lasciatelo stare un povero diavolo come me!

Poi si mette per terra a quattro zampe, e comincia a strisciare, supplicandoli di lasciarlo stare, e si avvolge tutto nella coperta del letto, si nasconde sotto la tavola, continuando a supplicare, e poi si mette a piangere, e potevo sentirlo anche attraverso la coperta.

Dopo un po' di tempo ne esce fuori, salta in piedi, e aveva uno sguardo anche piú pazzo. Mi vede, e si avventa contro di me. Si mette a inseguirmi in giro per la capanna, con un coltello a serramanico e dice che io sono l'Angelo della Morte, ma che lui mi uccide, e cosí non posso piú venirlo a prendere. Io mi metto a supplicarlo, e gli dico che sono soltanto Huck, ma lui si mette a ridere, una risata tremenda! E si mette a ruggire e a maledire, e intanto continuava a inseguirmi. Una volta, che non giro abbastanza al largo e gli sguscio sotto il braccio, lui cerca di cogliermi e riesce infatti a afferrarmi per la giacca, in mezzo alle spalle, ed io mi dico che sono spacciato. Ma, rapido come un fulmine, mi libero dalla giacca e mi salvo. Ben presto lui era cosí stanco che non stava piú in piedi, allora si lascia cadere con la schiena contro la porta, e mi dice che si voleva riposare un poco e poi mi uccideva. Posa il coltello per terra, vi si siede sopra, dice che voleva dormire un poco per riprender forze, e poi si vedeva chi dei due la vinceva.

Ben presto vedo che si assopisce, e allora prendo la vecchia poltrona col fondo in canna d'India, e ci salgo sopra silenzioso come un gatto, per non fare nessun rumore, e stacco il fucile. Ci infilo la bacchetta, per essere sicuro che è carico, poi lo depongo sopra il barile di rape, puntato verso papà, e mi siedo dietro, in attesa di una mossa di papà. Ma come il tempo non passava mai!

Capitolo settimo

– Ehi, sveglia! Ma cosa diavolo volevi fare?

Apro gli occhi, e mi guardo in giro, cercando di capire dove mi trovo. Il sole era già spuntato, e io avevo dormito della grossa. Papà era in piedi davanti a me, irritato e con l'aria di non stare bene. Poi mi ripete:

– Cosa diavolo mai volevi fare con quel fucile?

Allora capisco che lui non ricordava piú niente di quello che aveva fatto, cosí gli dico:

– Qualcuno ha cercato di entrare, e io mi ero preparato a riceverlo.

– Perché non mi hai svegliato?

– Ho provato, ma non ce l'ho fatta. Non mi riusciva di farti muovere.

– Be', va bene lo stesso. Non star lí a ciarlare tutto il giorno, salta su e va a vedere se c'è qualche pesce alle lenze, per colazione. Io arrivo subito.

Apre la porta, io sguscio fuori e mi dirigo verso il fiume. Vedo rami rotti, bastoni che galleggiavano sull'acqua, e qualche pezzetto di corteccia, cosí che capisco che il fiume aveva cominciato a ingrossare. Come c'era da divertirsi, adesso, a essere in paese! La piena di giugno mi portava sempre fortuna perché, non appena cominciava, potevo trovare legna da ardere, che scendeva sul fiume, qualche zattera di tronchi, a volte magari una dozzina di tronchi in un colpo solo, e non dovevo far altro che andare a prenderli, e venderli al deposito di legna o alla segheria.

Risalgo la riva, con un occhio alla capanna dove c'era mio padre, mentre osservavo quello che la piena aveva potuto portare. E ecco scopro una canoa che era una bellezza, lunga tredici o quattordici piedi, e teneva l'acqua come un'anatra. Io salto a testa prima dalla riva, come una rana, vestito come sono, e nuoto verso la canoa. Avevo paura che c'era qualcuno nascosto dentro, perché la gente sovente si diverte a fare cosí per burla, e quando uno crede di aver trovato una barca, quelli saltano su e lo pigliano in giro. Ma questa volta non era cosí. Era una canoa portata via dal fiume, e io ci salto dentro, e remo verso riva. Il vecchio sarà contento quando la vede, mi dico io, ché vale almeno dieci dollari. Ma quando giungo a riva mio padre non era ancora uscito e, mentre la faccio entrare in un piccolo rigagnolo, simile a un canale, tutto coperto di salici e rampicanti, ecco che mi viene un'altra idea, e allora penso che la nascondo sul serio e cosí, invece di scappare per i boschi, posso scendere per il fiume circa cinquanta miglia, poi mi accampo in qualche posto, e sarà piú comodo che non camminare sempre a piedi.

Ero assai vicino alla capanna, e cosí mi pare di sentire il vecchio che sta per arrivare, ma però riesco a nascondere la canoa, poi salto a riva, e mi guardo in giro, e dietro una macchia di salici scopro il vecchio giú per il sentiero, che stava puntando un uccello col fucile. Cosí capisco che lui non aveva visto niente.

Quando poi mi giunge vicino, io ero occupato a tirar su un palamite. Lui brontola un poco, che ero svelto come un gatto di piombo, ma io gli dico che ero caduto nel fiume, e che era stata colpa della caduta, se ci avevo messo tanto. Capivo che si accorgeva che ero tutto bagnato, e magari cominciava a chiedermi cos'avevo fatto. Alle lenze trovo cinque pesce gatti, e torniamo a casa.

Mentre si era stesi, dopo colazione, per dormire un poco, dato che tutti e due si era stanchi morti, io comincio a pensare che, se potevo trovare qualche modo perché papà o la vedova non mi corrono dietro, era molto piú sicuro che non fidarmi solo nella mia fortuna per riuscire ad allontanarmi abbastanza prima che si accorgono della mia scomparsa, perché possono capitare tante cose, che uno prima non si sogna neanche. Be', per un po' di tempo non riesco a trovare niente, ma poi dopo un poco papà si alza in piedi per bere un altro barile d'acqua, e mi dice:

— Un'altra volta che un uomo viene a fare lo stupido da queste parti, devi svegliarmi, capito? Quell'uomo certo non aveva delle buone intenzioni. Io l'ammazzavo col fucile. Un'altra volta devi svegliarmi, capito?

Poi si stende di nuovo e ricomincia a dormire, ma le parole che aveva detto mi avevano dato l'idea buona. Mi dico allora che ero in grado di sistemare tutto, in modo che a nessuno gli veniva piú in mente di venirmi ancora a cercare.

Verso mezzogiorno usciamo e si risale la riva. Il fiume era aumentato rapidamente e era pieno di legname. Dopo un po' di tempo ecco scendere parte d'una zattera di tronchi, nove tronchi in tutto. Noi li accostiamo in barca e li portiamo a riva. Poi si pranza. Chiunque altro, tranne papà, aspettava e faceva la guardia tutto il giorno, per poter prendere qualcos'altro ancora, ma papà non era cosí. Per il momento nove tronchi erano piú che sufficienti, e lui via al paese a venderli. Prima di andarsene mi chiude a chiave, salta sulla barca, e verso le tre e mezzo comincia a tirarsi dietro quei tronchi, verso il paese. Io mi dico che, per quella sera, non si sogna neanche di tornare a casa. Aspetto, finché penso che ormai deve essere ben avviato per il suo cammino, poi fuori la sega e sotto a lavorarmi il tronco. Prima che lui era dall'altra riva del fiume, io ero già uscito dal buco che avevo fatto. Lui e la sua zattera erano ormai solo piú un puntino, lontano sull'acqua.

Allora prendo il sacco di farina di granturco e lo porto dove era nascosta la canoa, aprendomi un passaggio tra i cespugli e i rami, e lo carico sopra; poi faccio lo stesso con la pancetta e il bottiglione di whisky. Prendo tutto il caffè e lo zucchero che c'era, tutte le munizioni, la stoppa, il secchiello e la zucca, un mestolo e una tazza di latta, la mia vecchia sega e due coperte, la padella e la caffettiera. Prendo anche le lenze, fiammiferi e tutto il resto, insomma tutto quello che serve a qualcosa. Pulizia generale! Mi faceva certo comodo anche una scure, ma non ce n'era nessuna, se non quella accanto alla legnaia, e io sapevo che quella dovevo lasciarla stare. Infine prendo il fucile e cosí ho finito.

A strisciar fuori del buco e a trasportare tante cose, avevo lasciato numerosi segni per terra. Allora spiano tutto, il meglio che posso, spargendo sopra un po' di terra, per nascondere le tracce e la segatura. Poi rimetto a posto il pezzo del tronco segato, gli piazzo sotto due pietre, e una contro, in modo che non cada, perché in quel punto faceva una curva e non poggiava sul terreno. A quattro o cinque piedi di distanza, uno che non sapeva che era stato segato, non poteva notare nulla; inoltre quel trave si trovava sul didietro della cabina, e non era facile che qualcuno andasse a curiosare da quella parte.

Da quel punto fino alla canoa era tutto erboso, cosí che non c'erano segni per terra. Mi guardo in giro per esaminare tutto. Mi fermo sulla riva e guardo verso il fiume. Tutto in ordine. Allora prendo il fucile e entro nel bosco, per cacciare qualche uccello, quando vedo un maiale selvatico; in quei fondi i maiali diventano subito selvatici, appena scappati da una fattoria. Ammazzo quel maiale e lo porto alla capanna.

Poi prendo la scure e rompo la porta. Nel romperla la colpisco e la scheggio quanto piú posso. Poi prendo il maiale, lo porto sin verso la tavola, e lí gli taglio la gola con la scure e lo lascio dissanguarsi per terra, – e dico terra perché era terra-battuta, senza assi. Poi prendo un vecchio sacco, ci metto dentro molte pietre, quante potevo trasportare, e trascino il sacco dal posto dove era il maiale sino alla porta, e poi attraverso i boschi sin giú al fiume, e infine lo butto nel fiume, e quello sprofonda e scompare alla vista. Adesso era facile vedere che qualcosa era stato trascinato in quel tratto. Come mi sarebbe piaciuto avere accanto Tom Sawyer, perché sapevo che lui si interessava a questo tipo d'affari, e era capace di metterci qualche aggiunta di fantasia per farlo piú bello. Nessuno poteva combinare una cosa del genere, col gusto e la fantasia di Tom Sawyer.

Be', infine mi strappo qualche capello, insanguino bene l'ascia, ci appiccico sopra i capelli, e poi butto l'ascia in un angolo. Poi prendo il maiale, me lo stringo al petto con la mia giacca, in modo che non lasci colare sangue, e lo porto lontano dalla casa, poi lo getto nel fiume. In quel momento mi viene un'altra idea. Cosí torno, prendo il sacco di farina e la mia vecchia sega e li trasporto in casa. Rimetto il sacco dove si trovava di solito, gli faccio un buco nel fondo con la sega, perché non c'erano né coltelli né forchette perché papà per far cucina non si serviva d'altro se non del suo coltello a serramanico. Poi porto il sacco per circa cento jarde attraverso l'erba e i salici, dietro la casa, fino a un laghetto poco profondo, largo circa cinque miglia e pieno di giunchi e a suo tempo, come potete ben immaginare, anche di anatre. Vi era un piccolo rigagnolo fangoso, che ne usciva dall'altro lato e si allontanava per miglia verso non so dove, ma che non finiva nel fiume. La farina esce fuori e segna una piccola tracccia sino al lago. Lascio cadere anche la cote di papà, cosí che sembrava che era caduta per caso. Infine lego con una funicella il buco del sacco, per non perdere altra farina, e lo riporto con la sega sulla canoa.

Ormai era notte, e cosí faccio scendere la canoa giú per il fiume, sotto alcuni salici che sporgevano dalla riva, e attendo che spunti la luna. Lego la barca a un salice, mangio un boccone, e dopo mi stendo nella canoa, a farmi una pipata e a combinare bene il piano di tutto quello che dovevo fare. Mi dico che quelli seguiranno le tracce del sacco pieno di pietre fino alla riva, e allora si mettono a dragare il fiume per trovare il mio cadavere. Poi seguiranno la traccia di farina sino al laghetto e faranno una battuta, seguendo il rigagnolo che esce dal lago, per rintracciare i ladri che mi hanno ucciso, e rubato tutto. Nel fiume non cercheranno niente altro se non il mio cadavere. Ma ben presto si stancano, e nessuno penserà piú a me. Benissimo, cosí io posso fermarmi dove che voglio. L'isola di Jackson è quello che fa per me; la conosco bene, e non ci viene mai nessuno, e poi di notte posso remare fino al paese e, tenendomi nascosto, prendere quello che mi bisogna. Sí, l'isola di Jackson è proprio il posto che fa per me.

Ormai ero stanco e, prima di accorgermene, dormivo già della grossa. Quando mi sveglio, dapprima non riesco a capire dove mi trovo. Mi rizzo a sedere, mi guardo in giro un po' spaventato, ma poi comincio a ricordare. Il fiume aveva l'aria di stendersi per miglia e miglia. La luna era cosí chiara che potevo contare tutti i tronchi d'albero che galleggiavano sul fiume, neri e tranquilli a centinaia di jarde dalla riva. Tutto era completamente silenzioso, e si capiva che era tardi, si sentiva quasi dall'odore ch'era tardi. Voi capite cosa voglio dire, ma non so trovare le parole giuste.

Faccio un bello sbadiglio, mi stiro tutto, e stavo per staccare la canoa e avviarmi, quando sento un suono lontano, che mi arriva sulle acque. Tendo l'orecchio e ben presto riesco a capire di cosa si tratta. È quella specie di rumore regolare prodotto dai remi che lavorano negli scalmi, quando è una notte tranquilla. Allora spio attraverso i rami del salice, e scopro la causa del rumore: una barchetta ancora lontana, tanto che non riesco a distinguere quanti ci sono sopra. Quella continua a avvicinarsi e, quando è quasi alla mia altezza, m'accorgo che sopra non c'è che un

uomo. Magari è papà, mi dico io, anche se non lo aspettavo cosí presto. La corrente lo porta un po' sotto di me, e
dopo un poco lui risale lungo la riva, nelle acque tranquille,
e mi passa cosí vicino che, se prendevo il fucile, potevo toccarlo. Be', era proprio mio padre, e non sembrava neanche
ubriaco dal modo come maneggiava i remi.

Io non perdo un minuto. L'istante dopo filavo il piú in
fretta possibile giú per il fiume, senza far rumore, ma rapidamente, e tenendomi nell'ombra della riva. Scendo un
due miglia e mezzo, poi piego per un quarto di miglio o
anche piú verso il mezzo del fiume, perché ben presto dovevo passare davanti all'approdo del ferry, e la gente che mi
vedeva poteva vedermi e darmi una voce. Mi porto nel bel
mezzo dei tronchi che scendevano alla deriva e mi stendo
sul fondo della canoa, lasciandola scendere secondo corrente. Resto là steso e mi riposo tranquillo e mi faccio una pipata, e intanto guardavo il cielo, dove non c'era ombra di
nuvola. Il cielo sembra sempre cosí fondo, quando lo si
guarda stesi sulla schiena e c'è la luna che splende; prima
non me n'ero mai accorto. E a quale distanza si può udire
un rumore sulle acque, in notti cosí! Potevo udire la gente che parlava all'approdo del ferry, e capisco anche quello
che dicevano, ogni parola che dicevano. Un uomo diceva che
ormai si stava per arrivare ai giorni lunghi e alle notti corte.
Ma l'altro gli risponde che questa non era certo una notte
corta, pensava, e poi si mettono a ridere e ripetono la stessa
frase, e ridono di nuovo. Poi svegliano un terzo individuo,
e gli dicono la stessa frase, e si mettono a ridere, ma quello
manco per sogno, risponde con una frase un po' brusca e
dice di lasciarlo in pace. Il primo allora dice che pensava di
ripetere la frase alla sua vecchia, e lei certo la trovava spiri-
tosa, ma poi aggiunge che però era niente, paragonata a
certe battute che gli venivano una volta. Sento uno dire
che erano quasi le tre, e che si augurava che il sole, per
spuntare, non aspettasse piú di una settimana. Dopo di
che le parole si allontanano progressivamente, e io non riuscivo a distinguerle con precisione, ma udivo solo piú un
mormorio, e di tanto in tanto una risata, ma che sembrava
molto lontana.

Ormai ero molto sotto l'approdo del ferry, cosí mi alzo
a sedere e mi vedo davanti l'isola di Jackson, circa due
miglia e mezzo a valle, coperta di alberi e che spiccava nel
mezzo del fiume, grossa e scura e solida, come un battello

coi fanali spenti. Non si scorgeva nessun segno della barra a monte dell'isola, perché era tutto sommerso dall'acqua.

Non mi ci vuole molto tempo per arrivare all'isola. Vicino al capo filavo forte, perché la corrente era molto rapida; poi mi trovo nelle acque tranquille, e tocco terra dalla parte che guarda la riva dell'Illinois. Faccio entrare la canoa in una profonda insenatura della riva, che già conoscevo, e devo aprirmi un passaggio tra i rami dei salici per entrarci, e quando infine la lego nessuno dal di fuori poteva accorgersi che c'era nascosta una canoa.

Entro nell'isola e mi siedo sopra un tronco, che si trovava sul capo, e mi fermo a guardare il grande fiume, e i tronchi neri che scendevano e, piú lontano, il paese, che distava tre miglia, e dove si poteva vedere tre o quattro lumi, ancora accesi. Un'enorme zattera di grossi tronchi, a circa un miglio a monte, scendeva lentamente, con una lanterna accesa nel bel mezzo. Resto a guardarla che si avvicina e, quando si trova quasi alla mia altezza, sento un uomo comandare: – Ai remi di poppa, forza, poggiate a dritta! – Lo sento parlare chiaro, come se mi fosse accanto.

Ormai in cielo c'era una piccola striscia grigia, e cosí torno tra i boschi e mi stendo per terra, per farci una dormitina, prima di colazione.

Capitolo ottavo

Quando mi sveglio il sole era cosí alto sull'orizzonte che capisco subito che doveva essere già piú delle otto. Ero steso sull'erba, nell'ombra fresca, e pensavo a tante cose, e mi sentivo tutto riposato, e piuttosto contento e soddisfatto. Potevo scorgere il sole da due o tre spiragli, ma in genere tutto in giro si stendevano degli alberi enormi, che facevano un'ombra densa. Per terra c'erano delle chiazze di sole, dove la luce riusciva ad aprirsi un passaggio attraverso le foglie, e quelle chiazze si muovevano leggere, mostrando che in alto c'era un po' di brezza. Un paio di scoiattoli si erano arrampicati sopra un ramo, e si erano messi a chiacchierare con me, cosí, come tra amici.

Stavo cosí bene, e sentivo tanta voglia di far niente, che non avevo neanche volontà di alzarmi per preparare colazione. Mi ero rimesso a dormicchiare, quando mi pare di sentire un profondo e lontano boato a monte, lontano. Allora mi alzo, mi appoggio sul gomito, tendo l'orecchio, e ben presto sento di nuovo quel boato. Salto in piedi, avanzo, spio per un buco che c'era tra le foglie e vedo una nuvola di fumo che si stendeva sull'acqua, a una grande distanza, quasi all'altezza del ferry. E intanto il ferry col ponte pieno di gente, si lasciava portare in giú dalla corrente. Capisco subito di cosa si tratta. Sento un nuovo buum! e vedo una nuvola di fumo bianco che scappa via da un fianco del ferry. Stavano sparando col cannone sull'acqua, per far venire a galla il mio cadavere.

Ormai avevo molta fame, ma non era prudente accendere il fuoco, perché potevano scorgere il filo di fumo. Cosí resto tranquillo a osservare il fumo del cannone, e a sentire il rombo degli spari. Il fiume in quel posto è largo un miglio, e le mattine estive è sempre molto bello, cosí che io mi divertivo un mondo a vederli andare alla ricerca dei miei resti, solo che sentivo tanta fame. Be', capita che mi ricordo che di solito mettono un po' di argento vivo dentro delle pagnotte di pane e le fanno galleggiare sull'acqua, perché vanno sempre vicino a dove si trova un cadavere e si fermano sopra. Cosí mi dico che, se faccio attenzione a qualcuna di quelle che naviga giú dalle mia parti, magari posso buscarmene una. Allora vado sulla sponda dell'isola che guarda verso l'Illinois, per vedere se mi capitava un po' di fortuna, e non devo attendere molto. Ben presto vedo arrivare una grossa pagnotta doppia, e ero quasi riuscito a portarla a riva per mezzo di un lungo bastone, quando un piede mi scivola e quella si allontana e scompare. Naturalmente mi trovavo dove la corrente passa piú vicino alla riva, perché capivo che era lí che potevo trovare delle pagnotte. Infatti, poco dopo, ne spunta un'altra, e questa riesco a prenderla. Estraggo il tampone, scuoto quel poco di argento vivo che ci avevano messo dentro, e comincio a divorarmela. Era pane di fornaio, quello che mangiano i signori, non del pane di granturco, da povera gente.

Avevo trovato un buon posto tra le frasche, e mi siedo su di un tronco a mangiare il mio pane, e a guardare il ferry, e mi sento molto soddisfatto. Ma poi mi viene un pensiero, che mi colpisce. Ecco, mi dico, la vedova o il pastore o qualcun altro ha pregato perché questa pagnotta riesca a trovarmi, e infatti mi ha trovato. Cosí che non c'è dubbio che c'è qualcosa di vero in questa storia. Ma bisogna anche dire che c'è qualcosa, quando chi prega è una persona come la vedova o il pastore, ma se ero io a pregare, non serviva a niente, cosí che penso che funziona solo quando chi prega è la persona che va.

Poi accendo la pipa, e mi faccio tranquillo una fumata, e continuo a guardare. Il ferry si lasciava portare dalla corrente, e io penso che, quando fosse alla mia altezza, forse potevo vedere chi era a bordo, perché doveva certo passare molto vicino a dove avevo trovato la pagnotta. Quando il ferry è proprio accosto, allora spengo la pipa e vado dove avevo pescato quella pagnotta e mi nascondo dietro un tronco che si trovava sulla riva, in una piccola radura. Io riuscivo a spiare, dove il tronco si biforca.

Poco dopo il ferry scende all'altezza dove sono io. Era cosí vicino a terra che bastava mettere una tavola e potevano scendere sull'isola. Sul battello c'erano quasi tutti: papà e il giudice Thatcher e Bessie Thatcher e Joe Harper e

Tom Sawyer e la sua vecchia zia Polly e Sid e Mary e tanti altri ancora. Tutti parlavano del delitto, ma il capitano li interrompe e dice:

– Adesso state tutti molto attenti, perché la corrente qui passa molto vicino alla riva, e magari il cadavere è stato spinto verso la riva, e si è impigliato nei cespugli, che ci sono sulla spiaggia. O, almeno, lo spero.

Io invece non lo speravo affatto. Tutti allora si affollano e si sporgevano dal parapetto proprio davanti a me, e stavano zitti e guardavano fissi, con la massima attenzione. Li potevo vedere tutti benissimo, ma loro non potevano vedere me. Il capitano a un tratto dice:

– Allontanatevi tutti! – e il cannone mi lascia partire un tale colpo, proprio sul naso, che mi assorda col rumore e quasi mi acceca col fumo, e io per un momento ho paura che mi abbia spacciato. Se mettevano qualche pallottola, sono persuaso che potevano finalmente trovare il cadavere che cercavano. Be', dopo un poco mi accorgo che, grazie al cielo, non mi sono fatto niente. Il ferry continua a scendere lungo la corrente e scompare alle spalle dell'isola. Di tratto in tratto potevo sentire il boato sempre piú lontano, e poi, poco alla volta, dopo circa un'ora, non sento piú niente. L'isola era lunga tre miglia. Cosí penso che ormai erano giunti al capo di sotto e avevano mollato di cercare. Ma non la smettono ancora per qualche tempo. Virano al capo dell'isola, e continuano la ricerca lungo il braccio che è dal lato del Missouri, risalendo a vapore la corrente, e sparando qualche altro colpo mentre risalivano. Io vado da quella parte a guardarli. Quando hanno superato il capo dell'isola, smettono di sparare e si accostano alla riva del Missouri, per tornare a casa.

Capisco che adesso tutto è a posto. Non veniva piú nessuno a cercarmi. Allora tiro fuori dalla canoa le mie provviste e sistemo un bell'accampamento nel mezzo dei boschi. Faccio una specie di tenda con le coperte, e sotto di quelle ci infilo tutto, in modo che, anche se pioveva, non si bagnavano. Intanto avevo preso un pesce-gatto, e lo apro con la sega, e quando il sole comincia a tramontare accendo un fuoco e mi preparo la cena. Poi ributto le lenze, per avere qualche pesce per colazione.

Quando poi è scuro torno presso la tenda, e mi metto a fumare, e stavo proprio bene. Ma poco alla volta comincio a sentirmi un po' solo, e cosí vado vicino alla riva, e ascolta-

vo l'acqua che correva, e contavo le stelle, e i tronchi d'albero, e le zattere che mi passavano sotto gli occhi, e infine vado a dormire. Non c'è miglior maniera per far passare il tempo, quando uno si sente solo, perché non continua
a sentirsi solo, e ben presto non se ne ricorda neanche
piú.

Va avanti cosí per tre giorni e tre notti. Niente di nuovo: sempre la stessa cosa. Ma poi mi salta l'idea di andar a
esplorare l'isola. Ne ero io il padrone, era tutta di me, per
cosí dire, e volevo conoscerla tutta. Ma soprattutto volevo
far passare un po' di tempo. Trovo molte fragole mature e
di prima qualità, e bacche estive ancora verdi, e dei lampo-
ni verdi, e delle more verdi, che cominciavano appena a
maturare. Cosí mi dico che, poco alla volta, tutto mi poteva far comodo.

Be', continuo a girare cosí per i boschi, finché capisco
che non dovevo essere troppo lontano dall'altro capo dell'i-
sola. Naturalmente avevo il fucile, ma non avevo sparato
neanche un colpo. Lo portavo con me, come per difesa, e
pensavo che, piú vicino al campo, magari ammazzavo qualche uccello. Proprio in quel momento, per poco non metto
il piede su un serpente piuttosto grosso, che fila via tra
l'erba e i fiori, e io dietro, a cercar di ammazzarlo. Continuo a inseguirlo, e improvvisamente mi trovo sotto gli occhi le ceneri di un campeggio, che fumavano ancora.

Il colpo che mi dà il cuore, su tra i polmoni! Già che
non resto ad aspettare, alzo il grilletto del fucile e mi ritiro
quatto, in punta di piedi, il piú in fretta che posso. Di
tratto in tratto mi fermavo per un secondo, quando mi
trovavo in mezzo a un folto cespuglio, e tendevo l'orecchio, ma respiravo cosí in fretta che non potevo sentire
niente se non il mio respiro. Continuo a ritirarmi per un
altro poco, e poi di nuovo tendo l'orecchio, e cosí continuo
per un bel pezzo. Ogni ceppo che vedevo lo scambiavo per
un uomo; se mettevo il piede sopra un bastone e questo si
rompeva, mi sentivo mozzare il respiro, e potevo solo respirare a metà, e anche cosí con fatica.

Quando finalmente mi trovo vicino alla mia tenda, non
è che ero molto in gamba, o avevo del coraggio da vendere. Ma mi dico subito: questo non è il momento di fare
delle sciocchezze. Cosí raccolgo tutte le mie cose, e le porto nella canoa, dove nessuno poteva vederle, e poi spengo
il fuoco e disperdo le ceneri, in modo da dare l'impressio-

ne che era un fuoco acceso l'anno prima, poi salgo sopra un albero.

Su quell'albero credo che sono rimasto circa due ore. Ma non mi riusciva di vedere niente, né di sentire niente. Solo che avevo l'impressione di sentire e vedere tante, tante cose. Be', certo che non potevo restarci per sempre lassú, e cosí infine mi decido a scendere, ma resto dove il bosco è piú fitto, e stavo continuamente all'erta. Non mi vien fatto di mangiare altro se non delle bacche, e quello che mi era rimasto da colazione.

Quando fa notte sentivo abbastanza fame, cosí, quando è proprio scuro, mi allontano dalla riva prima che spunti la luna, e con la canoa mi porto sulla riva dell'Illinois, circa un quarto di miglio. Allora entro nei boschi e mi preparo la cena, e avevo quasi deciso che mi fermavo là tutta la notte, quando odo improvvisamente un rumore caratteristico: stanno per arrivare dei cavalli. Subito dopo odo la voce di qualcuno. Allora porto tutto sulla canoa, il piú presto che posso, e poi avanzo cauto tra i boschi, per vedere cosa potevo scoprire. Non avevo camminato molto che odo un uomo dire:

– Meglio che fissiamo l'accampamento qui, se possiamo trovare un posto adatto. I cavalli non ce la fanno piú. Vediamo un po' se possiamo sistemarci.

Io non mi fermo, ma mi allontano remando, e vado a legare la barca nel vecchio posto di prima, e poi penso che magari facevo meglio a dormire nella canoa.

Ma non ho certo dormito molto. Pensavo a tante cose, che non mi veniva di dormire. E tutte le volte che mi svegliavo mi pareva che qualcuno mi aveva afferrato per il collo, in modo che quel po' di sonno non mi giova molto. Ma poi, dopo un poco, mi dico che non posso continuare a vivere cosí, e che devo scoprire chi è che si trova sull'isola con me, che devo scoprirlo magari crepassi, se non voglio morire prima dalla paura. Appena presa quella decisione, mi sento subito meglio.

Cosí afferro la pagaia, mi allontano da riva di una jarda o due, e poi lascio che la canoa scenda lenta, protetta dalle ombre. La luna splendeva e fuori dell'ombra era quasi chiaro come di giorno. Io continuo a guardare bene dappertutto per quasi un'ora, tutto era fermo come di pietra, tutto dormiva tranquillo. Ormai avevo quasi raggiunto la punta meridionale dell'isola. Comincia a soffiare un po' di brezza fresca, che fa tremolar l'acqua, e che voleva dire, chiaro come fosse scritto, che ormai la notte sta per finire. Allora do un colpo di pagaia e spingo la barca contro la riva, poi prendo il fucile ed entro nell'orlo dei boschi. Mi vado a sedere sopra un tronco, e mi metto a guardare tra le foglie. A poco a poco la luna scompare, l'oscurità comincia a distendersi sul fiume. Ma poco dopo vedo una striscia pallida, che appare dietro la punta degli alberi, e capisco che sta per spuntare il giorno. Cosí riprendo il fucile, e avanzo quatto verso il posto dove avevo trovato quel fuoco, fermandomi ogni due minuti a tendere l'orecchio. Ma mi pareva di non aver fortuna, non riuscivo a rintracciare quel posto. Dopo un poco che avanzo ecco, non c'è dubbio, scorgo il barlume di un fuoco, lontano, in mezzo agli alberi. Allora avanzo, anche piú cauto e lento. Sempre accostandomi cosí, giungo abbastanza vicino da poter vedere di che cosa si tratta e vedo un uomo, steso per terra. Mi sento il sangue nelle calcagna. Aveva una coperta avvolta attorno alla testa e la testa vicinissima al fuoco. Allora vado a sedermi dietro un cespuglio, a circa sei piedi, e non lo perdo di vista un minuto. Ormai il cielo era grigio, e ben presto quello si stira, sbadiglia, viene fuori dalla coperta, e vedo che si tratta di Jim, il servo della signorina Watson. Potete capire quanto ne resto contento. Dico subito:

– Salve Jim! – ed esco fuori dal mio nascondiglio.

Lui lo zompo che dà, e come sgrana gli occhi. Poi si butta in ginocchio, e stringe le mani, e comincia a dire:

– Non fatemi del male... vi supplico. Io non ho mai fatto del male agli spiriti. Ci ho sempre voluto bene ai morti, io, li ho sempre trattati bene, io! E voi tornate nel fiume, dove dovete stare, e non fate del male al povero Jim, che è sempre stato vostro amico.

Be', non ci vuole molto tempo per fargli capire che non ero uno spirito. Ero cosí contento di vedere Jim, perché cosí non mi sentivo piú solo. Gli dico che non avevo paura che lui andasse a dire dove che mi trovavo. Continuo a parlare, ma lui restava fermo e mi covava con gli occhi, e non spiccicava una parola. Infine gli dico:

– Ormai il giorno è spuntato. Prepariamo la colazione. Tu accendi un bel fuoco.

– Cosa serve accendere un fuoco, per cucinare delle fragole e altre porcherie del genere? Ma voi avete un fucile, vero? Allora magari possiamo trovare qualcosa di meglio, che non solo fragole.

– Fragole e porcherie del genere? – dico io. – È questo che mangi?

– Non potevo trovare niente altro, – dice lui.

– Ma da quanto tempo sei su questa isola, Jim?

– Sono venuto la notte dopo che vi hanno ammazzato.

– Come, da allora?

– Da allora!

– E non hai mangiato altro se non quelle porcherie?

– Niente altro.

– Ma allora sei morto di fame!

– Credo che ce la faccio a mangiare un cavallo intero, da solo. Sono sicuro che ce la faccio, e comodo. E voi, da quanto tempo siete sull'isola?

– Dalla notte in cui mi hanno ammazzato.

– Possibile? E allora di cosa siete vissuto? Ma già, voi avete un fucile. È vero, avete un fucile. Cosí va bene. Adesso ammazzate qualche animale, e io ravvivo il fuoco.

Cosí andiamo verso dove c'era la mia canoa, e mentre lui accende il fuoco in una radura erbosa, in mezzo agli alberi, io tiro fuori farina e pancetta e caffè, una caffettiera e una padella, zucchero, tazze di latta, e il negro era sempre piú spaventato, persuaso che era tutto effetto di magia. Io riesco a pescare un bel pescegatto, e Jim lo pulisce con il suo coltello e lo fa friggere.

Quando la colazione è pronta, ci sediamo sull'erba e ce la sbafiamo, calda fumante. Jim diluviava, perché era quasi morto di fame. Poi, quando ci sentiamo pieni, ci stendiamo a pancia all'aria, per riposare.

Dopo un poco Jim dice:

– Ma sentite un po', Huck, chi è che è stato ucciso nella capanna, se non siete stato voi?

Allora gli conto tutta la storia, e lui dice che l'avevo combinata proprio bene. Dice che manco Tom Sawyer sapeva far meglio. Allora gli chiedo:

– E tu, com'è che ti trovi qui, Jim, e come ci sei giunto?

Lui prende un'aria piuttosto imbarazzata, e per un momento non apre bocca. Poi dice:

– Forse è meglio se non ve lo dico.

– E perché Jim?

– Perché, perché ho i miei motivi. Ma voi non mi tradite mai con nessuno, se ve lo dico, vero, Huck?

– Che sia dannato, se lo faccio, Jim.

– Be', io vi credo, Huck... Io... io sono scappato.

– Jim!

– Be', ricordatevi che me l'avete promesso, che non lo dicevate a nessuno, ricordatevi che me l'avete promesso, Huck.

– Sí, è vero. Ho promesso che non ti tradivo, e mantengo la parola. Parola d'onore che la mantengo. Magari la gente mi chiamerà un dannato abolizionista, e mi disprezza, perché non ho parlato, ma non m'importa un fico. Io non parlerò mai, e tanto lassú non ci torno piú. E adesso, contami tutto.

– Be', vedete, è stato cosí. La vecchia padrona, voglio dire la signorina Watson, era cosí fastidiosa, e mi trattava male, ma mi aveva sempre promesso che non mi vendeva mai a Orleans. Ma un giorno scopro che c'è un mercante di negri che le gira attorno, e allora comincio a non sentirmi piú molto tranquillo. Bene, una sera striscio vicino alla porta, e era piuttosto tardi, e la porta non era chiusa bene, e sento la mia vecchia padrona che dice alla vedova che vuole vendermi a Orleans. Non proprio che voleva, solo che gli avevano offerto ottocento dollari per me, e era una somma cosí grossa che non ce la faceva a resistere alla tentazione. Allora la vedova cerca di fargli capire che non deve fare cosí, ma io non mi fermo a sentire il resto, e me la batto a tutto vapore, ve l'assicuro!

– Be', me la batto giú per la collina, e pensavo di rubare una barca sulla riva, in qualche posto a monte del paese, ma c'era ancora della gente in giro, cosí mi nascondo nella vecchia bottega del bottaio, per aspettare che tutti vadano a dormire. Resto là tutta la notte, perché c'era sempre qualcuno che passava da quelle parti. Verso le sei del mattino le barche cominciano a viaggiare, e verso le otto o le nove in ogni barca si sentiva solo parlare di come vostro papà era arrivato in paese, e aveva detto che vi avevano ammazzato. Allora tutte le barche caricano signori e signore, che volevano andare a vedere il posto. Qualche volta si avvicinavano a riva, e si riposavano un poco, prima di attraversare il fiume, cosí che a forza di sentirne parlare sono riuscito a sapere tutto di come che vi avevano ammazzato. Mi rincresceva molto che vi avevano ammazzato, Huck, ma adesso non mi rincresce piú.

– Dunque, resto nascosto sotto i trucioli tutto il giorno.

Avevo molta fame, ma non avevo paura, perché sapevo che la vecchia padrona e la vedova dovevano partire per un raduno religioso, subito dopo colazione, e restavano via tutto il giorno, e loro sapevano che io conduco al pascolo il bestiame verso l'alba, e quindi non si potevano stupire se non mi vedevano in giro per la casa, e cosí non si accorgevano di niente, fin molto piú tardi. Manco gli altri servi non si potevano accorgere che io ero scappato, perché ero sicuro che se la davano a gambe per andarsi a divertire, il momento che le vecchie erano fuori.

— Appena fa scuro, io risalgo per la strada lungo il fiume, e cammino quasi due miglia o anche piú, fino a un posto dove non ci sono case. Ormai avevo deciso cosa dovevo fare. Vedete, se cercavo di scappare a piedi, i cani come niente potevano seguire le mie piste; se rubavo una barchetta per attraversare il fiume si accorgevano che quella barca mancava, e capivano che avevo attraversato il fiume, cosí che magari trovavano il posto dove che ero sbarcato, e di là seguivano le mie piste. Cosí che mi dico che una zattera è quello che fa per me, perché non lascia traccia.

— Proprio allora vedo un fanale che vira il capo e cosí entro in acqua, mi spingo un trave davanti, e poi nuoto verso il mezzo del fiume, e mi nascondo tra il legname che galleggia, tenendo sempre la testa bassa, e nuoto contro corrente finché non arriva la zattera. Allora mi porto a poppa e mi attacco alla zattera. Il cielo si rannuvola, e per un po' di tempo fa scuro. Cosí che mi tiro su e mi stendo sui tronchi. Gli uomini erano tutti raccolti nel mezzo, dove c'era la lanterna. Il fiume stava crescendo, e c'era una buona corrente, cosí che penso che, prima del mattino, posso trovarmi venticinque miglia a valle e allora, proprio prima dell'alba, scivolo giú, nuoto a riva, e entro nei boschi, dalla parte dell'Illinois.

— Ma non ho fortuna. Quando s'è all'altezza del capo dell'isola, vedo avanzare un uomo con una lanterna. Capisco subito che è inutile stare ad aspettare, per vedere cosa che mi capita, e giú a testa prima, e vengo qui sull'isola. Avevo l'idea che mi riusciva di toccare terra quasi in qualunque posto, ma non ci sono riuscito perché le sponde sono troppo ripide. Ero quasi al capo a valle, prima che riesco a trovare un posto buono. Allora sono entrato tra i boschi, e mi sono detto che non volevo piú avere niente a che fare con le zattere, finché le lanterne le portano troppo in giro.

Avevo la mia pipa, e un po' di tabacco, e qualche fiammifero nel cappello, che non erano bagnati, e quindi tutto andava bene.

– Cosí che non hai piú ingollato un pezzo di pane né di carne, durante tutto questo tempo? Perché non sei andato a caccia di qualche tartaruga?

– Ma come facevo? Non si riesce ad accostarle tanto da poterle prendere, e come si fa a colpirle con una pietra? Come si poteva, di notte? E io non avevo certo voglia di mostrarmi sulla riva, di giorno!

– Già, è cosí. Hai dovuto restare nei boschi tutto il tempo. Hai sentito quando sparavano i colpi di cannone?

– Certo! E sapevo che stavano cercando voi. Li ho visti passare di qui, li ho guardati da dietro i cespugli.

Ed ecco si avvicinano degli uccellini, che volano una jarda o due, e poi si posano. Jim dice che era segno che ben presto si mette a piovere. Mi dice che quando i pollastri volano cosí, è segno che piove presto, e che doveva essere lo stesso anche per gli uccelli. Io volevo prenderne qualcuno, ma Jim non mi lascia. Mi dice che era come sfidare la morte. Mi racconta che suo padre, una volta, stava male, e qualcuno ammazza un uccello, e la sua vecchia nonna dice che il padre di certo moriva e infatti è morto.

Jim mi dice anche che non si deve mai contare le cose che si preparano per il pranzo, perché anche quello porta male. Lo stesso se si scuote una tovaglia dopo il tramonto. Mi dice anche che se un uomo ha un alveare, quando lui muore, si deve subito dirlo alle api, il giorno dopo, prima che spunta il sole, o altrimenti quelle diventano fiacche e smettono di lavorare, e magari anche muoiono. Poi dice anche che le api non pungono gli idioti, ma io non ci credevo, perché avevo provato molte volte, e quelle non mi avevano mai punto.

Avevo già sentito parlare prima di queste cose, ma non mai di tutte insieme. Jim conosceva ogni specie di segni. Dice anche che sapeva quasi tutto. Io gli faccio osservare che quasi tutti i segni che mi aveva detto annunziavano disgrazie, e gli chiedo se non conosceva dei segni di buona fortuna. Lui allora mi dice:

– Pochissimi, e quei pochi non servono. Cosa serve sapere che sta per capitarci una buona fortuna? Forse per evitarla? – Poi dice: – Chi ha le braccia o il petto peloso è segno che, un giorno o l'altro, diventa ricco. Be', quello

è un segno che serve a qualche cosa, perché è di una cosa
lontana. Vedete, magari dovete passare molto tempo che
siete povero, e magari vi scoraggiate e vi vien voglia di
farla finita, se non capite dai segni che un giorno diventate
ricco.

    — E tu hai le braccia e il petto peloso, Jim?

    — Perché me lo chiedete? Non vedete anche voi che so-
no peloso?

    — Be', e sei ricco?

    — No, ma sono già stato ricco una volta, e lo sarò un'al-
tra volta. Una volta sono stato padrone di quattordici dollari, ma ho cominciato a fare delle speculazioni, e mi sono
rovinato.

    — Che razza di speculazioni, Jim?

    — Be', prima ho speculato in scorte vive.

    — Scorte vive?

    — Bovini. Ho investito dieci dollari in una vacca, ma mi
è passata la voglia di rischiare dei soldi con le scorte vive,
perché quella vacca mi è morta tra le mani.

    — Di modo che hai perduto tutti i dieci dollari.

    — No, non li ho perduti tutti. Ne ho perduto quasi no-
ve. Ho venduto la pelle e il sego per un dollaro e dieci
centesimi.

    — Cosí che ti sono rimasti cinque dollari e dieci centesi-
mi. Allora cosa ne hai fatto? Altre speculazioni?

    — Sí. Voi conoscete quel negro con una gamba sola, che
appartiene al vecchio padron Bradish? Be', lui fonda una
banca, e dice che quelli che ci mettevano un dollaro ricevano
no quattro dollari alla fine dell'anno. Allora i negri ci portano tutti i loro soldi, ma non avevano molto. Io ero il solo
che avevo un capitale, ma io volevo piú di quattro dollari,
cosí dico che, se non posso avere di piú, fondo una banca
anch'io. Be', naturalmente quel negro non vuole che gli
faccia concorrenza, perché dice che non c'era abbastanza
lavoro per due banche, cosí mi lascia depositare i miei cinque dollari, con l'impegno di pagarmene trentacinque, alla
fine dell'anno.

    — Io allora li deposito. Poi penso che dovevo investire i
trentacinque dollari subito, per continuare a farli fruttare.
C'era un negro, chiamato Bob, che aveva preso un barcone, e il suo padrone non lo sapeva. Allora io glielo compe-
ro, e gli dico che gli davo i trentacinque dollari alla fine
dell'anno, ma qualcuno ruba il barcone quella stessa notte,

e il giorno dopo il negro con una gamba sola dice che la banca era fallita. Cosí che nessuno è piú rimasto con un soldo.

– Che ne hai fatto dei dieci centesimi, Jim?

– Quelli avevo intenzione di spenderli, ma poi faccio un sogno, e il sogno mi dice di consegnarli a un negro chiamato Balaam, che tutti chiamano l'Asino di Balaam, e che è un tipo piuttosto balordo. Ma lui è fortunato, mentre io non lo sono. Il sogno mi dice di fare investire i dieci centesimi da Balaam, e che lui li faceva aumentare. Be', Balaam prende i dieci centesimi, e quando si trova in chiesa sente il predicatore che gli dice che chi dà ai poveri dà al Signore, e i denari gli vengono centuplicati. Cosí che Balaam prende i dieci centesimi, e li dà a un povero, e resta a vedere che cosa capitava.

– E cosa è capitato, Jim?

– Non è capitato un corno. Non sono mai riuscito a incassare quei soldi, e neanche Balaam c'è mai riuscito. Ormai non impresto piú un centesimo, senza garanzie. Siete sicuri di riavere i vostri denari centuplicati, dice il prete! Solo che mi riesca di riavere quei dieci centesimi, e sarò piú che soddisfatto, e riconoscente per giunta!

– A ogni modo tutto va bene, Jim, dato che un giorno o l'altro torni a essere ricco.

– Sí, e anzi, a ben pensarci, sono già ricco anche adesso. Io posseggo me, e valgo da solo ottocento dollari. Potessi avere tutti quei soldi, non chiedo piú altro!

Capitolo nono

Io volevo andare a rivedere un posto, verso il mezzo dell'isola, che avevo notato quando stavo esplorando. Allora ci andiamo, e ben presto si arriva, perché l'isola non era lunga piú di tre miglia, e larga un quarto.

Questo posto era una collina abbastanza lunga e ripida, alta circa quaranta piedi. Era piuttosto difficile giungere in cima, perché i fianchi erano scoscesi, e i cespugli molto fitti. Noi si avanzava a fatica, e lentamente, e poco alla volta scopriamo una grossa caverna scavata nella roccia, quasi in cima, sul fianco verso l'Illinois. La caverna era grossa come due o tre stanze messe insieme e Jim riusciva a starci in piedi. Dentro faceva fresco, Jim era dell'opinione di portarci subito le nostre cose, ma io gli faccio osservare che non era comodo dover sempre salire su e giú.

Ma Jim mi dice che, se si nascondeva bene la canoa, e si teneva tutte le nostre provviste nella caverna, potevamo ripararci là, se qualcuno veniva nell'isola, e quelli non potevano mai trovarci, senza cani. E poi mi dice che gli uccellini avevano avvertito che ben presto si metteva a piovere: volevo dunque che si bagnasse tutto quello che avevamo?

Cosí si torna indietro e si prende la canoa, e si rema sino all'altezza della caverna, e poi portiamo lassú tutte le nostre cose. Poi cerchiamo un posto vicino, per nasconderci la canoa, in mezzo ai salici, dove erano piú folti. Stacchiamo alcuni pesci dagli ami, e poi buttiamo nuovamente in acqua le lenze, e cominciamo a preparare il pranzo.

La porta della grotta era cosí larga che poteva entrarci una botte, e da un lato della porta il pavimento sporgeva un poco, ed era piano, un posto ideale per accendervi un fuoco. Cosí lo si accende, e ci prepariamo da mangiare.

Poi stendiamo le coperte all'interno, come tappeti, e sdraiati sopra ci mettiamo a mangiare, poi si ordina tutte le altre cose a portata di mano, verso il fondo della caverna. Ben presto il cielo comincia a diventar scuro, e si sentivano tuoni, si vedevano lampi, cosí che, tutto considerato, gli uccellini non ci avevano ingannato. Immediatamente comincia a piovere: un diluvio, non avevo mai visto i venti soffiare cosí. Era uno di quei soliti temporali d'estate. Il cielo diventa cosí buio che tutto, fuori, è nero e blu, che faceva piacere guardarlo, mentre la pioggia picchiava cosí fitta che gli alberi, un po' lontano, sembravano tutti avvolti in ragnatele. Ed ecco un colpo d'aria che piega gli alberi per terra, e gira tutte le foglie dalla parte chiara. Ma piomba una folata improvvisa e scuote i rami e li agita, come fossero impazziti; e poi, proprio quando è piú nero e blu, fzz! chiaro come di giorno, che si poteva vedere per un momento le cime degli alberi, che si divincolavano frenetiche laggiú, sotto la bufera, centinaia di jarde piú lontano di quanto si vedeva prima. E subito dopo scuro come l'inferno, e un terribile scroscio di tuono, che romba e rimbalza e precipita per il cielo, dietro l'altra faccia del mondo, come chi fa rotolare delle botti vuote per le scale, e le fa cadere e rimbalzare a non piú finire.

— Jim, cosí va bene, — dico io. — Non mi piacerebbe essere in nessun altro posto che qui. Passami un altro pezzo di pesce e un po' di pane caldo.

— Be', non sareste certo qui, se non era per Jim. Sareste magari laggiú nel bosco, senza poter pranzare, e correndo il rischio di morire annegato. È proprio cosí, mio caro. I polli sanno benissimo quando si mette a piovere, e lo sanno anche gli uccelli, ragazzo!

Il fiume continuò ad aumentare per dieci o dodici giorni, finché un bel mattino aveva superato le rive. L'acqua era tre o quattro piedi sull'isola, nei posti piú bassi e sul fianco dell'Illinois. Da quella parte il fiume era largo parecchie miglia, ma dalla parte del Missouri era sempre lo stesso, e cioè mezzo miglio. Perché la sponda del Missouri è tutta un muro di alte rive.

Durante il giorno non si faceva che remare tutto in giro per l'isola, sulla nostra canoa. Faceva molto fresco all'ombra dei boschi fitti, anche se fuori il sole scottava tremendo. Noi si avanzava in mezzo agli alberi, e qualche volta i rampicanti erano cosí intricati che dovevamo tornare indietro, e trovare qualche altra strada. Sui tronchi malandati di vecchi alberi si trovavano conigli, e serpenti, e altre be-

stie del genere e, dopo un giorno o due, erano cosí domestici perché avevano fame, che si poteva remare vicino e prenderli in mano, chi ne aveva voglia. Ma non i serpenti o le
tartarughe, che scivolavano subito in acqua. La vetta, dove
s'apriva la nostra caverna, ne brulicava e, averne il gusto,
potevamo addomesticare tutti gli animali che volevamo.

Una notte riusciamo a prendere una parte di zattera,
fatta di tavole di pino. Era larga circa dodici piedi, lunga
quindici o sedici, sporgeva sul pelo dell'acqua di sei o sette
pollici, e formava un ponte solido e piano. Ogni giorno
potevamo vedere dei tronchi squadrati fluttuare tranquilli
sul fiume, ma li lasciavamo stare, perché non si voleva mo-
strarci in giro, quando faceva chiaro.

Un'altra notte, che s'era vicino al promontorio dell'isola, poco prima dell'alba, giú per il canale a ovest vediamo
scendere una casetta di legno, a due piani, e tutta inclina-
ta. Noi ci avviciniamo e c'entriamo dentro, attraverso una
delle finestre del piano superiore. Ma era ancora troppo
buio per vederci qualcosa, cosí leghiamo la canoa e si aspetta seduti il chiaro dell'alba.

La luce comincia a spuntare prima che siamo al fondo
dell'isola. Allora guardiamo alla finestra. Si poteva vedere
un letto, un tavolo, due vecchie sedie, e tante altre cose
sparse per il pavimento. C'erano anche degli abiti appesi
al muro. Steso per terra in un angolo c'era qualcosa, che
aveva tutta l'aria di un uomo. Jim grida:

— Ehi, chi va là?

Ma quello non si muove. Cosí io riprendo a urlare, e poi
Jim dice:

— Quel tale non è addormentato, è morto. Voi restate
tranquillo, e io vado a vedere.

Infatti entra, e si inginocchia e guarda, e infine dice:

— Sí, è morto, proprio morto, e anche nudo. Gli hanno
sparato nella schiena, e penso che è stato assassinato due o
tre giorni fa. Venite, Huck, ma non guardategli la faccia,
che fa troppo paura.

Io non ho la minima intenzione di guardarlo. Jim lo copre con alcuni vecchi stracci, ma non ce n'era bisogno, non
avevo neanche voglia di guardare da quella parte. Per terra c'era un mucchio di vecchie carte unte e bisunte, vecchie bottiglie di whisky, un paio di maschere di stoffa nera. I muri erano scarabocchiati di stupidi disegni e grossola-
ne parole tracciate col carbone. Due vecchi vestiti di coto-

ne, un cappello da sole, un po' di biancheria da donna,
appesi al muro, e anche biancheria da uomo. Noi si mette
tutto dentro la canoa, perché potevano sempre servire. Sul
pavimento c'era un vecchio cappello di paglia macchietta-
ta, e io prendo anche quello. C'era una bottiglia con del
latte dentro e chiusa con uno straccio, come si dà a un
bambino da succhiare. Avremmo preso anche la bottiglia,
ma purtroppo era rotta. C'era un vecchio cassettone tutto
tarlato, e un vecchio baule di cuoio con le cerniere rotte.
Tutti e due erano aperti, ma dentro non c'era niente di
valore. Da come tutto era sparso in giro si capiva che la
gente doveva essere scappata in fretta, e non aveva avuto
modo di portare via tutto il loro bagaglio.

Si trova pure una vecchia lanterna di latta, un coltello
da macellaio senza manico, un coltello Barlow nuovo di
zecca, che costava venticinque centesimi in qualsiasi negozio, e una quantità di candele di sego e un candeliere di
stagno, una zucca, una tazza di metallo, una miserabile imbottita molto vecchia che era stesa sul letto, e una reticella
con aghi e spilli e cera e bottoni e filo, e tanta altra roba del
genere, e un'accetta, e alcuni chiodi, e una lenza grossa come il mio dito piccolo, che terminava con degli ami che faceva paura vederli. C'era pure un rotolo di pelli di daino, un
collare di cuoio per cane, un ferro di cavallo, alcune boccet-
te di medicine, senza etichetta, e proprio quando stavamo
per andarcene trovo una striglia ancora discreta, e Jim un
archetto di violino, tutto malandato, e una gamba di legno.
Le cinghie erano rotte ma era ancora abbastanza in buono
stato, sebbene troppo lunga per me e troppo corta per Jim,
e non ci viene fatto di trovare l'altra, anche cercando dappertutto.

E cosí, tutto considerato, si torna con un discreto botti-
no. Quando siamo pronti ad andarcene, si era a un quarto
di miglio sotto l'isola ed era ormai giorno chiaro. Cosí ordi-
no a Jim di stendersi nella barca e di stare fermo, e di
coprirsi con l'imbottita, perché se lo vedevano potevano
capire anche da lontano che era un negro. Io allora mi
avvicino verso la riva dell'Illinois e nel fare la traversata
vengo portato a valle circa mezzo miglio. Allora risalgo nel-
l'acqua morta, sotto riva, senza che mi capiti niente, senza
incontrare nessuno. Cosí che si torna a casa sani e salvi.

Capitolo decimo

Dopo colazione avevo mezza voglia di parlare del morto e cercar di scoprire come mai era stato ucciso, ma Jim non voleva saperne. Dice che poteva solo portarci disgrazia e magari veniva a tormentarci. Dice che un uomo che non è stato sepolto ha l'abitudine di dare fastidio, molto piú che uno che è seppellito e si trova comodo nella fossa. Era abbastanza ragionevole una opinione del genere e io non dico piú niente, ma non potevo fare a meno di pensarci sovente, e ci avrei tenuto a sapere chi aveva ucciso quel tale, e perché.

Poi si guarda con cura i vestiti che avevamo preso, e ci troviamo otto dollari d'argento, cuciti nella fodera di un vecchio soprabito di lana. Jim dice che lui pensa che quella gente della casa aveva rubato quel mantello, perché se sapevano che c'era del denaro dentro, non lo lasciavano certo indietro. Io dico che pensavo che avevano ucciso anche quel tale, ma Jim non voleva parlarne a nessun costo. Io allora dico:

— Adesso dici che porta male, ma cosa hai detto quando ho preso in mano la spoglia di serpe che ho trovato sulla collina, due giorni fa? Mi hai detto che era la cosa piú pericolosa che si può fare, toccare con le mani la spoglia di un serpente. Ebbene, ecco la disgrazia che abbiamo avuto. Abbiamo portato a casa tutte queste cose, e otto dollari per giunta. Io vorrei che ogni giorno ci capitassero sempre delle disgrazie cosí, Jim.

— Aspettate un poco, ragazzo, e vedremo! Non fate troppo il galletto, che sta per arrivare. Ricordatevi di quello che vi dico, sta per arrivare.

E infatti arriva presto. Questo discorso lo facciamo il martedí. Ebbene, venerdí dopo pranzo, ce ne stavamo tranquilli, stesi sull'erba, in cima alla collina, quando restiamo senza tabacco. Allora io vado nella caverna a prenderne un poco, e ci trovo dentro un serpente a sonagli. Lo uccido, e poi lo arrotolo ai piedi della coperta di Jim, con un'aria cosí naturale come se fosse vivo, pensando che c'era da divertirsi quando Jim lo trovava. Be', la sera, quando m'ero già dimenticato di tutto, Jim si butta giú sulle coperte, mentre io accendevo un lume, e il compagno del serpente si trovava là e lo morde.

Jim zompa su, urlando, e la prima cosa che la luce mi mostra è il serpente, raccolto a spira e pronto per un altro attacco. Io lo ammazzo in pochi secondi con un bastone, mentre Jim afferra il bottiglione di whisky di papà e lo beve a garganella.

Era a piedi nudi e il serpente l'aveva morsicato al tallone. Tutto era nato dal fatto che io ero stato un tale stupido, che avevo dimenticato che ogni volta che si lascia un serpente morto, il suo compagno gli va vicino e gli si arrotola accanto. Jim mi dice di tagliare la testa al serpente e di buttarla via, poi di spellare il corpo e di farne arrostire un pezzo. Io faccio cosí e lui lo mangia e dice che gli faceva certo bene. Poi mi ordina di staccare i sonagli e di legarglieli al braccio. Anche questo serviva, dice. Poi io sguscio fuori quatto, e butto i due serpenti lontano, fra i cespugli, perché non mi andava che Jim potesse capire che era stata tutta colpa mia, o almeno volevo fare quanto potevo perché lui non se ne accorgesse.

Jim continuava a succhiare il bottiglione, e di tanto in tanto dava fuori, e si divincolava, e si metteva a urlare, ma ogni volta che tornava in sé riprendeva a succhiare il bottiglione. Il piede gli gonfia che faceva paura, e anche la gamba gli gonfia, ma poco alla volta comincia a ubriacarsi, e cosí capisco che le cose si mettono abbastanza bene, ma io per me preferisco esser morsicato da un serpente che dal whisky di papà.

Jim deve passare a letto quattro giorni e quattro notti. Poi il gonfiore passa, e lui era tornato come al solito. Io giuro, tra me e me, che non volevo mai piú toccare con le mie mani nessuna spoglia di serpente, adesso che avevo potuto vedere quello che capitava. Jim dice che lui pensava che adesso gli credevo. Dice anche che toccare una spoglia di serpente portava tanta disgrazia, che con ogni probabilità non ne avevamo ancora visto la fine. Lui preferiva, dice, preferiva magari guardare la luna nuova voltandosi

sulla spalla sinistra, mille volte lo preferiva, che prendere
in mano una spoglia di serpente. Io cominciavo a dargli
ragione, anche se ho sempre creduto che guardare la luna
nuova voltandosi verso la spalla sinistra, è una delle cose
piú stupide, una delle peggiori cretinerie che si possano
fare. Il vecchio Hank Bunker l'aveva fatto una volta, e se
n'era quasi vantato, e meno di due anni dopo ecco che si
ubriaca, e cade dalla torre della fabbrica di pallini da caccia, e rimane cosí spiacciato da ridursi a una specie di
striscia per terra, tanto che l'hanno infilato tra due porte
di stalla come bara, e sepolto cosí, o almeno cosí mi hanno
detto, perché io non c'ero. Era stato papà che me l'aveva
contato. Ma, a ogni modo, tutto effetto di guardare la luna
in quella maniera, cosa che può fare solo uno stupido.

Be', i giorni continuano a passare, e il fiume ritorna tra
gli argini, e una delle prime cose che si fa è di innescare
uno di quegli ami grossi con un coniglio spellato, e di buttarlo in acqua, e si prende un pescegatto, che era grosso
come un uomo, lungo sei piedi e due pollici, e pesava piú
di duecento libbre. Naturalmente non che lo tiriamo subito su, perché ci sbatteva fino nell'Illinois. Si resta seduti a
guardarlo, che si dibatteva e si stancava, finché non è annegato. Nel suo stomaco troviamo un bottone di ottone, una
palla rotonda, e altre cose. La palla la spacchiamo con l'accetta, e dentro c'era un rocchetto. Jim dice che doveva
trovarsi nello stomaco da molto tempo, per averci fatto attorno quella palla. Era il pesce piú grosso che sia mai stato
preso nel Mississippi, credo. Jim mi dice che lui non ne
aveva mai visto di piú grossi. Al villaggio certo sarebbe
stato una fortuna. Pesci cosí li vendono al mercato, un tanto la libbra, e tutti ne comprano. La carne è bianca come la
neve, e molto buona, in frittura.

Il giorno dopo dico che comincio ad annoiarmi, e che
avevo voglia di un po' di cambiamento. Avevo mezza intenzione di attraversare il fiume, dico, per vedere un po' quello che capitava nel mondo. La mia proposta piace a Jim,
ma mi dice che dovevo andare solo quando era buio, e
stare molto attento. Poi ci pensa ancora un poco, e fa: non
potevo forse infilare uno di quei vecchi vestiti, e camuffar-
mi da ragazza? Era un'ottima idea. Cosí che accorciamo
uno di quei vestiti di cotone, e io mi rimbocco i pantaloni
alle ginocchia, e me lo infilo. Jim me lo fissa dietro con i
ganci, e mi va benissimo. Poi prendo la cappellina e la lego

sotto il mento, e chi mi guardava mi vedeva la faccia come dentro un gomito di tubo da stufa. Jim dice che nessuno poteva conoscermi, neanche di giorno, o quasi. Io mi provo tutto il giorno per imparare tutti i trucchi, e poco alla volta mi pare di averli imparati abbastanza bene, solo che Jim continuava a dire che non camminavo come una ragazza, e poi anche che dovevo smettere di tirarmi su la sottana per cacciar le mani nella tasca dei pantaloni. Io gli do ragione e cerco di far meglio.

Non appena fa scuro, mi dirigo in canoa verso la riva dell'Illinois.

Attacco la traversata del fiume partendo da poco sotto l'approdo del ferry, e la corrente mi trasporta verso la fine del paese. Allora lego la barca e mi incammino lungo la riva. In una capanna, che non era piú abitata da molto tempo, brillava un lume, tanto che io mi chiedo chi mai era venuto a viverci. Mi avvicino in punta di piedi, e guardo attraverso la finestra. Vedo una donna sui quarant'anni, che faceva la maglia al lume di una candela, posata sul tavolo. Non riconoscevo la faccia, e doveva essere forestiera, perché in tutto il paese non c'era nessuno che io non conoscevo. La cosa andava bene, perché cominciavo ad avere paura e mi rincresceva quasi d'essere venuto, ché qualcuno poteva magari riconoscere la mia voce e tutto andava a farsi benedire. Ma se questa donna era in paese da almeno due giorni poteva certo dirmi tutto quello che volevo sapere. Cosí busso alla porta, e mi ripeto che dovevo fare ben attenzione a non dimenticare che ero una ragazza.

Capitolo undicesimo

– Avanti, – fa la donna, e io entro. Lei mi dice:

– Vi prego, accomodatevi.

Io mi siedo. Lei mi guarda attenta con quei suoi occhietti vivi, e poi mi dice:

– Come vi chiamate?

– Sara Williams.

– E dov'è che vivete? Da queste parti?

– No, signora. In Hookerville, sette miglia piú in giú. Ho fatto tutta la strada a piedi, e adesso sono stanca.

– Magari avete anche fame, penso. Vi darò qualcosa da mangiare.

– No, signora, non ho fame. Avevo tanta fame che mi sono fermata due miglia piú in giú, in una fattoria, cosí che adesso non ho piú fame. È per questo che sono cosí in ritardo. Mia mamma è a casa ammalata, e senza soldi, e non ha piú niente, e io sono venuta per parlarne con mio zio Abner Moore. Vive dall'altra parte del paese, mi ha detto la mamma. Io non sono mai stata qui prima. Voi lo conoscete?

– No, ma io non conosco ancora tutti. Non sono due settimane che vivo qui. E per giungere dall'altra parte del paese è un bel viaggio. Meglio che restate qui tutta la notte. Toglietevi pure il cappello.

– No, – dico io, – mi riposo un poco e poi continuo. Io non ho paura del buio.

Lei mi dice allora che non mi lascia certo andare da sola, ma che ben presto deve arrivare suo marito, tra un'ora e mezzo magari, e allora mi fa accompagnare da lui. Poi si mette a parlare di suo marito, e dei suoi parenti a monte e dei suoi parenti a valle, e quanto meglio si trovava dove stavano prima, e come con ogni probabilità avevano fatto un grosso sbaglio a venire nel nostro paese, invece che starsene contenti dove erano, e via di questo passo, tanto che avevo paura d'aver fatto male a entrare da lei, per sapere qualcosa di quello che capitava in paese, ma dopo un po' di tempo lei si mette a parlare di papà, e dell'assassinio, e allora son ben contento di sentirla chiacchierare. Mi conta di me e di Tom Sawyer, che avevamo trovato i seimila dolla-ri solo che per lei adesso erano diventati diecimila) e di tutto quello che si sapeva di papà, e del mascalzone che era papà, e di che mascalzone ero io, e infine si mette a parlare di come io ero stato assassinato. Io dico:

– Ma chi è che l'ha ucciso? Ne abbiamo sentito parlare tanto, giú a Hookerville, ma non sappiamo chi è stato che ha ucciso Huck Finn.

– Be', penso che anche qui c'è molta gente che gli piace-rebbe proprio di sapere chi è che l'ha ucciso. Alcuni pensa-no che è stato il vecchio Finn.

– No, come è possibile una cosa cosí?

– Quasi tutti in principio pensavano cosí. Lui non s'im-magina neppure come è stato a un pelo dal venire linciato. Ma prima di notte hanno cambiato opinione e hanno pensa-to che il colpevole doveva essere un negro, scappato allo-ra, chiamato Jim.

– Ma come, lui...

Mi fermo di colpo, dicendomi che facevo meglio a stare piú attento. Lei continua a parlare, senza neanche accorger-si della mia interruzione.

– Il negro è scappato proprio la notte che Huck Finn è stato ucciso. Adesso hanno messo una taglia su di lui, trecento dollari. E c'è anche una taglia sul vecchio Finn, duecento dollari. Vedete, è venuto in città il mattino dopo l'assassinio, e ha contato tutto e poi è salito sul ferry per cercare il cadavere, ma subito dopo è andato via ed è scom-parso. Prima di notte avevano voglia di linciarlo, ma lui non c'era piú, capite? Be', il giorno dopo si accorgono che era scappato il negro, vengono a sapere che non era stato piú veduto da nessuno dopo le dieci della notte che Huck era stato assassinato. Cosí che ne dànno subito la colpa a lui, e mentre tutti non pensavano che al negro, il giorno dopo torna il vecchio Finn, che è andato a far chiasso dal giudice Thatcher per farsi dare dei soldi per poter fare una battuta per tutto l'Illinois e trovare il negro. Il giudice gli ha dato un po' di soldi, e quella sera lui si è ubriacato ed è andato in giro fin dopo mezzanotte, con un paio di forestieri, che avevano l'aria d'essere dei poco di buono, e poi è scomparso con quelli. Ebbene, dopo di allora non si è piú fatto vedere, e nessuno si aspetta di vederlo, finché la cosa non si è calmata un poco, perché la gente adesso pensa che è stato lui a uccidere il suo ragazzo, e ha combinato tutto in modo da far pensare che sono stati dei ladri, e cosí potrà intascare i soldi di Huck, senza dover perdere tanto tempo in tribunale. La gente dice che è un uomo capace di fare anche una cosa del genere. Certo dev'essere furbo. Se non torna in città per un anno, magari riesce a scapolarsela. Perché non si può provare nulla sul suo conto, sapete, e allora tutto sarà già dimenticato, e lui può intascare i soldi di Huck, con la massima facilità.

– Già, penso anch'io cosí, signora. Non vedo proprio perché non può. E c'è ancora qualcuno che pensa che è stato il negro ad ammazzarlo?

– Sí, ce n'è ancora. Anzi ce n'è un buon numero che pensa che il colpevole è il negro. Ma credo che ben presto lo ritrovano, e allora con la paura riescono a farlo cantare e a sapere tutto.

– Ma come, stanno ancora cercandolo?

– Be', siete proprio un'innocentina, voi! Forse che ogni giorno la gente trova da guadagnare trecento dollari? E c'è qualcuno che pensa che il negro non è molto lontano di qui. Per esempio io sono una che pensa cosí, ma non l'ho detto a nessuno. Pochi giorni fa stavo parlando con una vecchia coppia che vive qui accanto in una capanna, e questi mi dicevano che non ci va quasi mai nessuno in quell'isola laggiú, che chiamano l'isola di Jackson. Non c'è nessuno che viva là? chiedo io. No, nessuno, dicono quelli. Allora io non ho detto piú niente, ma mi sono messa a pensare. Ero quasi sicura di aver visto salire del fumo dalla punta dell'isola, un giorno o due prima, cosí che mi dico che con ogni probabilità quel negro deve essere nascosto laggiú. A ogni modo, mi dico io, vale la pena di andarci a dare un'occhiata. Non ho piú visto del fumo, e cosí penso che magari se n'è già andato via, se era proprio lui. Ma mio marito vuole andare a vedere, lui con un altro uomo. Era partito verso il fiume alto, ma oggi è tornato, e io gliel'ho detto appena è tornato, circa due ore fa.

Io mi sentivo cosí a disagio che non riuscivo piú a stare fermo. Dovevo fare qualcosa con le mani, e cosí prendo un ago dalla tavola e mi metto a infilarlo. Ma le mani mi tremavano tanto che non ce la facevo. Quando la donna smette di parlare io alzo gli occhi e la vedo che mi fissava, molto incuriosita, e sorrideva un poco. Io allora depongo ago e filo e fingo di essere interessato, come infatti ero, a quello che aveva detto, e gli dico:

– Trecento dollari sono molti soldi. Come mi piacerebbe che mia madre potesse guadagnarli lei. Vostro marito ci va stanotte sull'isola?

– Certamente. È andato in città con l'uomo che vi ho detto, per prendere una barca e vedere se potevano farsi imprestare un altro fucile, e ci vanno dopo mezzanotte.

– Ma non vedono meglio, se aspettano fino a quando fa giorno?

– Già, e non ci vede meglio anche il negro? Dopo mezzanotte è molto probabile che dorme, e loro possono entrare nei boschi e avvicinarsi al fuoco del suo accampamento, se lo accende, e vederlo molto meglio di notte che non di giorno.

– Già, non ci avevo pensato.

La donna continuava a fissarmi molto incuriosita, e io mi sentivo piuttosto sulle spine. Ben presto lei mi dice:

– Come avete detto che vi chiamate, cara?

– M... Mary Williams.

Ho subito l'impressione che non avevo detto Mary la prima volta, cosí che non osavo alzare gli occhi. Mi pareva di aver detto che mi chiamavo Sara, e cosí mi sento piuttosto confuso, e avevo paura anche di mostrarla chiaramente, questa mia confusione. Avrei voluto sentire qualche parola dalla donna: piú taceva, piú mi sentivo inquieto. Ed ecco che lei mi dice:

– Cara, ma non avete detto che vi chiamate Sara, quando siete entrata?

– Ma certo, certo, signora. Infatti mi chiamo Sara Mary Williams. Il mio primo nome è Sara, e qualcuno mi chiama Sara, qualcuno Mary.

– Ah, è cosí?

– Sí signora, è proprio cosí.

Mi sentivo un po' meglio adesso, ma a ogni modo ero pronto a dare non so cosa per trovarmi già fuori. Non osavo ancora alzare gli occhi.

Be', la donna ricomincia a parlare di quanto erano duri i tempi, adesso, e che vita difficile dovevano fare, e di come i topi sembrava che erano padroni della casa, e altre cose del genere, e allora io mi sento di nuovo un po' meglio. Per i topi aveva perfettamente ragione. Ogni momento se ne vedeva uno che metteva fuori il naso da qualche buco negli angoli. Lei mi dice che doveva sempre avere qualche cosa a portata di mano, da gettare contro i topi quando era sola, perché se no quelli non la lasciavano tranquilla. Mi fa vedere allora una sbarretta di piombo piegata in un nodo, e mi dice che lei di solito mirava abbastanza giusto, ma che un giorno o due fa s'era presa una storta al braccio, e che non sapeva se riusciva a cogliere nel segno. Ma attendeva appunto l'occasione buona, e ben presto lancia quel pezzo di piombo contro un topo, ma sbaglia mira e si mette a gridare ahi! dal male che gli fa il braccio. Poi dice a me di provare io. Io volevo andarmene prima che il suo vecchio tornasse, ma naturalmente non potevo farglielo capire. Allora prendo quel pezzo di piombo e il primo topo che mostra il muso lo lancio, e se quel topo restava là un momento di piú, era spacciato e spiacciato. Lei mi dice che avevo lanciato il pezzo di piombo in modo magnifico, e che era sicura che la volta dopo facevo centro. Allora si alza, prende il pezzo di piombo, lo riporta indietro, e porta anche una matassa di filo, dicendomi se voglio aiutarla. Io stendo le mani e lei ci infila sopra la matassa, e continua a parlarmi della sua vita e di suo marito. Ma si interrompe di colpo e mi dice:

— Tenete d'occhio i topi. È meglio se il piombo l'avete in grembo voi, a portata di mano.

Cosí mi butta subito il piombo nel grembo e io stringo le gambe accosto per non lasciarlo cadere, e lei continua a parlare, ma soltanto per un minuto. Allora mi toglie la matassa, mi fissa diretta negli occhi, ma non con un'aria cattiva, e mi dice:

— Via, adesso, come ti chiami? ma sul serio.

— Che cosa... signora?

— Qual è il tuo vero nome? Bill, oppure Tom, o Bob, o cosa è, insomma?

Credo che mi sono messo a tremare come una foglia, e proprio non sapevo che cosa rispondere, ma poi dico:

— Vi prego, signora, non prendete in giro una povera ragazza come me. Se vi do noia, io...

— Nient'affatto. Resta seduto dove sei, ché non voglio farti del male, e non lo dirò neanche a nessuno. Ma tu dimmi la verità, e fidati di me, ché io non ti tradisco. Anzi sono persino pronta ad aiutarti. E cosí farà il mio vecchio, se ci tieni. Ho subito capito, sei un qualche garzone che è scappato, ecco. Perciò non devi aver paura. Non è certo un delitto. Probabilmente ti trattavano male, e hai deciso di scappare. Ti assicuro, ragazzo, che non ho la minima intenzione di denunziarti. Ma adesso contami tutto, via, da bravo.

Cosí io allora gli dico che capivo che ormai era inutile continuare a contar storie e che gli volevo dire la verità, contarle tutto, ma che lei non doveva rimangiarsi la promessa che mi aveva fatto. Poi gli conto che mio padre e mia madre erano morti, e che il tribunale mi aveva affidato a un vecchio fattore, piú taccagno d'un demonio, che viveva a trenta chilometri dal fiume e che mi trattava cosí male che non ce la facevo piú. Lui se n'era andato per un paio di giorni, e cosí io avevo capito che era giunto il momento buono, avevo rubato un vestito vecchio di sua figlia, e me l'ero battuta, e avevo impiegato tre giorni per compiere quelle trenta miglia. Viaggiavo di notte, e di giorno restavo nascosto e dormivo, e la provvista di pane e carne che avevo preso a casa era durata per tutto il viaggio, tanto che avevo sempre mangiato quanto volevo. Dico ancora che speravo di venire bene accolto da mio zio Abner Moore, e che era per questo che ero venuto a Goshen.

— Goshen!? Ma questo non è Goshen, questo è St Petersburg. Goshen è a dieci miglia piú a monte sul fiume. Chi è che ti ha detto che qui era Goshen?

— Un uomo che ho incontrato stamane all'alba, proprio prima di nascondermi nei boschi per dormire. Mi ha detto che, quando giungevo al bivio, dovevo piegare a destra, e dopo cinque miglia ero a Goshen.

— Doveva certo essere ubriaco. Ti ha detto proprio il contrario di come doveva.

— Be', adesso che ci penso aveva l'aria di essere un po' bevuto, ma ormai c'è poco da fare. Devo incamminarmi subito, e cosí, prima che è giorno, arrivo a Goshen.

— Attendi un minuto. Ti preparo qualcosa da mangiare, ché ti fa certo comodo.

Mentre mi preparava qualcosa comincia a chiedermi:

— Senti, quando una vacca è stesa per terra, quale parte si alza per prima? Rispondimi subito adesso, non fermarti a pensarci sopra. Quale parte si alza per prima?

— La parte di dietro, signora!

– E un cavallo?

– La parte davanti, signora.

– In che parte di un albero spunta piú facile il muschio?

– Sulla parte a mezzanotte.

– Se quindici vacche stanno brucando sopra una collina, quante mangiano con la testa che guarda dalla stessa parte?

– Tutte e quindici, signora.

– Be', credo che sei proprio vissuto in campagna. Pensavo che magari cercavi di contarmi di nuovo delle storie. E adesso dimmi: qual è il tuo vero nome?

– George Peters, signora!

– Be', cerca di ricordartelo, George. Non dimenticartene e, prima di andartene, non dirmi che ti chiami Alexander, che poi devi dire che ti chiami George Alexander, quando noto lo sbaglio. E non avvicinarti a delle donne con quel vecchio grembiule. Non sembri affatto una ragazza, ma può darsi che gli uomini riesci a ingannarli. E poi, caro ragazzo, quando ti metti a infilare un ago non devi tenere fermo il filo per cercare di infilarci sopra l'ago; ma invece tenere fermo l'ago e infilarci il filo dentro, perché è cosí che fanno le donne, mentre invece gli uomini fanno sempre il contrario. E quando getti qualcosa contro un topo o altro, alzati in punta di piedi, solleva la mano sulla testa nel modo piú goffo che puoi, e tira a sei o sette piedi dal posto che devi. E poi lancia con il braccio rigido dalla spalla alla mano, come se alla spalla avessi un piolo, dove è piantato il braccio, come fanno le ragazze. Non con il polso e il gomito, con il braccio di fianco come fanno i ragazzi. E ricordati ancora che, quando una ragazza cerca di raccogliere qualcosa in grembo, allarga le ginocchia e non le stringe, come hai fatto tu per raccogliere quel pezzo di piombo. Mi sono subito accorta che eri un ragazzo, appena ti ho visto infilare quell'ago, e le altre prove le ho fatte solo per essere proprio sicura. E adesso trotta pure da tuo zio, Sara Mary Williams George Alexander Peters, e se hai delle noie fallo sapere alla signora Judith Loftus, che sono io, e farò quello che posso per tirarti fuori. Segui sempre la strada lungo il fiume, e la prossima volta che vai in giro porta scarpe e calze. La strada del fiume è piena di pietre, e prima che arrivi a Goshen ho ben paura che i tuoi poveri piedi saranno in condizioni da fare spavento.

Io seguo la riva per circa cinquanta jarde, e poi faccio dietrofront e filo di nascosto dove si trovava la mia canoa,

un bel tratto a valle di quella casa. Ci salto dentro e stacco
subito. Risalgo la corrente quanto basta per giungere all'altezza del capo dell'isola, e poi attraverso. M'ero tolta la
cappellina, perché in quel momento non potevo permetter-
mi il lusso di avere dei paraocchi. Proprio quando sono a
metà fiume sento il campanile che comincia a suonare, cosí
mi fermo e ascolto. I colpi giungevano deboli, ma abbastanza distinti: le undici. Appena tocco il capo dell'isola
non mi fermo a riposarmi, anche se non ne potevo quasi
piú, ma entro subito nel bosco, dove mi ero accampato in
principio, e accendo un bel fuoco in un angolo sollevato e
ben secco.

Poi salto sulla canoa e mi dirigo verso il nostro posto,
che era circa un miglio e mezzo piú in giú, e ci vado quanto
piú in fretta m'era possibile. Finalmente tocco terra, entro
nei boschi, salgo la collina finché non mi trovo nella caverna. Jim, steso per terra, dormiva tranquillo come un ghiro.
Lo sveglio e gli dico subito:

– Su, Jim, in fretta! Non c'è un minuto da perdere, ché
ci sono alle calcagna!

Jim non si ferma a farmi delle domande, non dice una
parola, ma a vedere come lavorava è facile capire la paura
che ha. Dopo mezz'ora ogni nostro avere si trovava sulla
zattera, che era pronta e viene spinta fuori dal riparo dei
salici, dove era nascosta. Per prima cosa si spegne il fuoco
nella caverna, e dopo, quando si è all'aperto, manco un
fiammifero si accende.

Io mi stacco da riva con la canoa per un poco, e mi
guardo in giro, ma anche se c'era qualche barca da quelle
parti non potevo certo vederla, perché le stelle e l'oscurità
non aiutano molto a vedere. Poi stacchiamo la zattera e
filiamo giú, restando nell'ombra, e costeggiamo il capo al
fondo dell'isola in completo silenzio, senza scambiare una
parola sola.

Capitolo dodicesimo

Doveva essere quasi l'una dopo mezzanotte, quando finalmente ci troviamo a valle dell'isola; la zattera sembrava viaggiare molto lenta. Se si dava del naso in qualche barca, allora si saltava sulla canoa, e via verso la riva dell'Illinois. Era stata una vera fortuna che non s'era fatto vivo nessuno, perché non avevamo neppure pensato di mettere il fucile nella canoa, o di portarci le lenze, o qualcosa da mangiare. Eravamo in una situazione piuttosto scabrosa per poter pensare a tante cose. Certo che non era stato molto furbo mettere tutto sulla zattera.

Se poi quei due erano effettivamente andati sull'isola, penso che avevano trovato il fuoco che io avevo acceso, ed erano magari restati tutta la notte nascosti vicino, ad aspettare Jim. Certo che non ci hanno dato fastidio, e se il fuoco acceso da me non è riuscito a ingannarli, non è stata colpa mia. Perché io avevo cercato di imbrogliarli il meglio che sapevo.

Quando la prima luce del giorno comincia a spuntare noi attracchiamo a un isolotto, in un largo gomito sulla sponda dell'Illinois, e si taglia dei rami di pioppo e si copre la zattera, in modo che si aveva l'impressione che sulla riva in quel posto c'era stata una frana. Questi isolotti sono la sommità emersa di una barra di sabbia, coperti di pioppi fitti come i denti di un erpice.

La riva del Missouri era molto ripida, quella dell'Illinois invece tutta boscosa, e la corrente in quel posto passava vicino alla riva del Missouri, così che non avevamo affatto paura che qualcuno poteva cacciar il naso dalle nostre parti. Si rimane nascosti tutto il giorno, a guardare le zattere e i battelli che scendevano costeggiando la riva del Missouri, mentre i battelli che risalivano cercavano di portarsi verso il mezzo del fiume, per trovare una corrente meno forte. Conto a Jim tutto quello che mi era capitato, quando avevo parlato con quella donna, e Jim mi dice che doveva essere una donna in gamba, e che se veniva lei a cercarci, certo che non si sedeva a guardare il fuoco, ma si portava dei cani. Allora, dico io, perché non ha detto a suo marito di andare sull'isola con due cani? Jim mi risponde che era pronto a scommettere che lei aveva certo pensato anche a quello, prima che gli uomini fossero pronti per partire, e anzi credeva che dovevano essere andati in paese a cercare dei cani, e che quindi avevano perduto tutto quel tempo, o altrimenti noi non si era certo tra quei cespugli di pioppo, sedici o diciassette miglia sotto il villaggio, certo che no, ma saremmo già nel vecchio paese. Cosí io rispondo che non mi importava un corno sapere perché non ci avevano presi, dato che non ci avevano pescati.

Quando comincia a far notte si spia attenti, da dietro il cespuglio di pioppi, e guardiamo tutto in giro. Non un'anima viva. Allora Jim prende alcune delle tavole superiori e costruisce un comodo casotto, per ripararci dal solleone, o quando pioveva, e per proteggere il nostro bagaglio. Jim costruisce anche un pavimento al nostro casotto, alto un piede o due sopra il livello dei tronchi, in modo che adesso le coperte e il resto erano al riparo dalle onde prodotte dai battelli. Proprio nel mezzo, sotto il casotto, sistema uno strato di terra di cinque o sei pollici, fissato da una specie di cornice, per accendere un fuoco quando pioveva o faceva brutto, e il casotto sopra non lo lasciava vedere. Poi fabbrichiamo anche un remo timoniero di ricambio, perché uno poteva sempre spezzarsi su qualche troncone o altro. Infine si fissa un corto bastone forcuto per appenderci la vecchia lanterna, perché si doveva sempre accendere la lanterna, ogni volta che un battello scendeva il fiume, che non ci investisse. Mentre invece non dovevamo accenderlo per i battelli che risalivano, a meno che non si fosse in un passaggio, perché il fiume era ancora abbastanza gonfio, le rive piú basse si trovavano sempre sotto il livello dell'acqua, cosí che i piroscafi, quando risalivano, non affrontavano la corrente ma cercavano le acque piú tranquille.

La seconda notte si viaggia sette, otto ore, seguendo la corrente che andava a piú di quattro miglia all'ora. Si prende qualche pesce, si chiacchiera e, per non addormentarci, ogni tanto si faceva una nuotata. Era solenne scendere a valle per quel gran fiume tranquillo, stesi sulla schiena a guardar su le stelle e non si aveva molta voglia di parlare forte, e non capitava sovente che ci mettevamo a ridere; al piú una risatina, soffocata, in gola. Il tempo era splendido, in generale, e durante quella notte non capita niente, né la notte dopo, né quella dopo ancora.

Ogni sera si passava davanti a qualche paese, alcuni lontano su colline scure, e non erano altro che una striscia di luce, non si vedeva una casa. La quinta notte passiamo davanti a St Louis, e si ha l'impressione come se tutto il mondo era illuminato a festa. A St Petersburg si diceva che c'erano venti o trentamila anime a St Louis, ma io non l'avevo mia creduto, finché non vedo quella festa di luci ancora accese alle due del mattino, nella notte silenziosa. Non il minimo rumore; erano tutti a letto.

Adesso di sera avevo l'abitudine di scendere a riva, verso le dieci, andare al piú vicino villaggio a comprare dieci o quindici centesimi di farina, o pancetta, o qualche altra cosa da mangiare; e qualche volta mi capitava di arraffare qualche pollo, che non si trovava comodo nel pollaio. Papà diceva che un pollo lo si deve sempre prendere, ogni volta che si può, perché se non interessa a te, è facile trovar qualcuno che gli interessa, e una buona azione non la si dimentica mai. Non avevo mai visto papà disinteressarsi di un pollo, ma questo era quello che diceva di solito.

Il mattino, prima dell'alba, mi infilavo tra i campi di granturco e prendevo in prestito un cocomero, o un melone moscatello, o una zucca, o del granturco, o roba del genere. Papà diceva sempre che non era un peccato prendere in prestito qualcosa, se si aveva poi l'intenzione di pagarla, un giorno o l'altro. Ma la vedova invece diceva che quel prestito era solo un altro nome per furto, e che nessuna persona perbene poteva fare cosí. Jim dice che, secondo lui, la vedova aveva in parte ragione, e in parte l'aveva anche papà, e che il meglio era di cancellare due o tre cose dalla lista, e dire che quelle erano escluse dal prestito, cosí pensava che non poteva essere un gran peccato continuare a prendere le altre. Discutiamo sull'argomento tutta una notte, mentre si viaggiava, cercando di decidere se si doveva rinunziare ai cocomeri, o ai poponi, o ai moscatelli, o a che altro mai. Ma verso l'alba ci troviamo tutti e due d'accordo che per il momento potevamo rinunziare alle mele selvatiche e ai cachi. Prima d'aver preso quella decisione non ci sentivamo tranquilli, mentre adesso tutto andava bene. E soprattutto ero contento dei risultati, perché le mele selvatiche non sono mai molto buone, e i cachi non maturavano per qualche mese ancora.

Di tratto in tratto si sparava su qualche uccello acquatico, che si alzava troppo presto alla mattina o, la sera, andava a letto troppo tardi. Tutto sommato, non è che si viveva tanto male.

La quinta notte passato St Louis, scoppia un gran temporale dopo mezzanotte, con tuoni e fulmini a non piú finire, e la pioggia scendeva fitta, sembravano cortine di pioggia. Noi sotto il casotto, e la zattera ci pensasse lei a navigare! Al lume dei lampi si poteva vedere un lungo tratto diritto di fiume, tra due rive ripide e rocciose. Dopo un poco dico: – Ehi, Jim, guarda un po' laggiú! – Era un battello che s'era sfasciato sopra uno scoglio, e il fiume ci portava proprio a darci dentro di naso. Affondato a metà, una parte del ponte superiore sospesa per aria, quando brillava un lampo si poteva vedere, preciso e netto, ogni sartia del fumaiolo, e una sedia presso la campana grossa, e un vecchio cappello a larghe tese, che pendeva dallo schienale.

Si era nel cuore della notte, e il temporale infuriava, e tutto aveva un'aria cosí misteriosa, che io provo quello che può provare qualunque ragazzo, al vedere quel relitto triste e solitario nel mezzo del fiume. Cioè volevo salirci a bordo, e curiosare, e vedere cosa mai ci potevo trovare. Cosí che dico:

– Saliamoci a bordo, Jim.

Ma Jim, in principio, non voleva neppure sentirne parlare. Dice infatti:

– Non ho proprio voglia di andare a fare lo stupido su quel relitto. Stiamo abbastanza bene, adesso, e il meglio è nemico del bene, come dicono tutti. Con ogni probabilità c'è qualche guardiano nascosto lassú.

– La tua nonna ci sarà nascosta, – dico io. – Non c'è piú niente da sorvegliare, se non la cabina degli ufficiali e la timoniera, e te lo vedi tu un merlo, che rischia la vita per la cabina o la timoniera, in una notte come questa, quando il relitto può andare a pezzi, da un momento all'altro, e venir travolto? – A questo Jim non sa come rispondere, e quindi sta zitto. – E poi, – dico io, – possiamo magari trovare qualche cosa che vale la pena di andarci, nella cabina del capitano. Dei sigari, magari, di quelli che costano cinque centesimi l'uno, e pronta cassa. I capitani dei piroscafi sono sempre ricchi, guadagnano sessanta dollari al mese, e a loro non importa niente quello che costa una cosa, se ne hanno voglia. Mettiti una candela in tasca, caro Jim, ché non posso starmene tranquillo finché non ho visto di cosa si tratta. Credi forse che Tom Sawyer se la lascerebbe scappare un'occasione cosí? Mai e poi mai, te l'assicuro! Dice che è un'avventura, ecco cosa dice, e s'arrampica su quel relitto, fosse l'ultima cosa che fa. E le storie che poi conta! Le arie che è capace di darsi! Manco fosse Cristoforo Colombo, che scopre l'altro mondo! Ah, se Tom Sawyer fosse qui con noi!

Jim brontola un poco, ma poi cede. Dice che non dobbiamo parlare che lo stretto necessario, e soprattutto a voce molto bassa. Un fulmine ci mostra di nuovo il relitto proprio in tempo, e afferriamo l'albero di carico di tribordo e vi assicuriamo la zattera.

Il ponte in questo punto era alto. Noi si avanza cauti per il ponte, scivolando verso babordo, per giungere, in quel buio fitto, sino al boccaporto, e si andava avanti lenti, tastando il pavimento con i piedi, stendendo le mani per allontanare le sartie, perché era cosí scuro che non si vedeva niente. Ben presto raggiungiamo la parte anteriore dell'osteriggio e ci saliamo sopra. Ancora un passo e ci troviamo davanti alla porta della cabina del capitano, che era aperta e, Dio santissimo, giú, attraverso il vestibolo, si vede un filo di luce, e in quello stesso momento ci pare di sentire delle voci sommesse, che provengono dal fondo.

Con un filo di voce, Jim mi dice che proprio non ce la fa piú, e mi consiglia di andar via anche me. Io gli dico: va bene, e stavo già per tornare sulla zattera, quando sento una voce gemere e che dice:

— Per piacere, non fate cosí, ragazzi. Vi giuro che non parlerò mai.

Un'altra voce abbastanza forte:

— Storie, Jim Turner. È già molte volte che fai cosí. Hai sempre voluto la parte piú grossa, e l'hai sempre avuta, dicendo che, se non te la davano, facevi la spia. Ma adesso l'hai detto una volta di troppo. Sei il farabutto piú cane e traditore che ho mai conosciuto.

Ormai Jim era partito per tornare sulla zattera. Io non stavo in me dalla curiosità, e mi dico: Tom Sawyer non se ne andrebbe certo adesso, cosí che non me ne vado neppure io. Voglio vedere cosa capita qui. Cosí mi butto per terra, mani e piedi, nel piccolo corridoio e avanzo al buio finché non c'è piú se non una cabina tra me e il corridoio di passaggio. Quando riesco a spiare dentro vedo un uomo steso per terra, mani e piedi legati, e due uomini ritti accanto a lui, uno aveva in mano una lanterna che faceva poco lume, l'altro teneva una pistola. Quest'ultimo puntava la pistola contro la testa dell'uomo per terra e diceva:

– Che voglia che ne ho. E dovrei, brutto mascalzone!

L'uomo steso per terra si torce tutto e dice:

– Per piacere, Bill, no! Non lo dirò mai a nessuno!

Ogni volta che diceva cosí l'uomo con la lanterna sghignazzava:

– Puoi dirlo che non lo dirai mai! Mai detto una cosa piú vera, lo puoi giurare! – E poi dice: – Sentilo come ci prega! E pensare che, se non si riusciva a metterlo nel sacco e a legarlo cosí, ci accoppava tutti e due. E per cosa? Per niente! Proprio perché noi si voleva la parte che ci tocca, ecco perché. Ma ti giuro che d'ora in poi non ricatti piú nessuno, Jim Turner. Metti via quella pistola, Bill.

Bill dice:

– Ma perché, Jake Packard? Io penso che è meglio ammazzarlo. Lui non ha ucciso nello stesso modo il vecchio Hatfield? non se lo merita forse?

– No, non voglio che tu lo uccida, e ho le mie buone ragioni.

– Che Dio ti benedica per queste parole, Jake Packard! Non me lo dimentico piú, finché vivo!– dichiara l'uomo per terra, piagnucolando.

Ma Packard non gli presta la minima attenzione, attacca la lanterna a un chiodo, e viene verso dove mi trovo io al buio, e poi fa un cenno a Bill di seguirlo. Io indietreggio come un gambero il piú in fretta che posso, per circa due jarde, ma il battello sbandava tanto che non riesco a indietreggiare molto, in modo che, per non venire pestato e sorpreso, striscio dentro una cabina dal lato superiore. L'uomo avanza a tastoni nel buio e quando Packard è all'altezza della mia cabina dice:

– Qui, entra qui.

Ed entra prima lui, e subito dopo Bill. Ma prima che fossero entrati io mi trovavo già nella cuccetta in alto, ormai prigioniero e ben poco soddisfatto d'esserci venuto. Quelli si fermano là, con la mano sull'orlo della cuccia, e si mettono a parlare. Non li vedevo, ma potevo capire dove si trovavano dalla puzza di whisky. In quel momento ero contento che non bevevo whisky, ma però la cosa non avrebbe fatto una grande differenza, perché certo non potevano notare la mia presenza, che non respiravo neanche. Avevo troppa paura per poter fare una cosa del genere. E poi chi ce la faceva a respirare, sentendo quello che dicevano? Parlavano sottovoce e mi sembravano decisi. Bill voleva uccidere Turner. Dice:

— Ha detto che parlerà, e puoi stare sicuro che lo fa. Se anche gli diamo la nostra parte, adesso, le cose non cambiano, dopo quello che gli abbiamo fatto, e il modo come l'abbiamo trattato. Sicuro come sei nato, testimonia in tribunale, credimi! Io sono dell'opinione che è bene non farlo soffrire piú a lungo.

— Anch'io, — risponde Packard, molto tranquillo.

— Diavolo, avevo quasi paura che non eri d'accordo. Be', allora tutto va bene. Andiamo a sbrigare la faccenda.

— Un minuto, ché non ho ancora detto tutto. Credi a me: sparargli un colpo va bene, ma c'è un modo piú tranquillo di fare le cose. Il mio parere è questo: che è stupido cercare a ogni costo di finire sulla forca, quando si può fare quello che si vuole in un modo che è buono come il tuo, e al tempo stesso non fa correre rischi. Non ti pare?

— Puoi dirlo! Ma come si fa?

— Be', la mia idea è questa: che dobbiamo spicciarci a raccogliere quanto abbiamo ancora lasciato nelle cabine, poi portare tutto a terra e nasconderlo. Poi si aspetta. Io sono sicuro che non passano due ore e questo relitto va in tanti pezzi ed è travolto dal fiume. Capito? Lui annega, e la colpa non è di nessuno, di nessuno se non sua. E penso che cosí è molto meglio, che non accopparlo. Io sono contrario ad ammazzare un uomo, fin che se ne può fare a meno. È contro il buon senso, è contro la morale, non ti pare?

— Sí, in certo senso sí. Ma supponi che questo relitto non va a pezzi?

— Possiamo sempre aspettare due ore, e vedere come si mettono le cose, vero?

— Bene, allora, vieni.

Cosí se ne vanno, e io scappo, tutto un sudore freddo, e arrivo a prua. Era nero come la pece, ma dico a bassa voce:
— Jim, — e lui mi risponde proprio accanto, con una specie di gemito. Io gli dico:

– Sveglia, Jim, non c'è tempo da perdere né da gemere.
A bordo c'è una banda di assassini, e se noi non riusciamo a trovare la loro barca, e non la mandiamo alla deriva,
di modo che non possono allontanarsi dal rottame, uno di
quelli si troverà in un brutto impiccio. Mentre invece, se
troviamo la barca, li mettiamo tutti nel sacco, ed è lo scerif-
fo che viene a prenderseli. Forza, sveglia, io cerco a babordo, tu cerca a tribordo, intanto va' alla zattera...

– Dio del cielo, la zattera! Non c'è piú nessuna zattera,
il nodo si è sciolto e quella è filata via, e noi siamo qui,
prigionieri.

Capitolo tredicesimo

Per un momento mi manca il respiro, e sto quasi per svenire. In secca su di un relitto, con una compagnia di quel genere. Ma non c'è tempo di pensare a sciocchezze. Adesso dovevamo assolutamente trovare quella barca, e dovevamo trovarla per usarla noi. Cosí avanziamo tremando e rabbrividendo, dal lato di tribordo, e si tratta di un lavoro assai lento. Avevo l'impressione che era passata una settimana, quando finalmente tocchiamo la poppa. Ma neanche l'ombra di una barca. Jim mi dice che gli pareva che non poteva continuare, aveva tanta paura che non se la sentiva piú di muovere un dito. Ma io gli dico: forza, spicciati, ché se si resta su questo relitto, ci troveremo in un bel guaio! Cosí continuiamo ad avanzare a tastoni. Cerchiamo la poppa del quartiere ufficiali, e finalmente la troviamo, e di lí ci arrampichiamo verso l'osteriggio, bilanciandoci da uno sportello all'altro, perché un lato dell'osteriggio era già in acqua. Quando siamo abbastanza vicini alla porta del passaggio centrale scopriamo la barchetta che si vedeva appena appena. Per un momento mi sento felice. Un secondo ancora e sono a bordo, ma proprio in quell'istante la porta si apre. Uno degli uomini sporge la testa fuori, appena a un paio di piedi da me, e io mi dico che sono spacciato. Ma lui invece ritira la testa e dice:

– Nascondi quella dannata lanterna, non farla vedere Bill!

Poi lancia un sacco di qualcosa nella barca, c'entra e si siede. Era Packard. Allora scende Bill e salta dentro anche lui. Packard dice a bassa voce:

– Pronto? Allora via!

Io mi sentivo cosí debole che non riuscivo quasi a mantenermi appeso allo sportello, ma Bill dice:

– Fermo un momento. L'hai frugato bene?

— Io no. E tu?

— No. Cosí che lui ha ancora la sua parte di denari.

— Be', allora vieni con me, è inutile portare via delle cianfrusaglie e lasciare dei soldi.

— Ma senti, non sospetterà le nostre intenzioni?

— Magari no. Comunque quei soldi dobbiamo averli. Cosí vieni, forza.

E quelli si alzano e risalgono sul battello.

La porta sbatacchia forte, perché si trovava sul lato verso l'alto. Mezzo secondo dopo ero già in barca, e Jim mi rotola dietro, come un sacco. Io fuori il coltello, taglio la corda, e via!

Non si tocca un remo, non si dice una parola, si aveva quasi paura di respirare. Scivoliamo rapidi, in un silenzio di tomba, si costeggia il tamburo, si saluta la prua e in un secondo o due siamo già a cento jarde sotto il relitto, la tenebra l'ha ingoiato, l'ultimo segno è scomparso e, finalmente... siamo sani e salvi!

Quando ci troviamo a tre o quattrocento jarde a valle, vediamo per un secondo la lanterna, come una piccola scintilla alla porta del quartiere degli ufficiali, e cosí si capisce che quei furfanti s'erano ormai accorti che la barca non c'era piú e che anche loro si trovavano esattamente nella stessa dannata situazione in cui si trovava Jim Turner.

Poi Jim si mette a remare, e via a dar la caccia alla nostra zattera. È appena allora che comincio a preoccuparmi di quei disgraziati; penso che prima me n'era mancato il tempo. Comincio a pensare a come deve essere terribile trovarsi in simile situazione, anche se non sono che degli assassini. Mi dico che, non si sa mai, anch'io magari un giorno posso diventare un asssassino, e allora che gusto proverei a essere trattato cosí? Allora dico a Jim:

— La prima luce che vediamo si sbarca, cento jarde sopra o sotto, in qualche posto dove tu e la barca potete nascondervi bene, e io salto a terra e invento qualche diavolo di storia, per mandarli a salvare quei disgraziati, che possano venir impiccati quando giunge la loro ora.

Ma tra il dire e il fare si mette di mezzo un temporale, e ben presto riprende a tuonare, lampeggiare, questa volta anche peggio di prima. La pioggia scrosciava e non si scorgeva neppure l'ombra di un lumicino. Tutti a letto, penso. Noi intanto si filava giú per il fiume, sempre all'erta, caso mai si vedesse una luce o si trovasse la zattera. Dopo un po' di tempo la pioggia smette, ma le nubi coprivano sempre il cielo, i fulmini guizzavano, e dopo un poco un fulmine ci mostra una cosa nera che galleggia davanti a noi, e noi via in quella direzione!

Era proprio la nostra zattera, e si è ben felici di saltarci sopra di nuovo. A questo punto si vede una luce lontana giú, a destra, sulla riva. Cosí dico a Jim che voglio attraccare. La barchetta era piena a metà di quanto quei malfattori avevano rubato sul relitto. Noi buttiamo tutto alla rinfusa sulla zattera, poi dico a Jim di continuare a scendere, e di accendere una lanterna quando gli sembra che ha viaggiato circa due miglia, e di tenere la lanterna accesa fin che non torno io. Poi impugno i remi e via verso quella luce. Dopo che mi sono avvicinato un poco vedo altre tre o quattro luci sul fianco di una collina, un villaggio. Continuo a scendere verso la luce sulla riva, tiro su i remi e mi lascio trasportare dalla corrente. Quando sono piú vicino vedo che si tratta della lanterna appesa all'asta di bompresso di un ferry a due scafi. Giro in cerca del guardiano notturno, chiedendomi dove mai dormirà, e dopo un poco lo trovo a prua, accucciato sulle bitte, con la testa tra le ginocchia. Gli do due o tre colpetti sulle spalle, e comincio a piangere.

Lui si sveglia, quasi di soprassalto, ma quando si accorge che si tratta solo di me, fa un bello sbadiglio, si stira le braccia e poi mi dice:

— Ehi, cos'hai? Non piangere, ragazzo. Cosa ti è capitato?

Io dico:

— Papà e mamma e mia sorella e...

E qui mi interrompo per i singhiozzi. Lui dice:

— Via smettila, non prendertela troppo. Tutti abbiamo i nostri guai e anche stavolta vedrai che finisce bene. Cosa gli è capitato?

— Gli è capitato... ma siete voi il guardiano della barca?

— Sí, — risponde lui in tono piuttosto soddisfatto e compiaciuto. — Sono il capitano, e il proprietario, e il secondo, e il pilota, e il guardiano notturno, e il nostromo e, qualche volta, anche la merce e i passeggeri. Non sono certo ricco come il vecchio Jim Hornback, e non posso essere cosí generoso e buono come lui con tutti quanti, e non posso spendere il denaro come fa lui, ma piú di una volta gli ho detto che non cambierei il mio posto col suo; perché, dico io, la vita di un marinaio è la vita che fa per me, e che sia dannato se mi piacerebbe vivere a due miglia da una città, dove non capita mai niente nonostante tutte le sue palanche, e che altro ancora, dico io...

Io lo interrompo e dico:

— Gli è capitata una disgrazia, che manco...

— Ma a chi?

— Ve l'ho già detto, a papà e mamma, e mia sorella e la signorina Hooker, e se voi prendete il ferry e andate lassú...

— Lassú dove? Ma dove sono, insomma?

— Sul relitto.

— Quale relitto?

— Non ce n'è che uno!

— Come? Vuoi dire il *Walter Scott*?

— Sí.

— Dio santissimo! Ma cosa mai sono andati a fare lassú, per l'amor di Dio?

— Be', non è che ci sono andati apposta!

— Lo spero bene! Dio santissimo, non c'è la minima possibilità di salvarsi, se non scappano il piú presto possibile. Ma come diavolo hanno fatto a finire in quel posto?

— È molto facile spiegare. La signorina Hooker era venuta a far visita lassú, a...

— Capisco, a Booth's Landing... spicciati!

— Be', era venuta a far visita a Booth's Landing, e proprio sul far della sera parte con la sua negra sulla chiatta a cavalli, per passare la notte nella casa della sua amica, signorina come-si-chiama, non mi ricordo piú bene il nome, ed ecco che perdono il remo timoniero e la chiatta vira e va alla deriva di storto, per circa due miglia, e vanno ad accavallarsi sul relitto e il traghettatore, e la negra, e i cavalli vanno a fondo, tranne la signorina Hooker che si afferra e si salva. Be', circa un'ora dopo che è notte, veniamo noi con la nostra barca. Ed era cosí scuro che non vediamo il relitto finché non ci diamo dentro del naso, e cosí anche noi dobbiamo saltar su, ma ci siamo salvati tutti tranne Bill Whipple, poverino, che era cosí buono! Vi assicuro che preferirei quasi essere morto io al suo posto, proprio!

— Dio santissimo, è la cosa piú incredibile che è mai capitata. E poi cosa avete fatto, tutti insieme?

— Be', ci siamo messi a urlare, e ce l'abbiam data tutta, ma è cosí largo il fiume, là, che non siamo riusciti a farci sentire da nessuno. Cosí papà dice che qualcuno deve andare a riva, a cercare aiuto. Io ero il solo che sapeva nuotare, e cosí mi sono buttato, e la signorina Hooker dice che, se non riesco a trovare aiuto prima, devo venir qui a cercare di suo zio, che lui provvede a tutto. Io ho toccato terra circa un miglio a monte, e sono andato in giro cercando aiuto, ma tutti rispondevano: «Come, in una notte cosí, e con la corrente che c'è? Sarebbe da matti! Va' piuttosto a cercare il ferry». Ora se voi venite e...

— Perdio, ci verrei volentieri, e che sia maledetto se non ci vado, ma chi diavolo mi paga? Credi che tuo papà...

— Ah, non preoccupatevi per il pagamento. La signorina Hooker mi ha detto in modo speciale, che suo zio Hornback...

— Corpo di mille bombe, è suo zio? Senti, ragazzo, tu va' verso quella luce laggiú e poi svolta a destra, quando sei là, e a circa un quarto di miglio giungi alla taverna. Allora di' che ti indirizzino da Jim Hornback, che lui pagherà il conto. E sta' attento di non fermarti a far lo stupido in giro perché lui certo non vede l'ora d'avere notizie. Digli che io avrò già riportato sua nipote sana e salva, prima che abbia avuto il tempo di venire in città. E adesso battitela in fretta. Io vado qua all'angolo, a svegliare il mio macchinista.

Io mi dirigo verso la luce, ma non appena lui ha svoltato l'angolo torno indietro, entro nella barchetta, la sgotto, costeggio nelle acque tranquille per circa seicento jarde, e mi nascondo in mezzo a certi barconi per la legna, perché non potevo sentirmi completamente tranquillo finché non avevo visto che il ferry era proprio partito. Ma, tutto considerato, mi sentivo piuttosto soddisfatto nel pensare che mi davo tante pene per quei manigoldi, perché non c'erano molti disposti a comportarsi cosí. Avrei voluto che la vedova potesse saperlo, ché certo restava soddisfatta di me, che aiutavo quei mascalzoni, perché i mascalzoni e i farabutti sono le persone che stavano piú a cuore alla vedova, e alla gente come lei.

Ma non passa molto tempo ed ecco che vedo il relitto confuso e indistinto, che scende lentamente alla deriva. Mi sento una specie di brivido corrermi per la schiena, e mi avvicino in barca. Ormai era quasi tutto sommerso e m'accorgo subito che non c'era piú molta probabilità che chi stava dentro fosse ancora vivo. Giro attorno, e urlo un poco ma non ricevo nessuna risposta: silenzio di tomba. Mi sento un po' melanconico, pensando a quei farabutti, ma non troppo, perché, mi dico, se loro sanno sopportare quella situazione, perché non posso anche io?

Ed ecco venire avanti il ferry, e cosí mi dirigo verso il mezzo del fiume con una diagonale a valle, e quando penso che nessuno può piú vedermi mi curvo sui remi e mi giro un'ultima volta a guardare il ferry, che annusa attorno al relitto per cercare i resti della signorina Hooker, perché il capitano sa che suo zio Hornback era pronto a pagarli a peso d'oro. Ma ben presto il ferry rinunzia a cercare e torna a riva, e io ce la do tutta, via come un fulmine, giú per il fiume.

Mi pare che passasse molto tempo prima che riesco a vedere la lanterna di Jim, e quando poi la vedo mi sembrava lontana mille miglia. Quando finalmente raggiungo la zattera, il cielo cominciava a diventare grigio pallido verso oriente, cosí che tutti e due andiamo verso un isolotto, e nascondiamo la zattera, coliamo a picco la barchetta, e poi giú tutti e due distesi, a dormire come ciocchi.

Capitolo quattordicesimo

Quando ci tiriamo su, ci mettiamo a esaminare quello che era stato rubato sul relitto. C'erano stivali, coperte, vestiti, e tante altre cose, e molti libri e un cannocchiale, e tre scatole di sigari. Non eravamo mai stati tanto ricchi nelle nostre due vite messe insieme. I sigari erano di gran classe. Si resta stesi tutto il pomeriggio sotto il bosco a parlare, e io leggevo i libri, e insomma ci divertiamo un mondo. Poi conto a Jim tutto quello che era capitato sul relitto e sul ferry, e gli dico che queste cose si chiamano avventure, ma lui mi risponde che lui di avventure ne ha fin sopra i capelli. Mi dice che, quando io ero salito e lui era strisciato per tornare sulla zattera, e si era accorto che era scomparsa, per poco non crepava dallo spavento, perché aveva capito che ormai era perduto, come che andava a finire, perché se non venivano a salvarlo moriva annegato, e se venivano a salvarlo, chiunque veniva, lo rimandava dalla sua padrona, per avere la taglia, e allora la signorina Watson lo vendeva certo nel Sud. Poco da dire, aveva ragione. Aveva quasi sempre ragione. Considerato che era un negro, aveva una testa che funzionava bene.

Io leggo a Jim di re e duchi e conti e altra gente del genere, e di come si vestivano bene, e la vita di lusso che conducevano, e che si davano l'un l'altro del Vostra Maestà, Vostra Grazia, Vostra Signoria, e cosí via, invece di dire semplicemente Signore, e Jim sgranava tanto d'occhi, che pareva dovessero sgusciargli dalle orbite, tanto era interessato. Dice a un tratto:

— Non sapevo che ce n'era cosí tanti. Non ho mai sentito parlare di loro, tranne del nostro vecchio re Salomone, a meno che non si contano i re che ci sono nei mazzi di carte. Quanto guadagna un re?

— Quanto guadagna? — dico io. — Ma possono guadagnare mille dollari al mese, se vogliono, possono farsi dare tutto quello che vogliono, perché sono padroni di tutto.

– Non è magnifico? E cosa fanno, Huck?

– Fanno? Niente fanno! Come parli! Restano tutto il giorno seduti.

– Seduti... ma no!

– Ma certo. Tutto il giorno seduti. Eccetto forse quando c'è una guerra, ché allora vanno in guerra. Ma gli altri giorni se la pigliano calma, e stanno seduti, oppure vanno a caccia col falcone e... Ssss... hai sentito questo rumore?

Strisciamo silenziosi per guardare, ma non si trattava se non del rumore prodotto dalla ruota di un battello ancora lontano, che stava doppiando una punta. Cosí torniamo a sederci tranquilli.

– Sí – dico io, – e altre volte, quando proprio non sanno come passare il tempo, si mettono a stuzzicare il parlamento e se tutti non fanno subito quello che loro vogliono, zac... gli tagliano la testa. Ma il piú del tempo lo passano nell'harem.

– In che cosa?

– Nell'harem.

– E che cosa è l'harem?

– Il posto dove il re tiene le sue mogli. Non sai neanche che cos'è un harem? Salomone ne aveva uno, lui aveva circa un milione di mogli.

– Ah già, già... me ne ero quasi dimenticato. Un harem è una specie di pensione, no? Chissà la baraonda che c'è nella stanza dei bambini! E le mogli bisticciano certo tra loro, in modo che ve l'immaginate il baccano? E dicono che Salomone è stato l'uomo piú saggio del mondo. Ma io non ci credo in una cosa cosí. Perché il piú saggio? Forse che un uomo gli piacerebbe di vivere in mezzo a un pandemonio del genere? Certo che no! Un uomo saggio si mette su una bottega di calderaio, cosí che può chiuderla quando vuole riposare.

– Be', a ogni modo è proprio stato l'uomo piú saggio, perché me l'ha detto anche la vedova in persona.

– A me non importa cosa vi ha detto la vedova, ma certo che non era un uomo saggio. Aveva dei modi di fare che proprio non mi vanno. Lo sapete di quel bambino, che lui voleva tagliare in due?

– Sí, la vedova m'ha contato anche quello.

– E allora? Non vi pare un'idea proprio scema? Pensateci anche solo un minuto. Là, quel tronco, ecco è una delle donne, qua, voi siete l'altra, e io sono Salomone e questo dollaro qua è il bambino. Tutte e due lo volete. E allora cosa faccio io? Forse che chiedo ai vicini per sapere di chi è il biglietto, e lo consegno al legittimo proprietario, tutto d'un pezzo, come fa uno che ha un po' di sale in zucca? Manco per sogno. Io invece strappo il biglietto in due parti, e ne do una metà a voi, e l'altra metà all'altra donna. È cosí che Salomone voleva fare col bambino. Ora ditemelo voi, a cosa mai serve un mezzo biglietto? Forse riuscite a comprare qualcosa? E a cosa serve mezzo bambino? Non darei un fico secco per un milione di mezzi bambini!

– Ma, Dio santo, Jim, non hai proprio capito il senso del racconto. Non hai proprio capito un corno!

– Chi? me? Sentite, non venite a parlare a me dei vostri sensi e corni! Credo di sapere cosa è il buon senso, quando ne vedo le prove, e non c'è nessun senso in una cosa cosí. Quelle non volevano un mezzo bambino, volevano un bambino intero, e l'uomo che crede di poter accontentare chi vuole un bambino intiero con un mezzo bambino a testa, non sa neppure ripararsi dalla pioggia quando piove. No, no, non parlatemi piú di Salomone, Huck. Lo so io che merlo che era!

– Ma ti ho già detto che non hai capito il senso della storia.

– Al diavolo il vostro senso! Credo che riesco a capire quello che c'è da capire. E badate bene che il vero senso è piú giú, è piú in fondo. Dipende tutto dal modo come l'hanno allevato, Salomone. Prendete un uomo che ha solo un bambino o due: credete forse che quello i bambini è disposto a sprecarli? Certo che no, ché sarebbe troppo lusso. Sa apprezzarli. Ma invece con un uomo che ha qualcosa come cinque milioni di figli che gli corrono tra le gambe, è tutto diverso. Per lui tagliare in due un bambino o un gatto è quasi lo stesso. Ne restano ancora tanti! Un figlio o due, in piú o in meno, non importava niente a Salomone, e questo vi spiega tutto.

Mai visto un negro cosí. Se si piantava un'idea in testa non c'era piú verso di cavargliela. Era il piú deciso nemico di Salomone che ho incontrato tra i negri. Cosí che mi metto a parlargli di altri re e lascio in pace Salomone. Gli parlo di Luigi Sedicesimo, che gli avevano tagliato la testa in Francia, tanto tempo fa, e del suo bambino, il Delfino, che doveva diventar anche lui re, ma l'hanno preso, e chiuso in prigione, dove certi dicono che è morto.

– Povero piccolo!

– Ma altri dicono che è uscito, è potuto scappare e è venuto in America.

– Cosí va meglio. Ma certo che si sentirà piuttosto solo. Qui non ci son mica dei re, vero, Huck?

– No.

– Allora non può farsi una posizione. Cosa può fare?

– Be', non so. Alcuni fanno i poliziotti, altri imparano alla gente a parlare francese.

– Come, Huck? Ma i francesi non parlano come noi?

– No, Jim, non capiresti una parola di quello che dicono, non una sola parola.

– Be', adesso, che sia benedetto! Come mai capita una cosa cosí?

– Non lo so, ma è cosí. Io ho imparato un po' del loro parlare da un libro. Supponi che un uomo viene da te e ti dice: *Pallé-vú-fransé*, cosa ne pensi?

– Niente ne penso, ecco. Lo prendo e gli mollo una bella pacca sulla zucca, beninteso se non è un bianco. Vi assicuro che nessun negro se la sente di insultarmi cosí.

– Ma non è un insulto! È solo per chiederti se sai parlare francese.

– Allora, perché non poteva dirmelo cosí?

– Ma te l'ha detto. Come lo dicono i francesi.

– Be', è un modo proprio da scemi di dirlo e non voglio neanche piú sentirne parlare. Non c'è senso in una cosa del genere.

– Senti, Jim, forse che un gatto parla come noi?

– No, un gatto no.

– Be', e una vacca?

– No, manco una vacca.

– Be', adesso, forse che un gatto parla come una vacca, o una vacca come un gatto?

– Certo che no.

– È naturale e giusto per loro di parlare diverso l'uno dall'altro, vero?

– Certo.

– E non è giusto e naturale per un gatto e una vacca di parlare diverso da noi?

– Ma senza dubbio!

– Be', allora perché non è naturale e giusto per un france-

se di parlare diverso da noi? Rispondimi un po', se ce la
fai!

– Forse che il gatto è un uomo, Huck?

– No.

– Be', allora vedete che non c'è senso che un gatto parli
come un uomo. Forse che la vacca è un uomo, o un gatto?

– No, né l'uno né l'altro.

– Be', allora non ha motivo di parlare come l'uno o l'altro. Ma un francese non è forse un uomo?

– Sí.

– E allora, che il Signore lo benedica, perché non parla
anche lui come un uomo? Rispondetemi un po', se ce la
fate.

M'accorgo che era inutile stare a sprecare altre parole,
perché è impossibile imparare a un negro a ragionare. Cosí
che la pianto.

Capitolo quindicesimo

Ancora tre notti, ci diciamo, e poi si giunge a Cairo, al termine dell'Illinois, dove il fiume Ohio sfocia nel Mississippi, che era dove si voleva arrivare. Allora si vende la zattera, si sale sopra un battello e su per l'Ohio, verso gli Stati liberi, e là le nostre pene finiscono.

Be', la seconda notte cala su tutto il fiume un nebbione denso, e noi ci dirigiamo verso un isolotto dove ammarrare e legare la zattera, perché non era prudente viaggiare con quel tempo. Ma quando io vado avanti con la canoa, tirandomi dietro la fune, non trovo niente se non degli arboscelli. Cosí infilo la corda attorno a uno di quelli, sul margine della riva scoscesa, ma c'era una corrente violenta e la zattera viene sbattuta cosí forte dal fiume, che strappa l'arbusto con le radici, e io mi sento gelare dalla paura. Non ce la faccio a muovermi per circa mezzo minuto, o almeno cosí mi pare, e quando mi scrollo, della zattera manco piú l'ombra, perché non si vedeva a distanza di venti jarde. Allora salto sulla canoa, e corro a poppa, afferro la pagaia e mi metto a remare a tutto vapore. Ma la canoa rifiuta di muoversi. Nella fretta avevo dimenticato di slegarla. Allora salto a riva e cerco di liberarla, ma le mani mi tremano tanto che non riuscivo quasi a usarle.

Appena ce la faccio a partire mi dirigo dietro la zattera, a tutta forza, costeggiando l'isolotto. Fin lí tutto bene, ma l'isolotto non era lungo sessanta jarde, e il momento che lo lascio mi trovo immerso in una fitta nebbia bianca, e non avevo la minima idea della direzione dove mi muovevo, piú di quanto può averla un cieco.

Inutile mettersi a remare, mi dico. Prima ancora di accorgermene picchio contro la riva, o contro qualche isolotto, o qualcosa del genere. Devo invece starmene tranquillo e lasciarmi portare alla deriva, anche se è ben noioso doverse-

ne stare tranquilli, con le mani in mano. Lancio un urlo e
poi tendo l'orecchio. Giú, molto in giú, in qualche direzione, odo un debole urlo di risposta e mi sento di nuovo
rianimare tutto. Allora via verso il punto da dove era giunto l'urlo, tendendo l'orecchio per sentirne un secondo.
Quando lo sento mi accorgo che non vado nella direzione
giusta ma che anzi mi allontano sempre piú verso destra.
Poco dopo mi accorgo che mi allontano sempre piú verso
sinistra, e che comunque non riuscivo ad avvicinarmi di
molto, perché viaggiavo da una parte e dall'altra, mentre
gli urli si allontanavano in linea retta.

Solo che quello stupido pensasse di mettersi a picchiare
su di una pentola, e picchiarci di continuo, ma lui manco
per sogno ci pensa, ed erano gli intervalli fra un urlo e
l'altro quelli che confondevano tutto. Be', continuo ad andare avanti, e subito dopo sento l'urlo alle mie spalle. Adesso veramente non so piú cosa fare. O era l'urlo di un altro,
oppure, senza accorgermene, mi ero girato su me stesso.

Allora butto la pagaia in fondo alla barca. Ed ecco sento
di nuovo l'urlo alle mie spalle, ma in un posto diverso.
Continuava a farsi sentire e a cambiare sempre di posto,
ed io continuavo a rispondere, finché poco alla volta me lo
sento di nuovo davanti e capisco che la corrente ha voltato
la canoa nel senso giusto, e che tutto va bene, se era Jim e
non un altro che urlava. Non si riesce a capire niente delle
voci di una persona nella nebbia, perché non c'è piú niente
che sembra naturale, nessuna voce che è normale, nella
nebbia.

Gli urli continuano, e circa un minuto dopo vedo che
filavo lungo una riva scoscesa, con sopra dei fumosi spettri
di grossi alberi, e la corrente mi sbatte verso sinistra e
fugge rapidissima, in mezzo a una quantità di tronconi sommersi che quasi ruggivano, tanto la corrente filava in quel
punto.

Dopo un secondo o due sono di nuovo immerso nella
nebbia, ferma, bianca e silenziosa. Allora me ne resto assolutamente tranquillo, e sentivo solo i battiti del cuore, e
penso che non devo aver respirato neanche una volta, mentre il cuore mi batteva fino a cento.

Cosí mi rassegno. Avevo capito di cosa si trattava. La
riva a picco era la riva di un'isola, e Jim si era allontanato
per l'altro canale. Non era un isolotto, che potevo costeg-
giare in dieci minuti. Era coperta da un folto bosco, come

un'isola vera e propria e magari era lunga cinque o sei miglia, e larga piú di mezzo.

Resto tranquillo, con l'orecchio teso, per circa quindici minuti, penso. Naturalmente continuavo a viaggiare a quattro o cinque miglia all'ora, ma quella è una cosa che uno manco ci pensa. No, si ha l'impressione di restare assolutamente fermi in mezzo all'acqua, e quando si vede per caso un troncone sommerso passare accanto, uno non pensa alla velocità con cui viaggia, ma trattiene il respiro e dice: – Dio santissimo come viaggia rapido quel troncone –. E se credete che non è triste e melanconico trovarsi in mezzo alla nebbia, tutto solo, di notte, provatevi una volta, e poi me ne saprete dire qualcosa.

Be', per circa mezz'ora lancio un urlo di tanto in tanto, e infine sento un urlo di risposta, ma molto lontano, e cerco di raggiungerlo, ma in qualche modo non mi veniva fatto, e io capisco subito che devo trovarmi in un nido di isolotti, perché li vedevo confusamente a destra e a sinistra, e a volte mi trovavo in uno stretto canale, e anche gli isolotti che non potevo vedere capivo che c'erano, perché sentivo lo scroscio della corrente contro i vecchi cespugli morti e i detriti che si raccolgono sempre sulle rive. Non passa molto tempo che non riesco piú a sentire gli urli, e quasi non cercavo neanche piú, perché era peggio che dar la caccia a un fuoco fatuo. Non avrei mai creduto che un suono si spostasse cosí svelto, e saltasse da un angolo all'altro cosí in fretta e sovente.

Quattro o cinque volte devo allontanarmi da riva in tutta fretta, per non sbattere qualche isola fuori del fiume, e cosí penso che la zattera doveva urtare sovente contro la riva o altrimenti andava anche piú lontana, e allora certo che non potevo sentire piú niente, perché quella viaggiava un po' piú rapidamente di me.

Ed ecco, ho l'impressione di ritrovarmi nel fiume aperto, ma però non potevo piú sentire nemmeno l'eco di un urlo da nessuna parte. Penso che Jim magari ha cozzato contro qualche troncone e che per lui è finita. Ero stanchissimo, e cosí mi stendo nella canoa e mi dico che è inutile stare ancora a rompermi l'anima. Naturalmente non che volevo dormire, ma avevo tanto sonno che non potevo farne a meno, e cosí mi dico che magari mi faccio una dormitina.

Ma ho ben paura che la dormitina è stata un po' lunga,

perché quando mi sveglio le stelle brillavano tutte lucenti, e la nebbia era scomparsa, e io filavo giú per un ampio braccio, con la poppa in avanti. Dapprima non riuscivo quasi a raccapezzarmi, e avevo l'impressione che stavo sognando, ma quando poco alla volta mi oriento, i ricordi sembravano venirmi confusi, imprecisi, come da una settimana prima.

Il fiume era enorme in quel posto, con boschi altissimi e fitti sulle due rive, una solida muraglia di alberi, almeno da quanto potevo vedere al lume delle stelle. Guardo giú per il fiume e vedo un puntino nero sull'acqua. Mi dirigo verso quel punto, ma quando lo raggiungo non era che un paio di tronchi legati insieme. Vedo un altro puntino, e via dietro a quello; poi un altro, e questa volta finalmente era quello buono. Era proprio la nostra zattera.

Quando ci salgo, Jim dormiva, con la testa fra le ginocchia, mentre la destra gli ciondolava sopra il remo timoniero. L'altro remo era stato spezzato, e la zattera era tutta coperta di foglie e ramoscelli e terra. Cosí capisco che non aveva avuto una navigazione molto tranquilla.

Allora lego la canoa, mi stendo sulla zattera proprio sotto il naso di Jim, e comincio a sbadigliare e stirandomi tocco Jim col pugno e gli dico:

— Ehi, Jim, mi sono forse addormentato? Perché non mi hai svegliato?

— Misericordia, siete voi, Huck? E non siete morto, non siete annegato, siete di nuovo qui? È troppo bello per essere vero, caro, è troppo bello. Lasciatevi guardare, ragazzo, lasciatevi toccare. No, non siete morto, e siete di nuovo con me, sano e salvo, proprio il mio vecchio Huck sempre lo stesso Huck di prima, che Dio sia lodato!

— Ma cosa hai, Jim? Hai forse bevuto?

— Bevuto? Io ho bevuto? Proprio che ho avuto voglia di bere!

— Be', perché dici tante stupidaggini?

— Come, dico tante stupidaggini?

— Certo! È da mezz'ora che non fai che parlare che sono tornato, e dici altre sciocchezze del genere, quasi che io non fossi sempre stato qui...

— Huck, Huck Finn, guardatemi negli occhi, guardatemi proprio negli occhi. Voi non siete mai stato via?

— Stato via? Ma che diavolo mai vuoi farmi credere? Sono sempre stato qui. Dove dovevo andare?

– Be' sentite, padrone, qui c'è una cosa che non va. Qui c'è... insomma, io sono me, o chi sono io? Sono qui, o dove sono? È proprio questo che vorrei sapere.

– Be', per esserci ci sei proprio, senza dubbio, ma ho l'impressione che sei un vecchio scioccone confusionario, caro Jim.

– Ah è cosí? Sono un confusionario? Be', rispondetemi un po'. Non siete andato con la canoa per fissar la gomena a qualche capo?

– Manco per sogno. Quale capo? Io non ne ho visto neanche uno.

– Non avete visto nessun capo? Guardatemi bene, non è forse vero che la gomena si è staccata da dove l'avevate fissata, e che la zattera è filata via per il fiume, lasciandovi nella canoa, perduto nella nebbia?

– Quale nebbia?

– Ma la nebbia, il nebbione! Il nebbione che ha coperto il fiume tutta la notte! E non vi siete messo a urlare, e non ho urlato anche io, finché ci siamo perduti tra le isole, e uno di noi era perduto e l'altro come perduto, perché non sapeva piú dove si trovava? E non ho forse urtato contro tante di quelle isole che non sapevo piú come cavarmela, e per poco non annegavo? Ditemi un po', padrone, non è stato cosí? Non è vero che è stato cosí? Rispondetemi un po'!

– Come faccio, Jim, se non capisco niente? Io non ho visto nessuna nebbia, nessuna isola, non sono mai stato negli impicci, insomma, non ho visto niente. Sono sempre stato qui, a chiacchierare con te tutta la notte, finché tu non ti sei addormentato, dieci minuti fa, e penso che anch'io ho fatto cosí. È impossibile che, nel mentre che dormivi, ti sia ubriacato, e quindi devi aver sognato tutto.

– Be', proprio non capisco come ho fatto a sognare tante cose in dieci minuti soli!

– Non so, ma è certo che devi aver sognato, perché non è capitata nessuna delle cose che mi hai detto.

– Ma, Huck, io mi ricordo di tutto cosí bene...

– Non importa che ti ricordi di tutto cosí bene, non vuol dire niente. Io lo so, perché sono sempre stato qui sulla zattera.

Jim rimane silenzioso per circa cinque minuti, e cerca di risolvere lo strano problema. A un tratto dice:

– Be', penso che proprio mi sono sognato tutto, Huck,

ma per l'anima di mia nonna, che non ho mai fatto un sogno che faceva piú paura, e che mi ha stancato tanto!

– Non devi stupirtene, perché certi sogni a volte stancano che non se ne ha un'idea. Ma questo deve essere stato un sogno meraviglioso. Raccontamelo tutto, Jim.

Cosí Jim attacca, e mi conta quello che era capitato, esattamente come era capitato, solo che di tanto in tanto ci faceva qualche frangia. Poi dice che dovevo interpretarlo, perché senza dubbio era stato un avvertimento del cielo. Dice dunque che anzitutto l'isolotto rappresentava un uomo che cercava di farci del bene a tutti e due, ma che la corrente del fiume era un altro uomo, che voleva portarci lontano. Gli urli erano degli avvertimenti che ci giungevano di tanto in tanto, e se noi non facevamo del nostro meglio per capirli, ci portavano disgrazia, invece che aiutarci a superare le trappole. La distesa di isolotti erano i dolori che si provano a imbattersi con della gente maligna, e altre persone del genere. Ma se noi si badava ai nostri affari, e non si attaccava briga, e non li facevamo ammattire, si poteva superare anche quel passo, e uscire dalla nebbia e ci saremmo trovati sul grande fiume placido e tranquillo, che erano gli Stati liberi, e che allora non si doveva piú avere nessuna noia.

Da quando ero salito sulla zattera il cielo aveva ripreso a oscurarsi, ma adesso era tornato sereno.

– Be', tutto è stato interpretato bene, Jim, – dico io, – ma queste cose che vogliono dire?

E indicavo le foglie e il terriccio che si trovavano sulla zattera, e il remo spezzato. Ormai si poteva vedere bene tutto.

Jim guarda il terriccio che era sulla zattera, poi guarda me, poi torna a guardare il terriccio. Ormai era cosí persuaso d'aver sognato tutto, che non ce la faceva subito a disfarsi di quell'idea e a riacquistare coscienza chiara di quello che era capitato. Ma quando finalmente ha messo ordine nella sua zucca, mi fissa un po' senza sorridere, e mi dice:

– Cosa vogliono dire queste cose? Ebbene, ve lo dico subito. Dopo che mi ero stancato a forza di faticare e di urlare, e mi ero addormentato, mi sentivo quasi il cuore spaccarsi; perché vi avevo perduto, e non me ne importava piú niente né di me né della zattera. E quando mi sveglio, e vi ritrovo sulla zattera sano e salvo, mi metto a piangere e mi inginocchio e volevo baciarvi i piedi, tanto ero ricono-

scente. E tutto quello che voi avete saputo pensare è stato
come prendere in giro il vecchio Jim, contandogli delle storie. Quelle foglie e quella terra vogliono dire la porcheria,
e porcheria è la gente che getta immondizie sulla testa dei
suoi amici e dovrebbe vergognarsene!

Poi si alza lento ed entra nel casotto, senza piú dirmi
una parola. Ma quello che aveva detto mi bastava. Sentivo
tanta vergogna, che potevo quasi baciargli i piedi, per fare
che mi guardasse di nuovo.

Mi ci vogliono quindici minuti buoni, prima che riesco
a decidermi ad alzarmi e a chiedere scusa a un negro, ma
infine mi decido, e non me ne sono pentito. E dopo di
allora non gli ho piú giocato nessun tiro, e non gli giocavo
nemmeno quello, se potevo immaginare che lui se la pigliava cosí tanto!

Dormiamo quasi tutto il giorno e riprendiamo a viaggiare di notte, a poca distanza da uno zatterone lunghissimo, che a passare tutto impiegava tanto tempo quanto un corteo. A ogni estremità aveva quattro lunghi remi, tanto che si capiva che, con ogni probabilità, doveva avere a bordo qualcosa come trenta uomini.

Sulla coperta si vedevano cinque grossi casotti, distanti l'uno dall'altro, e nel mezzo un fuoco da accampamento, e a ogni estremità un alto pennone. Era veramente un affare molto elegante. Doveva essere una bella soddisfazione lavorare sopra una zattera cosí di classe.

Noi si continua a seguire la corrente per un largo gomito, e poi il cielo si rannuvola e si mette a fare molto caldo. Il fiume era molto ampio, fiancheggiato sulle due rive da folti boschi, dove non si poteva scorgere la minima radura, né un filo di luce. Ci mettiamo a parlare di Cairo, e ci chiedevamo se eravamo capaci di riconoscerlo, una volta che ci fossimo giunti. Io dico che non era facile, perché avevo sentito dire che non c'era che una dozzina di case, e se non avevano qualche lume acceso, come facevamo a capire che si passava accanto a un paese? Jim dice invece che, se i due grossi fiumi si univano in quel posto, non potevamo non accorgercene, ma io gli rispondo che noi, magari, si poteva pensare che stavamo costeggiando l'estremità di un'isola, e che si ritornava nello stesso fiume. La cosa allarma Jim, e anche me. Allora ci chiediamo cosa mai si doveva fare. Io dico che dovevo andare a riva, il primo lume che vedevo, e che potevo dire che papà era dietro, con il suo barcone di mercanzie, e che era nuovo in quel mestiere e voleva sapere quanto era ancora lontano Cairo. Jim dice che l'idea non era male e cosí ci facciamo sopra una pipata e si aspetta.

Non c'era niente da fare adesso se non stare tutt'occhi, per non passare davanti a quella città senza vederla. Lui dice che si sentiva sicuro che la riconosceva, perché sarebbe diventato libero sull'istante, ma se passavamo davanti senza riconoscerla, si tornava in uno stato schiavista, e allora gli era impossibile diventar libero. Di tratto in tratto saltava su e diceva:

– Ecco, eccolo là!

Ma non era mai vero. Erano fuochi fatui, o qualche lucciola, cosí che lui tornava a sedersi, e continuava a sgranar gli occhi, come prima. Jim diceva che tremava tutto, e gli pareva d'aver la febbre, a sentirsi cosí vicino alla libertà. Be', posso dirvi che anch'io tremavo tutto, e mi pareva di avere la febbre, a sentirlo parlare cosí, perché cominciavo a capire che ben presto sarebbe stato libero, e di chi era la colpa se non mia? Per quanto facessi, non riuscivo a cacciare quel pensiero dalla testa. Anzi si mette a tormentarmi tanto che quasi non riuscivo piú a riposare, a starmene tranquillo. Prima d'allora non ci avevo mai pensato ben chiaro a cosa stavo facendo. Ma adesso sí, ci penso, e il pensiero non mi abbandona piú, e diventa sempre peggio. Cerco di dirmi che non era proprio colpa mia, perché non ero stato io che avevo fatto scappare Jim dal suo legittimo proprietario, ma era inutile, la mia coscienza saltava su e mi diceva: «Sapevi benissimo cosa faceva, e allora perché non sei subito andato ad avvertire qualcuno?» Ed era cosí infatti e c'era poco da dire. Era proprio quello il punto che mi faceva stare male. La coscienza mi diceva: «Cosa mai ti ha fatto la povera signorina Watson, perché, incontrando il suo negro che gli è scappato, tu non hai detto neanche una parola per farlo riprendere? Che cosa ti ha mai fatto quella povera vecchia che la tratti cosí? Pensare che lei ha penato per insegnarti a leggere, e farti imparare un po' di buone maniere, ha cercato di farti del bene, come meglio sapeva. Ecco cosa ti ha fatto!»

Comincio a sentirmi un tale mascalzone, a star cosí male che volevo quasi esser morto. Non ce la facevo a star fermo, ma camminavo su e giú per la zattera, e mi insultavo, e anche Jim passeggiava su e giú, anche lui, e non stava mai fermo. Né l'uno né l'altro riuscivamo a stare tranquilli. Ogni volta che mi ballava attorno, urlando: – Siamo a Cairo! Siamo a Cairo! – quelle parole mi colpivano come a

tradimento; capivo che se era proprio Cairo, magari morivo dalla disperazione.

Jim continuava a parlare forte, mentre io mi parlavo in
silenzio. Diceva che, non appena si trovava in uno stato
libero, voleva mettersi subito a risparmiare soldi, ogni
centesimo che guadagnava, e quando ne aveva abbastanza
allora voleva riscattare sua moglie, che era schiava in una
fattoria vicino a dove viveva la signorina Watson, e poi
tutti e due si mettevano a lavorare per riscattare i loro figli, e se il loro padrone si rifiutava di venderli, allora chie-
devano l'aiuto di una abolizionista, per farli rubare.

A udire simili discorsi mi sentivo gelare. Mai che si sarebbe sognato di parlare cosí, prima di allora. Ecco la differenza che si notava subito, non appena immaginava di essere libero. Era proprio vero il vecchio proverbio, che se dài
un dito a un negro, quello si prende tutto il braccio. Mi
dicevo: ecco, questi sono i risultati della tua scapataggine.
Ecco questo negro, che si poteva dire che ero stato io a
aiutare a scappare, venire avanti su quei suoi piedi piatti, e
avere il coraggio di dirmi che voleva far rubare i suoi bambini, bambini che appartenevano a un uomo che io manco
conoscevo, a un uomo che non mi aveva mai fatto ombra di
male.

Mi rincresceva proprio sentire Jim parlare cosí, perché
vedevo che diventava sempre peggio. Allora la coscienza
cominciò a darmi tanto fastidio che un bel momento mi
dico: «Basta, basta, non è ancora troppo tardi, io scendo a
riva, alla prima luce che vedo, e dico tutto». Subito mi
sento tranquillo, felice, e leggero come una piuma. Tutti
i miei fastidi erano scomparsi. Allora mi metto a spiare per
scovare un lume, e per poco non attacco a cantare tanto
ero contento. Passa un po' di tempo e ne scorgo uno. Ed
ecco Jim che si mette a urlare:

– Siamo salvi, Huck, siamo salvi! Un bel salto, e un colpo di tacchi, ché quello è il caro Cairo, finalmente, lo so, lo
sento!

Io dico:

– Prendo la canoa e vado a vedere, Jim. Può darsi che
magari non è ancora Cairo.

Lui salta su e prepara la canoa, e accomoda la sua vecchia giacca sul sedile, che mi segga sopra, e poi mi dà la
pagaia e, mentre mi allontano, mi dice:

– Ben presto potrò urlare dalla gioia, e dirò che il merito è tutto e solo di Huck! Sono un uomo libero, adesso, e
manco per sogno che ci riuscivo, se non era per Huck. Il
merito è tutto di Huck e Jim non vi dimenticherà mai piú.
Siete stato il meglio amico che Jim ha avuto, il solo amico
che ha Jim adesso.

Io intanto mi allontanavo sulla canoa, e non vedevo l'o-
ra di andarlo a denunziare, ma quando mi dice questo mi
sento come sgonfiare di colpo. Continuo a remare, ma molto piú lentamente, e proprio non riuscivo piú a capire se
ero contento di andare a riva, o non lo ero. Quando sono a
cinquanta jarde di distanza, Jim si mette a dire:

– Ecco là il vecchio, il fedele Huck, l'unico gentiluomo
bianco che ha sempre mantenuto le promesse fatte al vecchio Jim.

Be', mi sentivo un nodo in gola. Ma mi dico: devo farlo,
non posso fare diverso. Ed ecco che mi vien vicino una
barca con due uomini armati di fucile, e quelli si fermano,
e anch'io mi fermo. Uno di quelli mi dice:

– Cosa hai laggiú?

– Una piccola zattera, – faccio io.

– Tu ci hai viaggiato sopra?

– Sí, signore.

– Ci son uomini sopra?

– Solo uno, signore.

– Be', stanotte sono scappati cinque negri lassú, proprio
alla testa del gomito. L'uomo che c'è sopra è bianco o
nero?

Non riesco a rispondere subito. Mi provo, ma le parole
non mi venivano. Per un secondo o due cerco di farmi
coraggio, e di sputar fuori quello che dovevo dire, ma proprio non ce la faccio. Avevo meno coraggio di un coniglio.
Mi accorgo che ho perduto ogni sicurezza, e cosí pianto lí
di sforzarmi, e dico:

– Bianco!

– Però è meglio che andiamo a vedere di persona.

– Mi fareste tanto piacere, – dico io, – perché è il mio
papà che c'è sopra, e magari mi aiuterete a tirare la zattera
a riva là dove c'è la luce. Papà è malato, e anche la mamma, e anche Mary Ann.

– Diavolo, diavolo, abbiamo molta premura noi, ragazzo. Ma penso che è nostro dovere. Forza, spicciati e vieni
con noi.

Io manovro la pagaia e quelli si curvano sui remi. Quando già avevano dato due o tre colpi, dico:

— Papà certo che vi sarà molto riconoscente, ve lo posso assicurare. Tutti scappano lontani, quando chiedo di aiutarmi a tirare a riva la zattera, e da solo non ci riesco.

— Be', è un'azione indegna!... Ma anche un po' strana. Senti un po', ragazzo, che malattia ha tuo padre?

— Il... un po'... be'... niente di grave!

Quelli piantano lí di remare. Ormai si era assai vicino alla zattera. Uno mi dice:

— Ragazzo, hai contato una bugia. Che cosa ha tuo padre? Dicci la verità, ed è molto meglio per tutti.

— Ma, certo, signore, certo che vi dico la verità... Ma non lasciateci cosí, per favore! Papà ha... ha... signori, se voi remate e fissate la corda che vi butto, non dovrete neanche avvicinarvi alla zattera... Vi prego... vi supplico...

— Indietro, John, subito! — dice uno, e i due incominciano a rinculare. — Sta' lontano, ragazzo, sta' lontano. E, corpo d'un demonio, naturalmente che il vento soffia verso di noi. Tuo padre ha il vaiolo, e tu lo sai benissimo. Perché non ce l'hai detto subito? Vuoi forse che lo attacchi a tutti?

— Be', — confesso io, tutto confuso e piagnucolando, — prima lo dicevo cosa aveva papà, e allora tutti scappavano, e non ci davano aiuto.

— Povero diavolo, ti capisco quasi. E ci rincresce moltissimo, ma cosa vuoi farci? Neanche a noi ci piace il vaiolo. Senti bene, che ti dico io come devi fare. Non cercare di toccare terra da solo, o mandi tutto a catafascio. Continua a viaggiare per circa venti miglia, e cosí giungi a una città che si trova sulla sinistra del fiume. Ci arriverai a giorno fatto, e quando andrai a chiedere aiuto devi solo dire che i tuoi sono malati e hanno la febbre. Non fare lo stupido un'altra volta, in modo da lasciar capire di cosa si tratta. Noi te lo diciamo nel tuo interesse, ma tu devi fare il bravo e scendere almeno a venti miglia. Sarebbe inutile toccare terra laggiú dove vedi la luce, perché è solo un deposito di legname. Senti, penso che tuo padre non se la fa troppo bene, e devo ammettere che è stato ben disgraziato. Ecco, metto una moneta d'oro da venti dollari su questa assicella, e tu la prendi quando arriva vicino. Proprio mi sento un farabutto a lasciarti cosí, ma, Dio santissimo, col vaiolo non si scherza, tu mi capisci.

– Fermo un momento, Parker, – dice l'altro, – ecco un'altra moneta da venti dollari, metti anche la mia sull'asse. Addio, ragazzo, e fa' come ti ha detto il signor Parker e tutto andrà bene.

– Sí, fa cosí, ragazzo, e che Dio ti protegga. Se trovi qualche negro che è scappato cerca di farti aiutare da qualcuno ad arrestarlo, e puoi guadagnarti qualche soldo.

– Buona notte, signore, – rispondo io, – e state sicuro che non mi lascio certo scappare dei negri, se posso arrestarli.

Quelli allora si allontanano, e io ritorno sulla zattera, e mi sentivo tormentato dai rimorsi, perché sapevo benissimo che mi ero comportato male, e capivo che era inutile provare a comportarmi da persona perbene. Chi non comincia a comportarsi bene da bambino, non c'è piú niente da farci, quando arriva il momento buono non trova niente che lo guida, e cosí continua a far male. Poi mi fermo a pensarci sopra un minuto e mi dico: «Be', immagina un momento che facevi il tuo dovere e consegnavi Jim a quei due; forse che adesso ti sentivi piú contento?» «No», mi rispondo subito, «tutt'altro che contento, mi sentirei proprio come mi sento adesso». Be', allora, mi dico io, a cosa può servire cercare di comportarsi bene, quando far bene costa tanta fatica, e invece far male viene cosí naturale, e alla fine uno si trova sempre lo stesso? Resto lí un momento, e non sapevo cosa rispondermi. Cosí che decido che non mi volevo piú rompere la testa con tante storie, ma che d'ora in poi facevo sempre quello che mi veniva piú naturale.

Entro nel casotto, ma Jim non c'era. Mi guardo in giro, e non lo trovo in nessuna parte. Allora chiamo:

– Jim.

– Qui, sono qui, Huck. Se ne sono andati? Non parlate troppo forte.

Il poveretto si era buttato nel fiume, sotto il remo di poppa, e non lasciava spuntare che il naso sul pelo dell'acqua. Io allora gli dico che quei tali se ne sono andati e lui risale a bordo. Allora mi dice:

– Ho sentito cosa dicevano quei due, e allora mi sono buttato nel fiume, e nuotavo a riva se quelli venivano sulla zattera. Poi tornavo a nuoto, quando se n'erano andati. Ma, Dio onnipotente, come le avete contate bene quelle storie, Huck! È stata una trovata magnifica! Vi assicuro, mio caro, è stata la trovata che ha salvato il vecchio Jim, e il vecchio Jim non se ne dimentica piú sin che campa, caro Huck!

Poi ci mettiamo a parlare dei soldi ricevuti. Era una somma discreta, venti dollari a testa! Jim dice che con tanti soldi potevamo pagarci un passaggio sopra coperta su di un battello, e che i denari ci potevano bastare fin che non si giungeva in qualche stato libero. Viaggiare ancora venti miglia sulla zattera, dice, non è certo un viaggio lungo, ma lui non vedeva l'ora di essere arrivato.

Verso l'alba leghiamo la zattera, e Jim sta attento a nasconderla bene. Poi lavora tutto il giorno a fare dei pacchi di tutto, per esser pronti a lasciare la nostra imbarcazione.

Quella sera stessa, verso le dieci, giungiamo in vista delle luci di un paese, che si trovava in un gomito a sinistra del fiume.

Io mi allontano in canoa per chiedere che città era, e ben presto trovo un uomo in barca sul fiume, che stava buttando dei palamiti. Mi avvicino e gli chiedo:

— Signore, quella città è Cairo?

— Cairo? Manco per sogno. Devi essere un vero cretino.

— E allora che città è, signore?

— Se vuoi saperlo, va' a chiederlo. E se continui a darmi noia mezzo minuto di piú, ti dico io qualche cosa che ti leva il fiato.

Allora me ne ritorno sulla zattera, e Jim resta molto male, ma io gli dico che non bisognava pigliarsela troppo, e che Cairo era certo la città subito dopo, probabilmente.

Prima dell'alba passiamo davanti a un'altra città, e io volevo andare a vedere che città era, ma la riva era molto alta e cosí non mi disturbo. Jim infatti sapeva che Cairo non si trovava su di una riva alta, ma io me n'ero quasi dimenticato. Si resta fermi tutto il giorno in un isolotto, abbastanza vicino alla riva sinistra. Io intanto cominciavo ad avere dei sospetti, e anche Jim ne aveva. Cosí che gli dico:

— Forse siamo passati davanti a Cairo quella notte del gran nebbione.

Lui mi risponde:

— Huck, non parlatemene. Un povero negro non ha mai fortuna. E penso sempre che quella spoglia di serpente a sonagli non ha ancora finito di portarci scalogna.

– Corpo, ma non l'avessi mai vista quella spoglia, Jim, non mi fosse mai capitata sotto gli occhi!

– Non ne avete nessuna colpa, Huck, non lo sapevate. Non datevi delle colpe che non avete.

Quando spunta l'alba ecco che ci troviamo nelle limpide acque dell'Ohio, senza possibilità di dubbio, mentre fuori continuava a correre il vecchio Mississippi, pieno di fango. Cosí che era certo che Cairo era ormai andata a farsi benedire.

Allora discutiamo sul da farsi. Risalire per terra era pericoloso, viaggiare contro corrente con la zattera, inutile pensarci. Non c'era altro da fare se non aspettare che fosse buio, e risalire il fiume in canoa, affrontando gli inevitabili rischi. Cosí passiamo tutto il giorno a dormire in un boschetto di pioppi, per esser freschi e poter lavorare sodo, e quando verso sera torniamo sulla zattera, la canoa era sparita.

Per un po' di tempo non riusciamo a spiccicare una parola. Tanto non c'era niente da dire: tutti e due sapevamo benissimo che era sempre colpa di quella spoglia, e cosí cosa serviva piangerci sopra? Si aveva solo l'aria di trovarci a ridire, e quello non serviva che a portarci anche piú scalogna, e magari continuava a fare cosí, finché non s'imparava a stare zitti.

Dopo essere stati senza dire niente un po' di tempo, ci mettiamo a parlare di quello che si doveva fare, e ci accorgiamo che non ci restava altro se non continuare a scendere il fiume sulla zattera, finché non si trovava l'occasione di comperare una canoa per poter ritornare. Pensiamo che era meglio non farsela imprestare quando non c'era nessuno in giro, come avrebbe fatto papà, perché magari ci facevamo inseguire dal padrone.

E cosí, quando scende la sera, continuiamo il nostro viaggio sulla zattera.

Chi non crede ancora che è proprio da scemi toccare una spoglia di serpente, dopo che ha sentito tutto quello che ci ha combinato, adesso lo crederà, se continua a leggere, e vede che cosa ancora ci è capitato.

Il posto piú adatto per comperare una canoa è da una zattera che ormai è giunta a destinazione. Ma non riusciamo a trovare nessuna zattera in giro, e cosí si continua per circa tre ore e anche piú. La notte a un tratto diventa grigia, piuttosto spessa, che è la cosa peggiore che può capita-

re sul fiume, dopo un gran nebbione. Quando è cosí non si
può capire la forma del fiume, non si vede a distanza. Era
ormai molto tardi, e tutto era tranquillo, quanto sentiamo
un battello che risale. Allora accendiamo la lanterna e si
era persuasi che ci vedevano. Quando risalgono il fiume, i
battelli in genere non si accostano molto a noi, perché si
portano verso la riva e seguono i banchi di sabbia, e cercano di approfittare dell'acqua tranquilla a valle delle secche.
Ma in notti come questa infilano decisi l'alveo del fiume, e
salgono a tutta forza contro corrente.

Potevamo sentire il rumore delle macchine, ma non riusciamo a veder il battello, finché non ci è vicino. Era puntato proprio contro noi. I battelli si divertono sovente a fare
cosí, e a vedere quanto vicino possono passare senza urtare, e qualche volta le ruote portano via un remo, e allora il
pilota tira fuori la testa e sghignazza, e si sente molto spiri-
toso. Comunque ecco che il battello ci viene sopra, e noi
pensiamo che probabilmente cercava di «raderci» ma però
non aveva affatto l'aria di volersi scansare neppure di un
poco. Era un battello grosso, e viaggiava molto veloce anche, e sembrava una grossa nube scura, con uno sciame di
lucciole tutto attorno. Ma improvvisamente ecco che sbuca fuori enorme e spaventoso, con una lunga fila di portelli
di fornace tutti aperti, che brillavano come denti arroventa-
ti, e noi ci troviamo sotto la sua tremenda prua, e le mura-
te. Si sente un urlo diretto a noi, uno squillare di campane
per fermar le macchine, gridi e bestemmie, il fischio del
vapore, e Jim salta in acqua da una parte, ed io dall'altra,
mentre il battello dava nel bel mezzo della nostra povera
zattera.

Mi metto a nuotare sott'acqua e cerco di toccare fondo,
perché sapevo che dovevo passare sotto una ruota di trenta piedi e non volevo certo impigliarmi in una diavoleria
del genere. Ero sempre riuscito a stare sott'acqua per un
minuto, ma questa volta credo che ci sono rimasto un minuto e mezzo. Allora in fretta e furia emergo, perché stavo
quasi per scoppiare. Salto fuori sino alle ascelle, e sprizzo
acqua dal naso, e ansimavo parecchio. C'era una forte corrente, e naturalmente il piroscafo aveva subito rimesso in
moto le macchine, dieci secondi dopo che le aveva ferma-
te, perché in genere a chi viaggia sulle zattere nessuno bada molto, cosí che ormai era lontano e quasi invisibile in

quell'aria spessa, anche se potevo ancora sentire il rumore delle macchine.

Mi metto a urlare il nome di Jim una dozzina di volte almeno, ma non ottengo risposta, cosí che mi afferro a un pezzo di tavola che avevo trovato mentre stavo nuotando «in piedi» e cerco di dirigermi verso riva, spingendola davanti a me. Ma non tardo a scoprire che la direzione della corrente mi portava verso la riva sinistra, il che voleva dire che ero in un passaggio, cosí che cambio direzione e seguo la corrente.

Era uno di quei passaggi di sbieco, lunghi due miglia, e ci vuole parecchio tempo prima di toccare terra. Finalmente sono al sicuro e mi arrampico sulla riva. Non potevo vedere molto in giro, ma vado avanti per un terreno irregolare, un quarto di miglio o anche piú, e poi, quasi prima di accorgermene, mi trovo sotto il naso una casa doppia di tronchi d'albero, un po' all'antica. Avevo l'intenzione di passarci accanto e di continuare il mio cammino, quando un mucchio di cani salta fuori e si mettono a ululare e ad abbaiarmi e io capisco che era prudente non muovere neanche un dito.

Capitolo diciassettesimo

Mezzo minuto dopo qualcuno grida da una finestra, senza mettere la testa fuori:

– Cuccia! Chi va là?

Io dico:

– Sono io.

– Ma chi è questo io?

– George Jackson, signore.

– E cosa volete?

– Non voglio niente, signore. Volevo solo andare per la mia strada, ma i cani non mi lasciano.

– Ma perché andate in giro a quest'ora, da queste parti?

– Non è che andavo in giro, signore. Sono caduto dal battello.

– Ah, è cosí? Qualcuno, forza, accenda un lume. Come avete detto che vi chiamate?

– George Jackson, signore. Sono solo un ragazzo.

– Senti, se dici la verità, non devi aver paura, ché nessuno ti fa male. Ma non muoverti manco di un passo, resta fermo dove sei. Qualcuno vada a svegliare Bob e Tom, e portate i fucili. George Jackson, sei solo o in compagnia?

– No, signore, sono solo.

Poco dopo sento della gente che si muove per la casa e ben presto accendono un lume. Allora l'uomo ordina:

– Betsy, vecchia stupida, nascondi quel lume! Non capisci proprio niente? Mettilo per terra, dietro la porta d'ingresso. Bob, se tu e Tom siete pronti, prendete il vostro posto.

– Siamo pronti.

– Ora dimmi, George Jackson, li conosci gli Shepherdson?

– No, signore, non ne ho mai sentito parlare.

– Be', magari è cosí, e magari non lo è. Adesso tutti al vostro posto, e tu George Jackson vieni avanti, e fa' attenzione di non camminare in fretta, ma piuttosto adagio. Se poi c'è qualcuno con te, che resti indietro, se non vuole buscarsi una buona schioppettata. E adesso fatti avanti, piano, piano, spingi la porta tu stesso, quanto basta per infilarti dentro, capito?

Io non camminavo in fretta, l'avessi voluto che non ce la facevo. Avanti un passo alla volta, piano piano, e non si sentiva nessun rumore, ma a me mi sembrava di sentire il mio cuore che picchiava. I cani erano silenziosi come le persone, ma mi stavano alle calcagna. Quando giungo ai tre scalini di legno che conducono alla porta, sento che tolgono il chiavistello e la sbarra, e che fanno girare la chiave. Allora poggio la mano sulla porta e la spingo un poco, un po' di piú, fin che qualcuno dice: – Cosí va bene, basta. Adesso metti dentro la testa –. Io obbedisco, ma avevo paura che magari me la portavano via di colpo.

La candela era per terra, e c'erano tutti che mi fissano, e io fisso loro, e si resta cosí immobili un quarto di minuto. Vedo tre uomini, grandi e grossi, con i fucili spianati contro di me. Non posso non trasalire. Il piú vecchio, tutto grigio e sui sessant'anni; gli altri due ne avevano trenta o poco piú. Tutta gente bella e ben fatta. Poi una gentile signora dai capelli grigi, la piú cara vecchina che ho mai incontrato, e alle sue spalle donne piú giovani, che non riuscivo a vedere bene. Il vecchio signore allora dice:

– Be'... credo che non c'è pericolo. Entra pure.

Non appena sono dentro il vecchio signore chiude a chiave la porta, spinge il chiavistello, infila la sbarra e ordina ai due giovanotti di seguirlo con i loro fucili, e tutti entrano in un grosso salotto, che aveva per terra un tappeto di pezza nuova, e si mettono in un angolo fuori tiro dalle finestre della facciata, contro una parete senza aperture. Allora sollevano la candela, mi guardano ben attenti, e poi tutti dicono: – No, non è affatto uno Shepherdson, non ha niente degli Shepherdson –. Allora il vecchio mi dice che sperava che non mi offendevo se mi perquisivano, per vedere se avevo delle armi, perché non avevano alcuna intenzione di offendermi, ma era solo per sentirsi assolutamente sicuri. Dopo di che lui non mi caccia le mani in tasca, ma le tasta dal di fuori e infine dice che tutto andava bene. Allora mi dice di stare tranquillo, e di considerarmi come a casa mia, e contargli tutto di me. Ma la vecchia signora lo interrompe:

– Che Dio ti benedica, Saul, ma non vedi che è bagnato come un pulcino? E non credi che può aver fame?

– Hai ragione, Rachel. Non ci avevo pensato.

Allora la vecchia dice:

– Betsy, – (era la serva negra), – sveglia, corri a prendergli qualcosa da mangiare, il piú presto che puoi, povero ragazzo, e una di voi ragazze vada a svegliare Buck per dirgli... Ma eccolo qui in persona. Buck, occupati tu di questo forestiero, e fagli togliere i vestiti, e dagli qualcosa di tuo ben asciutto, che possa rivestirsi.

Buck aveva l'aria di essere della mia età, sui tredici, quattordici anni, ma era un po' piú grosso di me. Non portava altro che una camicia, e aveva i capelli tutti arruffati. Era entrato sbadigliando, e si strofinava gli occhi con il dorso della mano, mentre con l'altra trascinava un fucile. Allora chiede:

– Ma non ci sono gli Shepherdson?

Tutti gli dicono di no, ch'era stato un falso allarme.

– Be', – dice lui, – se ce n'era qualcuno in giro, penso che anch'io beccavo il mio.

Tutti si mettono a ridere, e Bob dice:

– Caro Buck, avevano il tempo di pelarci vivi tutti, prima che tu arrivavi, con la tua velocità.

– Be', nessuno è venuto a svegliarmi, e non è giusto. Cercate sempre di tenermi fuori, resto sempre tagliato fuori.

– Non preoccupartene, Buck, – dice il vecchio. – Quando giunge il tuo momento avrai anche tu la tua parte, non aver paura. Ma adesso spicciati e ubbidisci a tua madre.

Allora si sale in camera sua, e lui mi porge una camicia di tela grezza, un paio di pantaloni e una giacchetta, e io mi vesto subito. Mentre che mi vestivo, lui mi chiede come mi chiamavo, ma prima che potevo rispondergli comincia a parlarmi di una ghiandaia azzurra e di un coniglietto che aveva trovato nei boschi due giorni prima, e poi mi chiede dove si trovava Mosè, quando s'era spenta la candela. Io gli rispondo che non lo sapevo, che non ne avevo mai sentito parlare prima.

– Be', indovina, – mi dice lui.

– E come faccio a indovinare, – dico io, – quando è la prima volta che me lo chiedono.

– Ma cerca d'indovinare. È cosí facile!

– Ma quale candela? – chiedo io.

– Una candela qualunque, – risponde lui.

– Be', non so proprio dove che era, – dico alla fine, – insomma, dov'era?

– Ma era al buio! Ecco dov'era!

– Be', se lo sapevi già dove era, perché me l'hai chiesto?

– Ma che scemo! Non sai neanche cosa è un indovinello? Senti un po', quanto ti fermi qui? Dovresti starci sempre. Ci divertiremo un mondo, perché adesso non c'è neanche scuola. Tu hai un cane tutto tuo, per te? Io sí, ho un cane che è mio, e possiamo farlo saltare nel fiume, a riportarci i pezzi di legno che ci buttiamo dentro. E alla domenica ti piace pettinarti e fare tutte quelle altre minchionerie? A me non mi piace proprio, ma la mamma mi obbliga! Che siano maledetti questi vecchi pantaloni, penso che è meglio se me li infilo, ma preferirei lasciarli stare, col caldo che fa. Sei pronto adesso? Be', allora, trottami dietro.

Pane di granturco, manzo salato freddo, burro, latte scremato: tutto sul tavolo per me, e ancor oggi non conosco niente che sia meglio. Buck, e sua madre, e tutti fumavano pipe di granturco, eccetto la negra, che era ormai scomparsa, e le due giovani. Tutti fumavano e parlavano; io mangiavo e parlavo. Le ragazze indossavano vestaglie trapunte e avevano i capelli sciolti per la schiena. Tutti mi chiedono di me, e io conto come papà e io e tutta la famiglia si viveva in una piccola fattoria, giú verso il fondo dell'Arkansas, e che mia sorella Mary Ann era scappata e si era sposata e non ne avevamo piú saputo niente, e allora Bill era andato a cercarla, e anche di lui non se ne era piú saputo niente, e Tom e Mort erano morti, e non eravamo piú rimasti che papà e io, e anche lui non si reggeva piú, a causa di tanti dolori. Cosí che quando era morto avevo preso quello che era rimasto, perché la fattoria non era nostra, e mi ero incamminato per il fiume, viaggiando sopra coperta, ma poi ero caduto in acqua; ecco spiegato perché mi trovavo laggiú. Cosí tutti mi dicono che potevo considerare quella casa come la mia, finché volevo. Ormai stava per spuntare l'alba e tutti si va a letto, e io vado a letto con Buck, e quando mi sveglio il mattino dopo, che sia maledetto se ricordavo il mio nome. Cosí che resto sveglio e tranquillo circa un'ora, cercando di richiamarlo alla mente, e quando Buck si sveglia io gli dico:

– Sai scrivere, Buck?

– Sí, – risponde lui.

– Ma scommetto qualunque cosa che il mio nome non sai scriverlo.

– Scommetto qualunque cosa che so scriverlo, – dice lui.

– Benissimo, – dico io, – e allora prova.

– G-e-o-r-g-e J-a-x-o-n, ecco, – dice lui.

– Be', – dico io, – ce l'hai fatta, ma ero sicuro che non sapevi. Non è un nome molto facile da scrivere, senza studiarci un poco.

Io allora me lo scrivo, di nascosto, perché qualcuno poteva chiedermi di scriverlo, cosí che volevo farci un po' di pratica, per sbatterlo fuori a ogni occasione, come ci fossi abituato.

Era una famiglia di gente molto gentile, una casa ch'era una meraviglia. Non avevo ancora mai visto in campagna una casa cosí tanto bella e tanto elegante. Sulla porta d'ingresso non c'era un chiavistello di ferro, o uno di legno fissato con un pezzo di cuoio, ma una maniglia di ottone da girare, come le case in città. Nel salotto non c'erano letti, non ombra di letti, mentre invece in tanti salotti, anche in città, ce ne sono. C'era un grosso camino, con mattoni anche sul piano del focolare, e i mattoni li tenevano puliti e rossi, versandoci sopra dell'acqua e poi grattandoli con un altro mattone. Qualche volta poi li lavavano tutti e li pitturavano con una vernice chiamata marrone di Spagna, proprio come in città. Avevano alari di ottone molto grossi, che potevano anche reggere un tronco intero. Nel mezzo della mensola c'era un pendolo, con una città dipinta sulla metà bassa del vetro, e un posto rotondo nel mezzo che stava per il sole, e dietro di quello si poteva vedere il pendolo che andava avanti e indietro. Era molto bello sentir battere quel pendolo, e qualche volta, quando arrivava qualche meccanico ambulante e lo puliva tutto e lo rimetteva in ordine, allora l'orologio batteva magari centocinquanta volte, prima che si stancava. Non avrebbero venduto quel pendolo per tutto l'oro del mondo!

C'erano anche due grossi pappagalli forestieri, uno per parte, fatti di qualcosa come gesso, e dipinti che era una meraviglia. Vicino a uno dei pappagalli c'era un gatto, di terracotta, accanto all'altro un cane anche lui di terracotta, e quando uno li schiacciava si mettevano a guaire, ma solo che non spalancavano la bocca e non prendevano un'aria interessata. Guaivano da sotto la pancia. Dietro si aprivano due grossi ventagli, fatti con ali di tacchini selvatici.

Sul tavolo nel mezzo della stanza, c'era una specie di bel cestino di terracotta pieno di mele, pere, arance, e pesche, e uva, tutto in mucchio, ma la frutta era molto piú rossa e gialla, insomma piú bella di quella vera, ma non era vera, perché dove erano saltate via delle schegge, si vedeva il gesso o la cosa di cui erano fatti.

Questo tavolo aveva una tovaglia, una magnifica tela cerata, con sopra dipinta un'aquila rossa e blu a ali spiegate, e un orlo dipinto tutto in giro. Era venuta diritto da Filadelfia, mi dicono. C'erano anche alcuni libri, uno sull'altro, sempre ben allineati a ogni angolo del tavolo. Uno dei libri era una grossa Bibbia di famiglia, tutta illustrata, un altro era *Il Viaggio del Pellegrino*, e parlava di un uomo che abbandona la sua famiglia, ma il libro non dice perché. Di tratto in tratto mi mettevo a leggere e leggevo abbastanza. Le frasi erano interessanti, ma piuttosto difficili. Un altro libro era intitolato *Offerte Amiche* e era pieno di magnifiche storie e poesie, solo che io le poesie non le leggevo. Un altro erano i *Discorsi* di Henry Clay e un altro ancora il *Medico per le Famiglie* del dottor Gunn, che spiega tutto quello che si deve fare, se qualcuno si ammala o muore. C'era anche un libro di inni e tanti libri ancora. E poi c'erano delle bellissime sedie col fondo a stecche, e tutte in ordine, che non facevano borsa nel mezzo e non erano sfondate come un vecchio cestino.

Sulle pareti avevano dei quadri, in genere Washington o Lafayette e delle battaglie, e Mary degli Highlands, e uno che era intitolato *La proclamazione della Repubblica*. Poi ce n'erano altri che essi chiamavano crayons e che erano stati fatti da una delle figlie, che adesso era morta, e che li aveva fatti quando non aveva che quindici anni. Erano diversi da tutti gli altri quadri che ho mai visto prima; in genere piú neri di quello che non sono i quadri. Uno rappresentava una donna in un vestito nero stretto, con una cintura che le saliva sotto le ascelle, dei rigonfiamenti come una testa di cavolo a metà maniche, un grosso cappello nero simile a una paletta per il carbone e ornato da un velo nero, delle sottili caviglie bianche, tutte legate con della fettuccia nera, e delle minuscole pianelle nere, puntute come uno scalpello. Pensosa poggiava il gomito destro sopra una pietra tombale protetta da un salice piangente, mentre l'altra mano pendeva inerte lungo il fianco e stringeva un fazzoletto bianco e una reticella. Sotto c'era scritto: «E che non debba piú vederti, ahimè?» Un altro quadro rappresentava una giovane donna con i capelli tirati sul cocuzzolo, dove che erano legati attorno a un pettine, che sembrava lo schienale di una sedia. Questa donna piangeva sopra un fazzoletto, e nell'altra mano reggeva un uccellino morto steso sulla schiena, con le zampette in su, e sotto c'era scritto: «Non udrò piú il tuo cinguettio, ahimè?» Poi ce n'era un altro con una giovane donna vicino a una finestra, che guardava la luna e aveva le guance rigate di lacrime, e in una mano stringeva una lettera aperta sulla quale si vedevano dei suggelli di ceralacca nera, e schiacciava contro la bocca un medaglione con una catena e sotto c'era scritto: «Dipartito sei tu? Sí, dipartito sei, ahimè!» Tutti dovevano essere dei bei quadri, penso, ma però non posso dire che mi andavano molto, perché, quando ero un po' giú di corda, mi rendevano triste come un funerale. Rincresceva a tutti che era morta, perché aveva pensato di disegnare molti altri quadri del genere, e era facile capire da quello che aveva fatto quanto avevano perduto con la sua morte. Ma io penso che, considerate le sue disposizioni, una tomba era proprio il posto che faceva per lei. Quando si era ammalata, e poi era morta, aveva cominciato quello che tutti pensavano che doveva essere il suo capolavoro, e ogni giorno e ogni sera non faceva che pregare che il buon Dio la lasciasse vivere tanto da poterlo finire e invece è morta prima. Questo quadro rappresentava una giovane donna in un lungo vestito bianco, in piedi sulla spalletta di un ponte e pronta a spiccare il salto, con i capelli sparsi per la schiena e lo sguardo rivolto alla luna, le lacrime che le rigavano la faccia, e aveva due braccia incrociate sul seno, due braccia stese in avanti, altre due verso la luna, perché l'idea era stata di vedere il paio di braccia che faceva piú bell'effetto, e di cancellare poi le altre, ma, come già ho detto, era morta prima di essersi potuta decidere, e adesso i suoi avevano appeso quel quadro sopra la testiera del letto in camera sua, e a ogni anniversario ci mettevano dei fiori davanti. Negli altri giorni il quadro era nascosto da una tendina. La giovane donna del quadro aveva una faccia dolce e gentile, ma tutte quelle paia di braccia facevano pensare un po' troppo a un ragno, mi pareva.

Questa ragazza aveva una specie di album, quando era viva, e ci attaccava dentro annunzi funebri, e notizie di disgrazie e di casi dolorosi, che ritagliava dall'«Osservatore Presbiteriano», e poi ci scriveva sopra delle poesie. Erano delle poesie molto belle. Questa è la poesia che aveva scritto per un giovane chiamato Stephen Dowling Bots, che era caduto in un pozzo ed era annegato.

Ode
A Stephen Dowling Bots
Deceduto

Stephen forse si ammalò,
   che morí in giovane età?
   Ogni cuor, forse, penò,
   a una tal calamità?

No, no, tale già non fu
   il destin di Stephen Bots!
   Se ogni cuor commosso fu
   non di morbo egli spirò!

Non fu, no, tosse asinina,
   che la fibra sua piegò,
   come non fu scarlattina,
   che all'avello lo portò!

Non d'amor non corrisposto
   il cuor misero intristí;
   né per stomaco indisposto
   Stephen Dowling Bots perí!

Or con occhio lacrimoso
   ascoltate il fato duro:
   trovò l'ultimo riposo,
   quando cadde in pozzo oscuro.

Venne estratto, fu svuotato,
   ma non piú tolto all'avel,
   ché il suo spirto già salpato
   era pei regni del ciel!

Se Emmeline Grangerford ce la faceva a scrivere delle poesie cosí quando non aveva ancora quattordici anni, cosa non diventava se viveva? Buck mi diceva che riusciva a sbatter giú una poesia, come bere un bicchier d'acqua. Non aveva neanche bisogno di fermarsi a pensarci sopra. Scriveva un verso, e se non ce la faceva subito a trovare una rima allora lo cancellava, e giú un altro, e via di questo passo. E non che fosse difficile accontentarla; riusciva a scrivere delle poesie su qualsiasi soggetto che le davano,

solo che fosse un argomento triste. Ogni volta che moriva
un uomo o una donna o un bambino, lei era pronta col suo
tributo, prima che il cadavere fosse freddo. Lei li chiamava tributi. I vicini dicevano che prima veniva il dottore,
poi Emmeline, e poi il becchino; il becchino non ce l'aveva
mai fatta ad arrivare prima di Emmeline se non una volta,
ed era stata la volta che lei non le veniva la rima per il
nome del morto, che si chiamava Whistler. Dopo d'allora
non era piú stata la stessa. Non che si lamentasse, ma in
certo modo aveva cominciato a deperire e dopo un poco
era morta. Poverina, quante volte non sono salito in quella
sua stanzetta dove che era vissuta, e tiravo fuori il suo
vecchio album, e lo leggevo, quando i suoi quadri mi avevano scombinato un poco! Volevo bene a tutta la famiglia,
morti e vivi, e non volevo certo non andar d'accordo anche
con lei. La povera Emmeline aveva scritto sempre delle
poesie su tutti i morti quando era viva, e non sembrava
giusto che non ci fosse nessuno a scriverne una su lei,
adesso ch'era morta, cosí che un giorno cerco di spremere
una strofa o due, ma proprio non ce la facevo. La stanza di
Emmeline la tenevano sempre in ordine, e tutta pulita,
con tutte le cose come le aveva sistemate lei quando era
viva, e non c'era nessuno che ci dormiva in quella stanza.
Era la vecchia signora che si occupava in persona di rasset-
tarla, anche se avevano tanti negri, e ci passava molto tempo a cucire o a leggere la Bibbia.

Be', come ho già detto del salotto, alle finestre c'erano
delle belle tende bianche, con sopra dipinti dei castelli con
rampicanti che scendevano per tutti i muri, e delle vacche
che andavano a bere. C'era anche un minuscolo e vecchio
piano, che dentro doveva avere delle casseruole, e non c'era
niente di piú bello che sentire le signorine cantare: *L'ultimo
anello s'è infranto* oppure suonarci *La battaglia di Praga*. I
muri di tutte le stanze erano intonacati, e quasi tutte avevano dei tappeti per terra, e tutta la casa era imbiancata di
calce al di fuori.

Era una casa doppia, e il passaggio aperto tra una e l'altra aveva un pavimento e un tetto e qualche volta a mezzogiorno si preparava la tavola, perché era un posto molto
fresco e ventilato. Era difficile trovar di meglio. E non vi
dico poi quello che si mangiava, come era buono, e quanto
ce n'era!

Capitolo diciottesimo

Il colonnello Grangerford, dovete sapere, era un gentiluomo. Un vero gentiluomo, da capo a piedi, e anche i suoi
erano cosí. Era nato di buona famiglia, come si dice, e
questo vale tanto per un uomo che per un cavallo, come
diceva sempre la vedova Douglas, e tutti sanno che lei
apparteneva alla piú alta aristocrazia del paese, e anche papà diceva cosí, sebbene lui, in quanto a razza, non poteva
vantarne piú di un cane bastardo. Il colonnello Grangerford era molto alto e snello, con una carnagione d'un pallo-
re abbronzato senza la minima traccia di roseo. Ogni mattina si radeva completamente la lunga faccia, e aveva le labbra piú sottili che ho mai visto, e le narici sottili e un naso
distinto, e sopracciglia folte, e occhi nerissimi, cosí infossa-
ti che si aveva l'impressione che vi guardava dal fondo di
una grotta, come si dice. Fronte alta, capelli neri e lisci,
che gli arrivavano alle spalle, mani lunghe e sottili, e ogni
giorno che spuntava infilava sempre una camicia di bucato,
e un vestito di lino, cosí bianco che faceva male agli occhi
solo a guardarlo. Le domeniche indossava una marsina blu
con dei bottoni d'ottone. Portava una canna di mogano
con il pomo d'argento. Ma non c'era traccia di frivolezza
in lui, e non era mai sgargiante. Era gentile che non si
potrebbe di piú, e tutti se ne accorgevano e cosí avevano
fiducia in lui. Qualche volta sorrideva, e faceva piacere vederlo sorridere, ma quando si rizzava tutto come un albero
maestro, e i lampi cominciavano a saettare da sotto le sopracciglia, uno avrebbe voluto arrampicarsi subito su di
un albero, e scoprire la causa della sua furia piú tardi. Non
aveva bisogno di dire a nessuno di comportarsi bene, perché dove si trovava lui tutti si comportavano bene. Tutti
erano contenti di vederselo accanto, era quasi sempre come un raggio di sole, voglio dire che dava l'impressione di

portare il bel tempo con sé. Ma quando si trasformava in
una nube temporalesca, per mezzo minuto tutto il mondo
sembrava scuro, e tanto bastava: per una settimana niente
piú aveva il coraggio di andar male.

Quando lui e la vecchia signora scendevano al mattino,
tutta la famiglia si alzava in piedi per augurar loro il buon
giorno, e non si sedevano finché quelli non si erano seduti.
Poi Tom e Bob si recavano alla credenza dove c'erano le
caraffe e preparavano un bicchiere di bitter che gli offriva-
no, e lui lo teneva in mano e aspettava che anche Tom e
Bob si fossero preparati il loro, e poi quelli con un inchino
dicevano: – Alla vostra salute, signore e signora, – e i due
vecchi rispondevano con un piccolissimo inchino e dicevano grazie, e poi tutti e tre bevevano, poi Bob e Tom versa-
vano un po' di acqua sullo zucchero, e un goccio di whisky
o di acquavite di mele, e lo davano a me e a Buck, e allora
anche noi si beveva alla salute dei vecchi.

Bob era il piú vecchio, Tom il secondo. Due begli uomini alti, con le spalle larghe e le facce scure, lunghi capelli
neri, occhi neri. Anche essi si vestivano di bianco da capo
a piedi come il vecchio, e portavano dei larghi panama.

Poi c'era la signorina Charlotte, che aveva venticinque
anni, alta, fiera, maestosa, ma buona come non so chi, quando non era irritata, ma quando gli saltava la mosca al naso
lanciava degli sguardi che sembravano incenerire, proprio
come suo padre. Era molto bella.

E cosí era sua sorella, la signorina Sophia, ma era una
bellezza diversa. Gentile e dolce come una colomba, e aveva solo vent'anni.

Ogni persona aveva il suo particolare servo negro, e anche Buck l'aveva. Quello che diedero a me non aveva mai
niente da fare, perché io non avevo l'abitudine di aver qualcuno che si occupava di me, mentre invece quello di Buck
doveva scattare quasi a ogni secondo.

Questi erano tutti i membri della famiglia, quando ero
arrivato io, ma una volta ce n'erano di piú: tre figli che erano stati uccisi, ed Emmeline che era morta.

Il vecchio possedeva un'enorme quantità di fattorie e
piú di cento negri. A volte c'erano molte visite, gente che
giungeva a cavallo da dieci o quindici miglia in giro, e si
fermavano cinque o sei giorni, e si divertivano, facevano
delle gite sul fiume, organizzavano danze e scampagnate
nei boschi di giorno, e balli in casa, di sera. Queste perso-

ne erano in gran parte parenti. Gli uomini portavano sempre il fucile. Erano tutti splendida gente, molto distinta, vi assicuro.

Nelle vicinanze esisteva un altro clan di aristocratici, cinque o sei famiglie, che quasi tutti si chiamavano Shepherdson, e anche loro avevano molto stile, ed erano nobili e ricchi e signori come la tribú dei Grangerford. Gli Shepherdson e i Grangerford si servivano dello stesso approdo, che si trovava a circa due miglia a monte della nostra casa, cosí che qualche volta, quando io ci andavo con qualcuno dei nostri, mi capitava di incontrarvi un mucchio di Shepherdson, sui loro magnifici cavalli.

Un giorno che Buck e io si era a caccia nei boschi, sentiamo il galoppo di un cavallo che si avvicina. In quel momento stavamo attraversando la strada, e Buck mi dice:

– In fretta, salta nel macchione.

Ci saltiamo tutti e due, poi ci mettiamo a spiare attraverso le foglie. Ben presto arriva al galoppo uno splendido giovane, che sedeva sicuro sul cavallo, e aveva l'aria di un soldato. Teneva il fucile sul pomo della sella. Io l'avevo già visto prima, era il giovane Harney Shepherdson. Sento il fucile di Buck che spara a poca distanza dal mio orecchio, e vedo il cappello di Harney che gli vola via. Quello allora afferra il fucile e si dirige diritto verso il posto dove eravamo nascosti noi. Ma noi non stiamo ad aspettarlo, e ce la diamo a gambe per i boschi. I boschi non erano molto folti, cosí che di tratto in tratto mi voltavo per schivare le palle, e due volte posso vedere Harney che aveva preso di mira Buck. Poi se ne va per dove era venuto, a raccattare il cappello, penso, ma non potevo vedere bene. Noi non smettiamo di correre finché non si arriva a casa. Gli occhi del vecchio signore, quando lo sa, lampeggiano un momento, soprattutto di piacere, penso, poi gli passa come un'ombra sul volto e dice, ma gentile:

– Non mi piace quell'idea di sparare nascosto dietro un cespuglio. Perché non hai sparato da in mezzo alla strada, ragazzo?

– Gli Shepherdson non fanno mai cosí, papà. Sfruttano sempre ogni vantaggio.

La signorina Charlotte teneva alto il capo, con una posa da regina, mentre Buck narrava la sua storia, e le narici le fremevano, e gli occhi lampeggiavano. I due giovani avevano un'aria scura, ma non dicono niente. La signorina Sophia invece impallidisce, ma i colori le ritornano subito, non appena sente che l'uomo non era stato ferito.

Appena posso trovarmi solo con Buck, presso il deposito del granturco, sotto gli alberi, gli dico:

— Ma volevi proprio ucciderlo, Buck?

— Certo che volevo ucciderlo!

— Ma cosa ti ha fatto?

— Lui? Mai fatto niente, a me.

— E allora, perché volevi ucciderlo?

— Perché? Ma per via della faida!

— Della faida? E cos'è?

— Ma dove sei nato tu? Non sai cosa è una faida?

— Mai sentito parlarne prima, spiegami tu cosa è.

— Be', — dice Buck, — una faida si fa cosí. Un uomo fa una baruffa con un altro e lo uccide, allora il fratello del morto uccide lui, poi gli altri fratelli, da una parte e dall'altra, si uccidono tra loro, poi entrano in gioco i cugini, e poco alla volta tutti vengono uccisi, e cosí la faida finisce. Solo che le cose sono un po' lente, e ci vuole del tempo.

— E la vostra è da molto che dura, Buck?

— Puoi dirlo! È cominciata trent'anni fa, suppergiú. Hanno cominciato a questionare, e poi c'è stata una causa in tribunale per sistemare la cosa, e naturalmente il tribunale ha dato torto a una delle parti, e cosí quello che aveva perduto uccide quello che aveva vinto, come era giusto. Tutti farebbero cosí.

— E di cosa si trattava, Buck, di terre?

— Credo di sí, ma non so bene.

— E chi ha cominciato a uccidere? Un Grangerford o uno Shepherdson?

— Dio santo, come faccio a saperlo? È capitato tanti anni fa.

— Ma c'è qualcuno che lo sa?

— Oh sí, papà credo che lo sa e forse qualche altro vecchio, ma adesso non sanno piú che cosa è stata la causa della prima baruffa.

— E sono stati uccisi molti, Buck?

— Sí, funerali ce ne sono stati molti! Ma non è che ci uccidiamo sempre. Papà, per esempio, ha qualche pallino in corpo, ma non gliene importa gran che, perché tanto lui non pesa molto. Bob è stato tagliuzzato un poco con un coltello da caccia, e Tom è stato ferito una o due volte.

— È stato ucciso qualcuno, quest'anno, Buck?

– Sí, uno da parte nostra e uno dalla loro parte. Circa tre mesi fa mio cugino Bud di quattordici anni andava a cavallo per i boschi, sull'altra riva del fiume, e non era armato, che è proprio da scemi, e in un posto fuori mano sente il rumore di un cavallo che gli si avvicina alle spalle, e vede il vecchio Baldy Shepherdson che gli corre dietro col fucile in mano, e i capelli bianchi che svolazzavano al vento, e invece di saltar giú e nascondersi nei cespugli, Bud pensa che poteva batter l'altro di velocità e cosí corrono a briglia sciolta per cinque miglia o anche piú sempre alla stessa distanza l'uno dall'altro, ma poi il vecchio si avvicina, cosí che quando Bud vede che non ce la fa, allora si ferma e si volta per essere colpito in fronte, capisci, e il vecchio gli corre vicino e l'ammazza. Ma non ha potuto vantarsi a lungo del colpo, perché non era ancora passata una settimana che già i nostri avevano fatto fuori anche lui.

– È stato un bel vigliacco quel vecchio, però...

– Ma che dici? Era tutt'altro che un vigliacco. Non c'è un vigliacco solo tra tutti gli Shepherdson, manco l'ombra d'uno. Cosí come non c'è un solo vigliacco tra i Granger-ford. Ma non lo sai che quel vecchio, un giorno, è riuscito, per mezz'ora buona, a tener testa a tre Grangerford, e che ne ha avuto la meglio? Erano tutti a cavallo, e lui allora smonta dal suo e si nasconde dietro una piccola catasta di legno, e si piazza dietro al cavallo per ripararsi dalle palle, ma i Grangerford invece restano a cavallo e si mettono a correre attorno al vecchio, e di tanto in tanto sparano un colpo e lui risponde. Lui e il cavallo se ne sono tornati a casa piuttosto malconci e zoppicanti, ma i Grangerford è stato necessario portarli a casa, e uno era morto, e un secon-do è morto il giorno dopo. No, mio caro, se qualcuno cerca dei vigliacchi, è meglio se non perde il tempo a cercarli tra gli Shepherdson, perché di vigliacchi, in quella famiglia, non ne nascono.

La domenica si va tutti in chiesa, che era lontana circa tre miglia, e si andava tutti a cavallo. Anche gli uomini ci vengono, con i loro fucili, e anche Buck, tutti con i fucili tra le ginocchia, o appoggiati al muro, per averli sempre a portata di mano. Gli Shepherdson lo stesso. La predica era molto noiosa sull'amore del prossimo, e altre cose del gene-re, ma tutti dicono che era una predica coi fiocchi, e ne parlano mentre si tornava a casa, e quante cose non dicono sulla fede, e le opere buone, e il libero arbitrio, e la preordinazione e non so piú quante altre storie, che quella mi è sembrata una delle domeniche piú noiose che ho mai passato.

Circa un'ora dopo pranzo tutti sonnecchiavano, alcuni seduti sopra delle sedie, altri in camera loro, e io cominciavo ad annoiarmi. Buck e un cane erano stesi sull'erba al sole, e dormivano della grossa. Allora io salgo nella nostra camera, e mi dico che magari anch'io ci schiaccio una ronfatina. Ma trovo quella cara signorina Sophia in piedi, vicino alla porta di camera sua, ch'era proprio accanto alla nostra, e lei mi porta in camera sua, e chiude con attenzione la porta, e mi chiede se gli volevo bene, e io gli dico di sí, e poi mi dice se volevo fare una cosa per lei, e non dirlo a nessuno, e io gli dico ancora di sí. Allora lei mi dice che ha dimenticata la sua Bibbia, e che l'ha lasciata nel banco in chiesa, in mezzo a due altri libri, e mi chiede se ci sto a uscire, senza farmi vedere da nessuno, e andare in chiesa a prenderla, senza parlarne con nessuno. Io dico di sí, e cosí esco e filo, e in chiesa non c'era nessuno, tranne forse un maiale o due, perché non c'era chiavistello alla porta e ai maiali piace un assito, d'estate, perché è piú fresco. Non so se avete notato che la gente in genere va in chiesa solo quando sono obbligati, mentre invece i maiali è diverso.

Io mi dico: qui c'è sotto qualcosa, non è naturale che una ragazza ci tenga tanto a riavere la Bibbia, cosí scuoto un po' il libro e ne salta fuori un foglietto dove c'è scritto a matita: «Alle due e mezzo». Io cerco ancora bene, ma non riesco a trovarci altro. Non riuscivo a capirne niente, cosí rimetto il foglio nel libro e, quando torno a casa e salgo al piano di sopra, ecco la signorina Sophia sulla porta, che mi aspettava. Mi tira in camera sua, chiude la porta, poi sfoglia la Bibbia, finché non trova il foglietto, e non appena l'ha letto aveva un'aria tutta felice, e prima che me l'aspetto mi prende, e mi stringe fra le braccia, e mi dice che sono il piú bravo ragazzo del mondo, e che non dovevo parlarne con nessuno. Per un minuto ha una faccia tutta rossa, e gli occhi gli luccicavano come stelle, che era molto piú bella. Io resto molto stupito, e quando riesco a respirare di nuovo, gli chiedo che cosa c'era scritto su quel biglietto, e lei mi chiede se non l'avevo letto, e io rispondo di no, e lei allora mi chiede se sapevo leggere la scrittura, e io rispondo: – Poco, e solo quando è stampata, – e allora lei mi dice che quel biglietto non era niente, ma solo un segnalibro per poter trovare una pagina, e che adesso potevo andarmene a giocare.

Io mi dirigo lungo il fiume pensando a questa cosa, e ben presto mi accorgo che il mio servo negro mi seguiva. Quando siamo in un posto che non potevano piú vederci da casa, lui si guarda in giro per un secondo, e poi mi si avvicina di corsa e mi dice:

– Padrone, se venite giú nelle paludi voglio mostrarvi un bel nido di moccasini d'acqua.

Strano, mi dico, me l'ha già detto ieri. Dovrebbe capire che nessuno vuol tanto bene ai moccasini da darsi la pena di andarli a cercare. Cosa c'è sotto? Cosí gli dico:

– Benissimo, portami a vederli.

Lo seguo per mezzo miglio, e poi lui piega verso una palude e continua, con l'acqua alle caviglie, per circa un altro mezzo miglio. Poi si giunge a una piccola estensione piana, che era asciutta e tutta coperta di alberi, cespugli e rampicanti, e lui mi dice:

– Entrate là dentro, pochi passi, padrone, e li trovate subito. Io li ho già visti prima, e non mi interessano piú molto.

E là si ferma, poi si volta, e gli alberi non tardano a nasconderlo. Io guardo nella direzione indicata, vado avanti e mi trovo in una piccola radura poco piú larga di una camera da letto, tutta coperta di rampicanti, e vi trovo una persona addormentata, e perdio, era il mio vecchio Jim.

Lo sveglio, e pensavo che doveva essere ben stupito di rivedermi, ma invece no. Quasi che si mette a piangere dalla gioia, ma non era stupito. Mi dice che, quella notte, si era messo a nuotare dietro di me, e m'aveva sentito urlare il suo nome, ma non osava rispondere perché non voleva essere scoperto da nessuno, che poi magari lo rimandavano dalla sua padrona. Poi continua:

– Mi ero fatto un po' male, e non potevo nuotare in fretta, cosí che verso la fine ero piuttosto indietro, e quando voi avete toccato terra, ho pensato che magari potevo raggiungervi, senza dover gridare, ma quando vedo quella casa comincio a rallentare. Ero troppo lontano per sentire cosa vi dicevano, e avevo paura dei cani, ma quando tutto è di nuovo tranquillo capisco che eravate entrato in casa, e cosí me ne sono andato nei boschi a passare la notte. Di buon mattino incontro alcuni negri, che andavano nei campi, e quelli mi conducono in questo posto, dove i cani non possono scoprirmi per via dell'acqua tutto in giro, e poi mi hanno portato qualcosa da mangiare ogni sera, e mi dicono come ve la passate voi.

— Perché non hai detto al mio Jack di dirmi subito di venire qui, Jim?

— Be', era inutile disturbarvi, Huck, finché non potevamo fare niente, ma adesso tutto è di nuovo in ordine. Ho comperato delle provviste tutte le volte che ho potuto, e di notte mi sono messo ad aggiustare la zattera...

— Quale zattera, Jim?

— La nostra vecchia zattera.

— Vuoi dirmi che la nostra vecchia zattera non è andata in pezzi?

— Ma no! Certo che era un po' malandata, da una parte soprattutto, ma cose che si potevano riparare, solo che quasi tutto quello che era a bordo è andato perduto. Se non si nuotava tanto profondo, e tanto lontano sott'acqua, e se la notte non era tanto scura e si aveva un po' meno paura, e se non si era delle zucche, come si dice, subito che vedevamo la zattera. Ma forse è meglio che non l'abbiamo veduta, perché adesso è tutta in ordine, ed è quasi come nuova, e abbiamo tutto quello che ci bisogna, e che avevamo perduto.

— Ma come hai fatto a trovarla, Jim? Sei tu che l'hai trovata?

— Come potevo trovarla io, che vivevo nei boschi? No, sono stati alcuni negri che l'hanno trovata, che si era impigliata in un troncone, nel gomito del fiume, e allora l'hanno nascosta in un ruscello in mezzo ai salici, e ne discutevano tanto, per sapere a chi apparteneva, che io ben presto l'ho saputo, e cosí ho messo fine a tante discussioni, dicendo che non apparteneva a nessuno di loro ma a voi e a me, e gli ho chiesto se avevano per caso l'intenzione di derubare un giovane gentiluomo bianco e venire frustati. Poi ho dato dieci centesimi a testa, e tutti erano molto soddisfatti, e magari trovarne delle altre zattere, per essere di nuovo cosí ricchi! Sono molto buoni con me, questi negri, e qualunque cosa che voglio, non ho bisogno di chiederlo due volte. Quel vostro Jack è proprio un bravo negro, e molto in gamba.

— Hai ragione. Non mi ha neanche detto che tu eri qui, mi ha detto di venire, che mi voleva mostrare un nido di moccasini d'acqua, cosí che se capita qualcosa, lui non ne sa niente. Può sempre dire che non ci ha mai visto insieme, e dice la verità.

Non ho voglia di narrare a lungo quello che capitò il giorno dopo, e preferirei sbrigarmela il piú presto possibile. Mi sveglio verso l'alba, e stavo per rivoltarmi e riprendere a dormire, quando mi accorgo che c'era un silenzio fuori del comune, come se non c'era anima viva. Non era una cosa normale. Poi mi accorgo che Buck si è alzato ed è partito. Be', allora mi alzo anch'io, tutto stupito, e scendo dabbasso, e non trovo nessuno, e c'era un silenzio di tomba. Anche fuori lo stesso. Allora mi chiedo: ma cosa vuol dire questo? Giú verso la catasta della legna mi imbatto nel mio Jack e gli chiedo:

– Ma cosa c'è stamane?

E lui mi dice:

– Ma non lo sapete, padrone?

– No, – dico io, – non lo so.

– Be', la signorina Sophia è scappata, proprio scappata. È scappata di notte, e nessuno sa ancora bene dove che è andata, per sposarsi con quel giovane Harney Shepherdson, sapete, o almeno cosí pensano. E la famiglia se n'è accorta circa mezz'ora fa, forse un po' di piú, e vi assicuro che non hanno perduto tempo. Non ho mai visto una tale confusione di fucili e cavalli. Le donne sono partite per dar l'allarme a tutti i parenti, e il vecchio padrone Saul e i giovani hanno preso i fucili e si sono incamminati per la strada lungo il fiume, per cercare di sorprendere padron Harney e cosí ucciderlo, prima che può attraversare il fiume con la signorina Sophia. Penso che ne vedremo delle brutte, oggi.

– E Buck è partito, senza neanche svegliarmi?

– Credo che sí. Non vogliono che ci andiate di mezzo voi. Padron Buck ha caricato il fucile, e ha giurato che stende uno Shepherdson o crepa. Be', ce ne saranno certo molti Shepherdson, oggi, e potete star sicuro che Buck si becca il suo, per poco che gli vada bene.

Io infilo la strada del fiume, il piú in fretta che posso. A mano a mano che mi avvicino comincio a sentire degli spari, ma molto lontani. Quando arrivo in vista del deposito di legname e delle cataste che si trovano presso l'approdo del battello, continuo nascosto dagli alberi e dai cespugli, finché non mi porto in un posto buono, e poi mi arrampico sino alla forcella di un pioppo, che era un po' distante, e

cosí vedo tutto. C'era una palizzata alta circa quattro piedi, un po' davanti al mio albero, e dapprima penso di andar-
mi a nascondere dietro quella, ma forse è stato bene che
non ci sono andato.

C'erano quattro o cinque uomini che caracollavano sui
loro cavalli nello spiazzo davanti al deposito di legname, e
bestemmiavano e urlavano e cercavano di far fuori un paio
di giovani, che si trovavano dietro la palizzata, lungo l'approdo, ma non riuscivano a raggiungerli. Ogni volta che
uno di quelli si mostrava dal lato del fiume, gli sparavano
contro. I due ragazzi si tenevano nascosti dietro la palizzata, schiena contro schiena, cosí che potevano spiare da un
lato e dall'altro.

Dopo un poco gli uomini la piantano di girare sui cavalli e di urlare e cominciano ad avvicinarsi al deposito. Allora ecco che si alza uno dei ragazzi, e tira un colpo da sopra
la palizzata e fa cadere uno di quelli di sella. Tutti gli
uomini balzano giú da cavallo, e afferrano il ferito e lo
portano verso il deposito, e in quel preciso momento i due
ragazzi cominciano a correre. Giungono a mezza distanza
dall'albero dove ero io, prima che gli uomini se ne accorgono. Ma poi li notano, saltano di nuovo sui cavalli e si
mettono a darci dietro. Naturalmente correvano piú veloci, ma tutto era inutile, perché i ragazzi ormai li avevano
distanziati abbastanza. Raggiungono la palizzata, che si trovava davanti al mio albero, e si nascondono dietro quella,
e cosí sono di nuovo in vantaggio sugli avversari. Uno dei
ragazzi era Buck, l'altro un giovane alto e magro, di circa
diciannove anni.

Gli uomini girano un poco e poi se ne vanno. Non appena sono lontani che non si vedevano piú, io chiamo Buck.
A tutta prima lui non riusciva a capire come mai la mia
voce gli pioveva giú da un albero, e resta assai sorpreso.
Poi mi dice di stare ben attento, e di fargli sapere non
appena quei tali si ripresentano perché dice che, senza dubbio, avevano qualche piano, e che non poteva passare molto tempo prima che tornassero. A me non mi piaceva certo
trovarmi su quell'albero, in quel momento, ma non osavo
scendere. Buck comincia a gridare, e a imprecare, e dice
che lui e il suo cugino Joe (che era quel giovane accanto a
lui) sarebbero riusciti ancora a far pari e patta. Mi dice che
suo padre e i suoi due fratelli erano stati uccisi, insieme a
due o tre dei nemici. Dice che gli Shepherdson avevano

teso una imboscata, e che suo padre e i suoi fratelli dovevano invece aspettare i parenti, perché gli Shepherdson erano troppo forti per loro. Io gli chiedo allora cosa ne è stato
del giovane Harney e della signorina Sophia, e lui mi dice
che erano riusciti ad attraversare il fiume e sono sani e
salvi. Io ne resto contento, ma Buck, come era furioso,
perché non era riuscito a uccidere Harney, quel giorno che
gli aveva sparato contro! Non avevo mai sentito nessuno
bestemmiare cosí.

Improvvisamente sento parecchi colpi, da tre o quattro
fucili: gli uomini avevano fatto un giro e, avanzando a piedi, nascosti dagli alberi, li avevano presi alle spalle. I due
ragazzi saltano nel fiume, tutti e due feriti, e mentre nuota-
vano portati dalla corrente, gli uomini corrono sulla riva e
gli sparano addosso, urlando: – Uccideteli, ammazzateli! –
Io mi sentivo tanto male che per poco non cadevo dall'albero. Non voglio raccontare tutto quello che è capitato, perché solo a pensarci, mi sento di nuovo male. Era meglio
non giungere mai a riva, quella sera, se dovevo assistere a
uno spettacolo cosí! E non riuscirò mai piú a dimenticarlo,
ché tante volte ormai mi è capitato di rivedere quella scena
in sogno.

Resto sull'albero finché non cala la notte, e avevo paura
di scendere. Di tanto in tanto sentivo spari di fucili, lontano nei boschi, e due volte vedo piccoli gruppi di uomini
che passano al galoppo accanto al deposito del legname,
con i fucili in mano, e cosí capisco che non avevano ancora
finito. Mi sentivo molto giú di corda, e mi dico che non
voglio neanche entrare in quella casa, perché in qualche
modo pensavo che la colpa era anche mia. Capisco adesso
che quel biglietto voleva dire che la signorina Sophia doveva incontrarsi in qualche posto con Harney, verso le due
e mezzo, per poter scappare, e mi dico che dovevo invece
parlarne con suo padre, di quel foglio, e del modo strano
come aveva agito lei, e allora magari la tenevano chiusa in
casa e tutte quelle disgrazie non capitavano.

Quando finalmente scendo dall'albero, cammino per un
poco lungo il fiume, e trovo i due cadaveri che galleggiavano presso il margine del fiume, e allora li tiro a riva, e poi
copro le loro facce, e me ne vado il piú rapidamente possibile. Ma quando devo coprire la faccia di Buck mi sono messo a piangere, perché era sempre stato tanto buono con me.

Ormai faceva notte, ma non mi sogno neanche di andare a casa, e invece mi dirigo verso i boschi e poi continuo verso la palude. Jim non si trovava sulla sua isola, cosí che vado subito verso il ruscello, e mi affretto sotto i salici, e non vedevo l'ora di saltare sulla zattera e di andarmene da quel terribile paese, ma la zattera non c'era piú. Non posso dirvi la paura che mi prende. Passa un minuto intero prima che ce la faccio di nuovo a respirare. Allora lancio un grido, e una voce, a non piú di venticinque passi, mi risponde:

— Dio benedetto, siete voi, caro Huck? Non fate tanto chiasso.

Era la voce di Jim, e prima d'allora non l'avevo mai trovata cosí cara e simpatica. Corro lungo la riva per un poco, poi salto sulla zattera, e Jim mi abbraccia e mi stringe forte, ed era tanto felice di vedermi. Poi mi dice:

— Che Dio vi benedica, Huck, io ero quasi sicuro che vi avevano di nuovo ammazzato. Jack è stato qui, e mi ha detto che credeva che vi avevano ammazzato, perché nessuno vi aveva piú visto a casa, e cosí proprio in questo momento stavo spingendo la zattera giú verso la foce del ruscello, per essere pronto a partire non appena Jack tornava a dirmi che eravate proprio morto. Caro Huck, sono cosí felice che siete di nuovo con me!

Io dico:

— Benissimo, va proprio bene, ché cosí non mi troveranno e magari pensano che sono stato ucciso e portato via dalla corrente e c'è qualcosa che li farà pensare cosí, in modo che non dobbiamo perdere tempo, Jim, ma portarci subito dove la corrente è rapida, e il piú presto possibile.

Non mi sento tranquillo, finché la zattera non si trova due miglia a valle, nel bel mezzo del Mississippi. Allora si accende la nostra lanterna che serviva da fanale, e ci troviamo un'altra volta liberi e tranquilli. Era dal giorno prima che non mangiavo un boccone, e cosí Jim tira fuori dei biscotti di granturco, latte scremato, carne di maiale, cavoli e altre verdure, che non c'è niente di piú buono, quando è preparato bene, e mentre io facevo cena ci mettiamo a parlare, ed eravamo contenti tutti e due. Per conto mio ero felice di aver detto addio alle faide, e Jim di non trovarsi piú in quella palude. S'era tutti e due d'accordo che non c'era un altro posto come una zattera per stare proprio

bene. Gli altri posti infatti si ha l'impressione d'essere allo
stretto e soffocare, ma una zattera non è cosí. Uno si sente
libero e tranquillo, e, insomma, si sta sempre bene sopra
una zattera!

Capitolo diciannovesimo

Trascorrono due o tre giorni e altrettante notti e direi quasi che ci nuotano accanto, tanto scivolano via tranquilli, uguali, incantevoli. Noi si passava il tempo cosí. Era un fiume tremendamente grosso da quelle parti – a volte largo un miglio e mezzo. Si navigava di notte, ci fermavamo di giorno per restare nascosti. Appena la notte stava per finire, si interrompeva il viaggio e si ormeggiava – quasi sempre nelle acque tranquille a valle di un isolotto – per nascondere la zattera sotto i rami di giovani pioppi e salici. Quindi si tendeva le lenze e scivolavamo in acqua per una nuotata, tanto da rinfrescarci. Poi si restava seduti sul fondo sabbioso, dove l'acqua arrivava a mezza gamba, in attesa del giorno che spuntava. Non il minimo rumore – tranquillità assoluta – come se tutto il mondo dormisse – solo magari qualche rana-toro che muggiva. La prima cosa che si notava, guardando sulle acque, era una specie di linea scura – i boschi sull'altra riva. Per il momento non si distingueva altro. Poi una striscia pallida nel cielo, che si allarga, si allunga sempre piú, e poi il fiume si ammorbidisce in lontananza, e non è piú nero, ma grigio, e si possono vedere piccole macchioline scure che si muovono lente, cosí lontane, barche, piccoli scafi, e poi lunghe linee nere, zattere; e qualche volta si sente un remo che cigola, o voci confuse. Era tutto tranquillo, i suoni viaggiavano lontano. Poi, piú tardi, si notava magari una riga sul pelo dell'acqua, e dall'aspetto della riga uno capisce che vi è un troncone sotto una rapida, che vi si frange sopra, e forma quella striscia. Poi la nebbia si arriccia, si solleva sull'acqua, ed ecco l'oriente che diventa rosa, rosso, e anche il fiume cosí. Ormai si può distinguere una capanna di tronchi, costruita sul margine dei boschi, lontano, sull'altra riva del fiume, e che con ogni probabilità è un deposito di legname, cosí male

accatastato da quegli imbroglioni, che può passarci in mezzo un cane. Poi si leva una brezza leggera che vi fa vento,
cosí fresca e profumata per via di tutti quei boschi e dei
fiori. Qualche altra volta non è cosí, perché magari ci sono
dei pesci morti vicino, pesci dal becco o roba del genere,
che puzzano da far venir male. Poi spunta il giorno pieno,
e tutto sorride al sole, e come cantavano gli uccelli!

Ormai un filo di fumo non si fa piú notare, e cosí si
staccava i pesci dagli ami per arrostirli. Dopo si restava a
godersi la solitudine del fiume, e si era cosí pigri, e un
poco alla volta la fiacca ci faceva addormentare. Poi uno si
svegliava, e allora guardava in giro per scoprire che cosa
l'aveva svegliato, ed era magari un battello che sbuffava
contro corrente, cosí lontano presso la riva opposta, che
non si poteva capire nulla, solo se aveva le ruote di fianco,
o a poppa. Poi magari per un'ora, non piú un suono, non si
vedeva niente di nuovo. Solo quella completa solitudine.
Ma ecco una zattera che scende lenta lassú, e magari sopra
un mozzo che spezza legna, perché sulle zattere c'è sempre
qualcuno che spezza legna, e si vede il lampo dell'accetta
che scende, ma non si ode nulla, e quando l'accetta è di
nuovo in alto, sopra la testa del mozzo, allora arriva il
rumore, perché ci vuole tutto quel tempo perché giunga
fino all'orecchio. Cosí si passava l'intero giorno a far niente, a sentire la pace del fiume. Una volta era sceso un nebbione, e le zattere e le barche che passavano picchiavano
continuamente su padelle e casseruole, per non essere inve-
stite dai battelli. Un barcone o una zattera ci passa cosí
vicino, che potevamo sentire chi c'era sopra, che parlavano
e bestemmiavano e ridevano, potevamo sentirli benissimo,
ma non si vedeva nulla. Dava un'impressione strana, un
senso di paura, come fossero degli spiriti che viaggiavano
cosí per l'aria. Jim mi dice che per lui erano degli spiriti,
ma io gli dico:

– No, se erano degli spiriti, non dicevano: al diavolo
questa dannata nebbia!

Non appena calava la notte si prendeva il largo, e quando avevamo portato la zattera verso il centro del fiume la
si lasciava in pace, che navigasse dove la portava la corrente. Allora si accendeva le pipe, e si lasciava penzolare le
gambe nell'acqua, e ci mettevamo a parlare di tutto quello
che ci passava per la testa. Eravamo quasi sempre nudi,
giorno e notte, tutte le volte che le zanzare ce lo permette-

vano, perché i vestiti nuovi che la famiglia di Buck mi aveva dato erano troppo buoni per essere comodi, e poi io, ormai, con i vestiti non me la dicevo piú.

Qualche volta avevamo il fiume tutto per noi, per lunghe ore. Laggiú, ai margini del fiume, si stendevano le rive e le isole, e a volte magari si vedeva una scintilla, che era una candela alla finestra di qualche capanna; altre volte la scintilla si muoveva sull'acqua, ed era il lume di una zattera o di una chiatta, e a volte si sentiva un violino, o una canzone, che giungeva sino a noi da quelle imbarcazioni. È una vita magnifica vivere sopra una zattera. Sulla testa il cielo, tutto pieno di stelle, e noi stesi sulla schiena, e si guardava lassú, e si discuteva se le stelle erano state fatte, o semplicemente spuntate, cosí, da sole, e Jim pensava che erano state fatte, ma io pensavo invece che erano spuntate per caso, perché pensavo che a farne tante ci voleva troppo tempo. Jim allora dice che magari le aveva fatte la luna, come delle uova, e la cosa non era poi improbabile, cosí che non dico niente, perché una volta avevo visto una rana fare una tale quantità d'uova che era una cosa che naturalmente poteva essere vera. Si guardavano anche le stelle filanti, e ci divertivamo a vederle piovere giú. Jim diceva che erano stelle che erano cresciute male, e che venivano sbattute fuori del nido.

Una volta o due durante la notte s'incontrava un battello, che filava nell'oscurità, e di tratto in tratto ruttava un subisso di faville dai suoi fumaioli, e quelle piovevano giú sul fiume, che era uno spettacolo fantastico. Poi ecco svoltava a un gomito, e le luci brillavano un'ultima volta, e poi il rumore dileguava e il fiume tornava nella pace di prima. Dopo un poco le sue onde giungevano fino a noi, molto tempo dopo che il battello era passato, e facevano sobbalzare la zattera un poco, e poi non si sentiva piú niente per molto tempo, tranne forse delle rane, o qualcosa del genere.

Dopo mezzanotte la gente che viveva sulle rive andava a letto, e per due o tre ore le rive erano completamente buie, neppure una scintilla alla finestra delle capanne. Queste scintille erano il nostro orologio – la prima che riprendeva a brillare voleva dire che il mattino era vicino, e cosí si cominciava subito a cercare un posto dove nasconderci e ancorare la zattera.

Un mattino verso l'alba trovo una canoa e, attraverso

un canale, mi dirigo a riva, che distava soltanto duecento jarde, e entro per un miglio in un fiumicello tra boschi di cipressi, per vedere se mi riusciva di cogliere delle bacche. Proprio mentre mi avvicinavo a un posto, attraversato da una specie di sentiero, ecco un paio di uomini giungere di corsa, il piú in fretta che possono. Io mi dico che sono spacciato, perché ogni volta che vedo gente che inseguiva qualcuno pensavo sempre che era per me, o magari per Jim. Stavo per battermela a tutto vapore, ma ormai ero troppo vicino e quelli cominciano a gridare e mi supplicano che li salvi. Mi dicono che non hanno fatto niente di male, e che perciò vengono inseguiti, che ci sono uomini e cani che gli dànno la caccia. Volevano saltare dentro subito, ma io dico:

– Manco per sogno. Io non sento ancora né cani, né cavalli, e voi avete il tempo di correre tra i cespugli e risalire un poco lungo il ruscello. Poi entrate in acqua e scendete giú verso me, e allora potete entrare, perché in questo modo riusciamo a sviare i cani.

Quelli mi obbediscono, e ben presto si trovano a bordo. Allora io mi dirigo verso la nostra zattera, e dopo circa cinque o dieci minuti udiamo in lontananza un grande urlio di cani e uomini. Li udiamo che si muovono verso il ruscello, ma non potevamo vederli. Si aveva l'impressione che si erano fermati, e cercano in giro per un po' di tempo. Poi, a mano a mano che ci allontaniamo, finisce che non li udiamo quasi piú. Quando poi si è lasciato un miglio di boschi alle nostre spalle, e si è giunti al fiume, tutto è completamente tranquillo, e cosí andiamo verso la zattera, e ci nascondiamo tra i boschi di pioppi, e siamo a posto.

Uno dei due aveva circa settant'anni, o anche piú, con una testa pelata e scopettoni tutti grigi. Portava un vecchio cappellone mezzo sfondato, una camicia di flanella blu unta e bisunta, un paio di calzoni di tela blu mezzo strappati e infilati negli stivali e tenuti su da bretelle, o meglio da una bretella – l'altra mancava. Il suo vestito era completato da una vecchia marsina di tela blu, dai lucidi bottoni di ottone, che portava sul braccio, e tutti e due avevano delle grosse sacche da viaggio, dall'aria molto malandata.

L'altro individuo aveva circa trent'anni, ed era vestito suppergiú con la stessa eleganza. Fatta colazione ci riposiamo tutti, e ci mettiamo a parlare, e la prima cosa che si scopre è che quei due manco si conoscevano.

– Cos'è che vi ha messo negli impicci? – chiede Testa-pelata al suo compagno.

– Be', io vendevo una specialità per asportare il tartaro dai denti, che effettivamente asporta il tartaro, ma in genere anche lo smalto. Ma mi sono fermato una notte piú di quanto dovevo, ed ero sul punto di scapolarmela, quando mi sono imbattuto in voi fuori città, e voi mi avete informato che ci inseguivano, e mi avete pregato di aiutarvi a scappare. Allora vi ho confessato che anch'io non mi sentivo molto sicuro, e che ero ben contento di farvi compagnia. Questa è la storia, e la vostra?

– Be', io stavo facendo una serie di prediche contro l'alcolismo ed era da una settimana che avevo cominciato, ed ero il beniamino di tutte le donne, giovani e vecchie, perché non badavo a spese nel predicare contro gli ubriaconi, ve l'assicuro, e riuscivo a mettere insieme qualcosa come cinque o sei dollari ogni sera – dieci centesimi a testa, gratis bambini e negri – e gli affari mi andavano bene, quando ieri sera comincia a spargersi la voce che io avevo l'abitudine di passare parte del mio tempo a baciar la bottiglia di nascosto. Un negro è venuto a svegliarmi stamane, e mi ha avvertito che la popolazione stava radunandosi alla chetichella con cani e cavalli, e che non si sarebbero fatti aspettare molto. Volevano darmi il vantaggio di mezz'ora, e poi cominciare la caccia. Se mi prendevano, sicuro che mi spalmavano di catrame e piume, per farmi poi cavalcare una traversa. Allora non ho neanche aspettato di fare colazione, perché avevo perduto l'appetito.

– Vecchio, – dice allora il giovane, – ho l'impressione che potremo diventare soci in affari. Cosa ne pensate?

– Per me, nulla in contrario. Qual è il vostro genere di lavoro di solito?

– Di mestiere faccio il tipografo; mi occupo un poco di specialità medicinali; sono attore di teatro, tragedie ben inteso, di tanto in tanto offro uno spettacolo di ipnotismo e frenologia; quando si presenta l'occasione insegno geografia cantata; tengo magari anche una conferenza, insomma un mucchio di cose, e sono disposto a tutto, basta che non c'è da sudare. E la vostra specialità?

– Ai miei tempi mi sono occupato con successo di medicina. Una delle mie specialità era di imporre le mani per curare il cancro, la paralisi o altri mali del genere. Poi posso predire la fortuna molto bene, quando c'è qualcuno in giro che mi procura le informazioni necessarie. So anche fare delle prediche discrete, parlare alle riunioni religiose, organizzare missioni e roba del genere.

Nessuno dice niente per un po' di tempo, quando improvvisamente quello piú giovane emette un sospiro ed esclama:

– Ahimè!

– Perché questo ahimè? – chiede Testa-pelata.

– E il mio destino sarà di condurre simile vita, e di trovarmi in simile compagnia? – fa l'altro, e comincia ad asciugarsi l'angolo degli occhi con uno straccio di fazzoletto.

– Al diavolo, forse che la compagnia non è degna di voi? – chiede Testa-pelata, piuttosto irritato e arrogante.

– Oh sí, sí, è abbastanza buona per me, o, almeno, è quale mi merito, perché chi mai mi ha trascinato cosí in basso, me nato cosí in alto? Io, io, solo io! Non che biasimi voi, signori miei, lungi da me simile idea. Non biasimo nessuno, ché ben merito quanto mi è capitato. Il crudele mondo faccia ciò che si vuole, di una cosa almanco son sicuro, che in qualche angolo c'è una fossa dove potrò alfine dormire tranquillo. Il mondo può continuare a fare come sempre, e privarmi di tutto: le persone che mi erano care, le mie ricchezze, tutto, tutto! Ma di quella non potrà mai privarmi. Un giorno o l'altro giacerò anch'io in una fossa, e dimenticherò tutto, e il mio cuore infranto conoscerà alfine la pace, – e intanto continuava ad asciugarsi gli occhi.

– Al diavolo il cuore infranto, – replica Testa-pelata. – Che vi salta mai di sbatterci sul muso il vostro cuore infranto? Non vi abbiamo fatto niente di male, mi pare.

– No, lo so benissimo che non m'avete fatto nulla, e non vi accuso di nulla, signori miei. Sono io che mi sono abbassato fino a questo punto, sí, solo io. È quindi giusto che debba soffrirne, assolutamente giusto, lungi da me l'idea di lamentarmi!

– Di dove mai siete stato abbassato? E chi è che vi ha fatto scender giú?

– Ah, voi non mi credereste... Il mondo non crede mai, quindi mettiamoci una pietra sopra, ché tanto non importa... Il segreto della mia nascita...

– Il segreto della vostra nascita? Cosa volete dire...

– Signori, – dichiara il giovane, in tono solenne, – lo rivelerò a voi, perché sento che in voi posso fidare. Io sono duca di nascita.

Gli occhi di Jim per poco non gli sgusciano dalle orbite, quando sente quella frase, e penso che anche i miei non scherzano. Allora Testa-pelata dice:

– Ma andate un po'! Ma voi non parlate sul serio!

– Fosse vero che non parlo sul serio! Il mio bisnonno, figlio maggiore del duca di Acquafosca, fuggí in questo paese, verso la fine del secolo scorso, per respirare le pure aure della libertà e qui si sposò e quivi morí, lasciando un figlio, mentre suo padre moriva quasi allo stesso tempo. Allora il secondogenito del defunto duca si impadroní del titolo e dei feudi, e il vero duca, tuttora infante, venne ignorato. Io sono il diretto discendente di quell'infante, io sono l'autentico duca di Acquafosca, e qui ora mi trovo, reietto, decaduto dalla mia alta posizione, perseguitato dagli uomini, sprezzato dal mondo crudele, tutto sbrindellato, e stanco, e col cuore infranto, e degradato a vivere in compagnia di felloni, sopra una volgarissima zattera.

Jim si sentiva il cuore pieno di compassione per lui, e io anche. Cerchiamo allora di consolarlo, ma lui dice che tanto non serve a niente, che niente può confortarlo. Aggiunge che, se noi avevamo intenzione di riconoscerlo, quella era magari l'unica cosa che gli poteva fare un po' di bene. Allora gli diciamo che siamo disposti, solo che lui ci dica come che dobbiamo fare. Allora lui ci dice che, tutte le volte che gli parliamo, dobbiamo prima fare un inchino, e poi chiamarlo Vostra Grazia, oppure Milord, oppure Vostra Signoria e anche non gli importa se lo chiamiamo semplicemente Acquafosca, perché quello è un titolo e non un nome; e poi uno di noi doveva servirlo a pranzo, e rendergli quei piccoli servigi che lui poteva chiedere.

Be', era una cosa facile, e cosí noi lo accontentiamo. Durante tutto il pranzo Jim gli sta accanto, e lo serviva e gli diceva: – Vostra Grazia, volete ancora un poco di questo o di quello? – e cosí via, e tutti potevano vedere che lui era molto soddisfatto.

Ma il vecchio rimane piuttosto mogio, e sembrava che non aveva piú niente da dire, e non aveva l'aria di essere molto contento nel vedere tutte le storie che si facevano per il duca. Insomma, aveva l'aria che anche lui doveva rivelarci qualche segreto. Infatti nel pomeriggio dice:

– Sentite un po', Acquafiasca, – dice, – proprio che mi rincresce un mondo per voi, ma non siete il solo che ha avuto delle disgrazie del genere.

– No?

– Niente affatto. Non siete la sola persona che ha subito dei torti e è stata tirata giú dal posto che si merita.

– Ahimè!

– No, voi non siete la sola persona che ha un segreto di nascita, – e, per Dio santissimo, comincia anche lui a piangere.

– Cessate! Cosa vorreste insinuare?

– Acquafiasca, posso fidarmi di voi? – chiede il vecchio, continuando a singhiozzare.

– Sino alla morte! – risponde il duca, e prende la mano del vecchio, gliela stringe forte, poi dice: – Rivelatemi, rivelatemi il segreto dell'esser vostro!

– Acquafiasca, io sono il defunto Dolfino.

Potete immaginare gli occhi che si sgrana, Jim e io. Allora il duca chiede:

– Cosa avete detto che siete?

– Sí, amico mio, e non è che la verità. I vostri occhi, in questo preciso istante, contemplano il disgraziato e scomparso Dolfino, Luigi Diciassettimo, figlio di Luigi Diciasesto e di Maria Tonietta.

– Voi? alla vostra età? No, giammai! Volete dire piuttosto che siete il defunto Carlo Magno, perché dovete avere almeno sei o settecento anni.

– Sono stati gli affanni, Acquafiasca, tutta colpa degli affanni! Gli affanni m'hanno stinto in bianco la chioma, e hanno causato questa precoce pelatura. Sí, signori, coperto da questi stracci, e in un subisso di miseria, voi contemplate l'errante, l'esulato, il disprezzato, scalcagnato e legittimo Re di Francia!

Be', poi si mette a piangere e continua a fare tante storie, che io e Jim quasi non si sapeva piú cosa fare, e ci rincresceva tanto, e al tempo stesso eravamo felici e soddisfatti d'averlo con noi. Cosí ci avviciniamo, come avevamo fatto col duca, e cerchiamo di confortarlo. Ma lui dice che non serve a niente, che l'unica cosa che spera è di morire presto, e che quella è l'unica cosa che può consolarlo, sebbene dice che gli renderebbe la vita un po' piú facile e meno ingrata se ci mettiamo a trattarlo come ne ha il diritto, e quando gli parliamo dobbiamo piegare il ginocchio, e chiamarlo sempre Vostra Maestà, e ai pasti servirlo per primo, e che nessuno si osi di sedersi in sua presenza, finché non viene invitato da lui. Cosí Jim e io cominciamo a dargli del maestà a destra e a sinistra, a fare tutto quello che vuole, e a restare in piedi finché lui non ci dice che possiamo sederci. Questo gli faceva molto piacere, e allora diventa tutto allegro e arzillo. Invece il duca sembrava come se ce l'aveva un poco con lui, e non aveva l'aria molto soddisfatta, a vedere come si mettono le cose. Ma il re si comporta da vero amico con lui, e gli dice che l'arcibisnonno del duca e tutti gli altri duchi di Acquafiasca erano molto stimati da suo padre, e che venivano sempre invitati a palazzo, ma il duca restava sempre ingrugnato, finché dopo un po' il re gli dice:

— Con ogni probabilità dovremo passare parecchie settimane su questa zattera, Acquafiasca, e cosí a cosa vi serve restare ingrugnato? A niente altro, se non a darci noia l'un l'altro. Non è certo colpa mia se io non sono nato duca, cosí come non è colpa vostra se voi non siete nato re, cosí perché dobbiamo romperci l'anima? Cercate di prendere le cose come vengono, dico sempre io. Questo è il mio motto. Il posto dove ci troviamo adesso non è il peggio che ci poteva capitare: da mangiare quanto se ne vuole, e una vita piuttosto tranquilla. Venite, duca, qui la zampa, e amici piú di prima!

Il duca obbedisce, e Jim e io ne restiamo tutti contenti. Cosí scompare quel senso di irritazione, e torniamo allegri, perché è veramente una vita da cani vivere sopra una zattera con due persone che non si possono soffrire, perché sopra una zattera quello che ci vuole è che tutti siano soddisfatti e buoni amici.

Non mi occorre molto tempo per capire che questi due non erano né re, né duchi, ma dei contafrottole e degli impostori. Ma non dico niente, e non dimostro quello che pensavo, e i miei pensieri li tengo per me. È il meglio modo di vivere, perché cosí non nascono dispute, e non si è nei guai. Se a loro faceva piacere sentirsi chiamare re e duchi, io non me ne importava niente, se bastava quello per far regnare la pace in famiglia; ed era inutile parlarne con Jim, cosí che non gliene parlo. Se non ho mai imparato altro da mio padre, ho imparato almeno che, per vivere tranquilli con il prossimo, bisogna lasciare che ognuno i suoi pidocchi se li gratti come piú gli piace.

Capitolo ventesimo

Poi quei due ci fanno molte domande, e volevano sapere perché si copriva la zattera in quel modo, e si restava fermi di giorno, invece di continuare a viaggiare. Forse che Jim è uno schiavo fuggitivo? Io rispondo subito:

– Per l'amor di Dio, ma forse che uno schiavo scappa verso il Sud?

No, anche loro dicono che non poteva scappare in quella direzione. Comunque io dovevo dare qualche spiegazione, e cosí mi metto a contare:

– La mia famiglia viveva nella contea di Pike, nel Missouri, dove che son nato, e sono morti tutti, eccetto io, e mio papà e mio fratello Ike. Allora papà dice che magari pianta tutto lí, andava a vivere giú con zio Ben, che ha una piccola fattoria sul fiume, a circa quarantaquattro miglia sotto Orleans. Papà era molto povero, e aveva dei debiti, cosí che quando ha sistemato tutto non aveva piú un soldo in tasca, se non sedici dollari, e il nostro negro Jim. Naturalmente quei soldi non bastavano per un viaggio di millequattrocento miglia, neanche a viaggiare sopra coperta, o in nessun altro modo. Be', c'è una piena del fiume, e papà un giorno ha un colpo di fortuna, perché riesce a trovare questo pezzo di zattera, e cosí ci siamo detti che magari si andava giú fino a Orleans su questa zattera. Ma la fortuna non è durata molto, perché una notte un battello urta contro l'angolo davanti dalla zattera, e tutti siamo cascati in acqua e giú a testa prima, sotto le ruote. Jim e io siamo tornati a galla sani e salvi, ma papà era ubriaco, e Ike aveva solo quattro anni, cosí che non sono venuti piú su. Be', per un giorno o due abbiamo avuto molte noie, perché eravamo continuamente inseguiti da barche, e c'era gente che cercava di portarmi via Jim, dicendomi che sospettavano che era un negro scappato dai suoi padroni. Cosí che adesso non viaggiamo piú di giorno, perché di notte non c'è nessuno che dà noia.

Allora il duca dice:

– Lasciatemi solo, e io troverò un modo che possiamo viaggiare anche di giorno, quando che ci fa comodo. Devo meditarci sopra, e poi escogiterò un piano che mette tutto a posto. Per oggi stiamo tranquilli, perché naturalmente non ci conviene passare di giorno davanti a quella città laggiú che magari può essere poco sana.

Verso sera il cielo comincia a oscurarsi, e aveva tutta l'aria di mettersi a piovere. I lampi di calore guizzavano bassi sull'orizzonte, e le foglie cominciavano a tremare. Era facile capire che ben presto si metteva a far brutto. Allora il duca e il re vanno a dar un'occhiata al casotto, per vedere che razza di letti ci sono. Il mio letto era una specie di saccone di paglia, ed era meglio di quello di Jim che era un saccone di foglie di granturco, e tra quelle c'è sempre qualche torsolo che salta su e fa male. E poi, quando vi voltate, le foglie secche fanno un tale rumore che vi svegliano. Il duca decide che magari si prende lui il mio letto, ma il re dice che non era d'accordo. Dice infatti:

– Avrei immaginato che la differenza in rango vi suggerisse che un saccone di foglie di granturco è disdicevole a un par mio. È meglio che Vostra Grazia ci dorma lei sul saccone di foglie di granturco.

Jim e io per un momento ci sentiamo a disagio, perché avevamo paura che cominciassero a far baruffa e siamo sollevati quando il duca dice:

– Tale è il mio fato, di trovarmi sempre immerso nel fango, sotto il ferreo tallone della tirannide. Le continue disgrazie hanno spezzato il mio spirito, una volta cosí altero, tanto che oggi cedo e mi sottometto, perché cosí vuole il mio fato. Mi trovo solo nel mondo, e non mi resta che soffrire, ma alle sofferenze ormai sono adusato, e ci ho fatto il callo.

Noi si parte appena è buio fitto. Il re ci ordina di portarci nel bel mezzo del fiume, e non accendere nessuna lanterna, finché non siamo piuttosto a valle della città. Dopo un poco possiamo scorgere un mazzetto di luci, che erano la città. Ci passiamo davanti, a circa mezzo miglio di distanza, senza fare nessun brutto incontro. Quando ormai si è a tre quarti di miglio sotto, issiamo il fanale, e verso le dieci ecco che comincia a piovere, e a tuonare, e a lampeggiare, come non avesse mai fatto altro. Allora il re ci ordina di montare tutti e due la guardia, finché il tempo non è meglio, e poi lui e il duca si infilano nel casotto, e si ritirano per la notte. Il mio turno di guardia non cominciava che a mezzanotte, ma a ogni modo, anche se avevo un letto, manco per sogno che ci entravo, perché vi assicuro che non capita sovente di vedere un temporale cosí. Sull'anima mia il vento urlava da far paura, e ogni due o tre secondi un lampo illuminava le onde per mezzo miglio in giro, e allora si poteva vedere le isole come confuse dietro il velo di pioggia, e gli alberi che smaniavano sotto il vento, e poi ecco un terribile bum bum bum, e il tuono brontolava e rotolava via, e poi si perdeva lontano, quando, ecco, scatta un altro fulmine e giú un'altra pacca. Qualche volta, a non far bene attenzione, le ondate erano magari capaci di sbattermi via dalla zattera, ma non avevo abiti addosso, e cosí non m'importava. Certo che non si correva il pericolo di incappare in tronconi sommersi, perché i lampi erano cosí violenti e fitti che si poteva scoprirli con tutta comodità, in modo da indirizzare la zattera a destra o a sinistra, ed evitare ogni pericolo.

Come vi ho detto il mio turno di guardia era quello di mezzo, ma, quando giunge la mia ora ero piuttosto addormentato, cosí Jim mi dice che la prima metà la fa lui. Jim era sempre molto gentile, quando si trattava di farmi qualche piacere. Allora io entro nel casotto, ma il re e il duca tra gambe e braccia occupano tutto, in modo che non c'era neanche un angolo libero. Allora mi stendo fuori, e della pioggia non me ne importava, perché era tiepida, e ormai le ondate non erano piú alte come prima. Ma verso le due riprendono piú forti, e Jim stava per chiamarmi, ma poi cambia parere, perché pensa che non erano ancora cosí alte da poter essere pericolose. Ma si sbaglia, perché ben presto ecco un'ira di Dio, che mi sbatte nel mezzo del fiume. Jim per poco non crepava dalle risate. Ma lui rideva sempre, non ho mai visto un negro che gli piaceva tanto di ridere come lui.

Allora comincio il mio turno, e Jim si corica lui, e si mette a russare, e poco alla volta la tempesta si spegne e si allontana, e alla prima luce che vedo in una capanna lo sveglio, e cosí nascondiamo la zattera in un'insenatura, per passarci la giornata.

Dopo colazione il re tira fuori un vecchio mazzo di carte

unto e bisunto, e lui e il duca cominciano a giocare, a cinque centesimi la posta. Ma ben presto si stancano, e dichiarano che vogliono organizzare una campagna, come dicono. Il duca apre il suo sacco da viaggio e ne tira fuori un mucchio di foglietti stampati, e si mette a leggerli ad alta voce. Uno di questi foglietti diceva che: Il celebre dottor Armando di Montalbano di Parigi, doveva tenere una conferenza sulla frenologia nella città di... il giorno di... Ingresso: dieci centesimi, e forniva oroscopi per venticinque centesimi l'uno. Il duca ci dice che era lui il famoso Armando di Montalbano. Secondo un altro foglietto era: il famoso attore shakespeariano, Garrick il Giovane del Drury Lane di Londra; secondo altri foglietti ancora aveva tanti altri nomi e sapeva fare tante cose magnifiche, come scoprire acqua e oro con una bacchetta da rabdomante, annullare i sortilegi delle streghe, e altro del genere. Ma dopo un poco dice:

– Ma la mia prediletta è la Musa istrionica. Voi, Maestà, avete mai calcato le scene?

– No, – risponde il re.

– Ebbene, le calcherete, prima che sono passati tre giorni, o Crollata Altezza, – dice il duca. – La prima città un po' consistente che incontriamo, affittiamo una sala e ci produciamo nella singolar tenzone di Riccardo III, e nella scena del balcone di Giulietta e Romeo. Che ne dite della mia idea?

– Sempre pronto anima e corpo, per qualunque cosa che mi fa guadagnare due soldi, caro Acquafiasca, ma dovete tener presente che io non me ne intendo affatto di recite, e anzi non ne ho mai viste molte. Ero troppo piccolo quando papà organizzava spettacoli a Corte. Ma pensate che potete impararmi?

– Certamente!

– Benissimo, allora. Non vedo l'ora di cominciare qualcosa di nuovo. Attacchiamo subito.

Allora il duca comincia a contargli tutta la storia di chi era Romeo e chi Giulietta, e poi dice che lui ha sempre fatto Romeo e che il re poteva recitare la parte di Giulietta.

– Ma se Giulietta è una pollastrella cosí tenera, caro duca, la mia testa pelata e i miei scopettoni bianchi non vi pare che stonano un poco?

– Non badate a simili sciocchezze. Questi somari campagnoli manco se ne accorgono. Inoltre tenete presente che sarete in costume, e basta il costume a cambiare tutto. Giulietta si trova su di un balcone a guardare la luna, prima di andare a letto, ed è in camicia da notte, e con una cuffia da notte. Ecco qua i costumi per le varie parti.

E tira fuori due o tre vestiti di cotonina per tende, che dice che erano l'armatura medievale di Riccardo III e del suo rivale, e poi una lunga camicia da notte di cotone bianco e una cuffia da notte tutta increspata. Il re ne resta convinto, così che il duca prende un libro e si mette a leggere le parti, e le leggeva meglio di un predicatore, e saltabeccava qua e là per mostrare come si doveva fare. Poi dà il libro al re, e gli dice di studiare la sua parte a memoria.

Circa tre miglia dopo il gomito del fiume c'era un piccolo buco di paesino, e dopo pranzo il duca dice che aveva ormai risolto il problema di come si poteva viaggiare anche di giorno senza che Jim corra nessun pericolo, così andava in città e pensava lui a tutto. Allora il re dice che magari ci va anche lui, per vedere se può trovare qualcosa da fare. Avevamo ormai esaurito la nostra provvista di caffè, e così Jim dice che forse è meglio se ci vado anch'io con la canoa, per comprarne un poco.

Quando si giunge in quel buco, non s'incontra anima viva: strade vuote e completamente morte, come se fosse domenica. Incontriamo un negro malato, che prendeva il sole dietro una casa, e lui ci dice che tutti gli abitanti che non erano o troppo giovani, o troppo malati, o troppo vecchi, erano andati a una riunione religiosa, che si teneva a circa due miglia, in mezzo ai boschi. Il re si fa spiegare bene il posto dove si trova, e dice che voleva andare anche lui alla riunione, per vedere di spremerne quanto gli riusciva, e che io potevo accompagnarlo.

Il duca ci dice che lui invece cercava una tipografia, e finalmente riusciamo a trovarla, un affarino minuscolo, che si trovava sopra il negozio di un falegname; e falegname e stampatore erano tutti andati alla riunione, lasciando le porte aperte. Era una specie di tana sporca e disordinata, con macchie d'inchiostro e manifesti con figure di cavalli o di negri scappati, che coprivano tutte le pareti. Il duca si cava la giacca e dice che ormai è a posto. Così che io e il re partiamo per la riunione.

Ci giungiamo in circa mezz'ora, ed eravamo fradici di

sudore, perché faceva un caldo da forca. Troviamo riunite qualcosa come un migliaio di persone, che erano venute da venti miglia in giro. I boschi erano pieni di cavalli e di carri, i cavalli legati alle greppie dei carri, e si agitavano per scacciare le mosche. C'erano capanni, fatti di pertiche e coperti di frasche, dove vendevano limonata, e pan di zenzero, e grandi fette di cocomero, e granturco e altre robe del genere.

La predica la facevano sotto altri frascati simili al primo, solo piú grossi, e c'era un mucchio di gente. Le panche erano costituite da rozzi mezzi tronchi, con dei buchi fatti nella parte rotonda, per piantarci dei bastoni che servivano da gambe. Naturalmente erano senza schienale. I predicatori si trovavano sopra un'alta piattaforma, che sorgeva a un lato del capanno. Le donne portavano cappelline e avevano dei vestiti di mezzalana o di cotone, e alcune ragazze di cotonina. Tra i giovanotti ce n'erano alcuni a piedi nudi, e qualche bambino non era coperto d'altro se non di una camiciola di lino grezzo. Alcune vecchie facevano la calza, e tra i giovani c'erano delle coppie, che si scambiavano timidamente delle languide occhiate.

Sotto il primo frascato che troviamo il predicatore faceva cantare un inno. Leggeva due versi, e poi tutti li cantavano, ed era bello sentire. Erano in molti a cantare, e cantavano con tanto slancio. Poi il predicatore leggeva altri due versi, e i fedeli cantavano quelli, e cosí via. La gente stava svegliandosi, si eccitava, cantava sempre piú forte, e verso la fine alcuni cominciano a gemere, e altri a urlare. Allora il predicatore si mette a predicare, e ce la dà subito tutta, e girava da un lato all'altro della pedana, e si fermava nel mezzo, con le braccia e il corpo sempre in moto, e gridava le parole del sermone con quanta voce aveva in gola, e di tanto in tanto alzava la Bibbia, e la spiegava aperta, e la mostrava in giro da un lato e dall'altro, urlando: – È il serpente di Mosè nel deserto! Guardatelo e vivete! – e tutti i fedeli urlavano: – Gloria! Amen! – E cosí lui continuava, e la gente urlava, e gemeva, e intercalava i suoi amen.

– Oh venite, accostatevi al banco dei peccatori, venite neri di peccati (amen!), venite afflitti e ammalati (amen!), venite zoppi e storpi e ciechi (amen!), venite voi che siete poveri e bisognosi e coperti d'onta (amen!), vengano quanti sono stanchi, e maculati, e afflitti! Venite voi che avete

lo spirito infranto! Venite con il cuore contrito! Venite
con i vostri stracci, e i vostri peccati, e la vostra miseria!
Le acque che mondano ci sono per tutti, la porta del cielo
è aperta e spalancata, entrate, entrate e troverete pace
(amen! gloria! gloria! alleluja!)

E continua cosí su questo stile. Ormai era quasi impossibile capire cosa diceva, perché la sua voce era coperta dagli
urli e dalle voci della folla. Tutti si alzavano in piedi, cercavano di avvicinarsi, di aprirsi un cammino a viva forza,
verso il banco dei peccatori, avevano il volto rigato di lacrime. E quando tutti i peccatori si sono ormai infilati nei
banchi delle prime file, si mettono a cantare e a urlare e si
buttano per terra sulla paglia, impazziti, fuori di senno.

Be', prima che me ne sono accorto, ecco il re che attacca, e si poteva sentire la sua voce sopra quella di tutti gli
altri, e poi sale di corsa sulla pedana, e il predicatore lo
prega di parlare alla gente, e farla finita. E lui si mette a
contare che era un pirata, che aveva fatto il pirata per
trent'anni sull'Oceano Indiano, e che la sua ciurma, la primavera dell'anno prima, era stata considerevolmente ridotta in una battaglia, e che lui era tornato a casa per ingaggia-
re nuovi pirati, ma che per grazia di Dio la sera prima era
stato derubato di tutto, e sbarcato dal battello, senza un
centesimo in tasca, e adesso lui ne era contento, perché era
la cosa piú bella che gli era mai capitata, perché ormai era un
altr'uomo, e si sentiva felice per la prima volta in vita sua.
E anche se povero in canna, voleva mettersi subito a lavorare per poter tornare sull'Oceano Indiano, e dedicare il
resto della sua vita a convertire i pirati, e a riportarli sul
retto cammino, e che lui poteva fare quel lavoro meglio di
qualunque altro, perché conosceva tutte le ciurme di pirati
su quell'oceano, ma gli rincresceva che ci voleva tanto tempo per tornare laggiú, adesso che si trovava senza un soldo, ma che ci arrivava lo stesso, e ogni volta che converti-
va un pirata gli voleva dire: – No, non ringraziare me, non
dare a me il credito della tua conversione. Il merito è tutto
di quella cara gente che ho incontrato agli esercizi spirituali di Pokeville, tutti veri fratelli e benefattori dell'umanità, e di quel caro predicatore, il piú sincero amico che ha
mai avuto un pirata!

Ed ecco che si mette a singhiozzare, e tutti gli tengon
dietro. Poi qualcuno si mette a urlare: – Facciamo una colletta, facciamo una colletta per il pirata! – Allora una mez-

za dozzina cominciano a fare la colletta, ma qualcuno si mette a urlare: – No, che passi lui in giro con il cappello! – Allora tutti urlano cosí, e il predicatore è anche lui d'accordo.

Allora il re va in giro per la folla tendendo il cappello e strofinandosi gli occhi, e benediva la gente, e li lodava e ringraziava, ché erano cosí buoni con i poveri pirati di laggiú. E ogni tanto le ragazzine piú graziose, con le guance tutte rigate di lacrime, gli si avvicinavano e lo pregavano di lasciarsi baciare come ricordo, e lui accettava sempre, e qualcuna l'abbracciava e la baciava magari cinque o sei volte, e poi lo invitano a passare una settimana in paese, e tutti lo volevano ospite in casa loro, dicendo che era un grande onore averlo ospite, ma lui risponde che, siccome questo era l'ultimo giorno del raduno, la sua permanenza non poteva piú fare del bene, e inoltre non vedeva l'ora di tornare sull'Oceano Indiano, per cominciare subito a convertire pirati.

Quando si è di ritorno sulla zattera, si mette a contare i soldi della colletta, e trova che aveva pulito ottantasette dollari e settantacinque centesimi. Inoltre aveva portato via come ricordo un bottiglione di whisky di tre galloni, che aveva trovato sotto un carro, quando se n'era andato via. Il re dice che, tutto considerato, la colletta di quel giorno batteva gli incassi mai fatti come missionario. Dice anche che, alla prova dei fatti, gli infedeli non valgono un fico, paragonati ai pirati, quando si vuole lavorare sul serio una congregazione che si è raccolta per un raduno spirituale.

Il duca aveva l'impressione di non aver sprecato il suo tempo, finché non giunge il re a mostrare i risultati della sua giornata. Allora non pensa piú di essere stato tanto in gamba. Aveva infatti stampato per dei contadini due piccoli avvisi riguardanti dei cavalli, e si era fatto pagare quattro dollari. Poi aveva incassato per dieci dollari di pubblicità sul giornale, accontentandosi di quattro dollari se quelli pagavano subito, e quelli naturalmente avevano subito acconsentito. L'abbonamento al giornale costava due dollari l'anno, ma lui aveva accettato tre abbonamenti per mezzo dollaro l'uno, a patto che lo pagavano subito. Quelli volevano pagare come al solito con legna da ardere e cipolle, ma lui aveva detto che aveva comperato da poco il giornale, e aveva ridotto il prezzo in modo che tutti potevano abbonarsi, e che d'ora innanzi però si doveva pagare pronta cassa. Poi aveva stampato una piccola poesia che aveva scritto lui stesso, tutta inventata di sua testa, tre strofe piuttosto melanconiche, e che erano intitolate: *Strazia pur, mondo crudele, questo cuore che si spezza!* e aveva lasciato tutto pronto per esser stampato sul giornale, senza farsi pagare un soldo per la sua fatica. Insomma, era riuscito a intascare nove dollari e mezzo, ma però aveva dovuto lavorare per guadagnarseli.

Poi ci fa vedere un altro piccolo avviso che aveva stampato, gratis, perché era destinato a noi. C'era la figura di un negro con un fagotto in spalla, fissato a un bastone, e sotto c'era stampato: Taglia di duecento dollari. La descrizione si riferiva a Jim e lo descriveva a puntino. Si diceva che era scappato dalla piantagione di St Jacques, quaranta miglia sotto New Orleans, l'inverno prima, e che con ogni probabilità si era diretto verso il nord, e che chi lo trovava e lo rimandava al suo padrone, riceveva la taglia e il risarcimento delle spese.

– In questo modo, – dice il duca, – dopo stanotte possiamo viaggiare tranquilli anche di giorno, se ci piace. Ogni volta che vediamo qualcuno che si avvicina, possiamo legargli mani e piedi con una corda, e metterlo sotto il casotto, e poi mostrare questo avviso e dire che l'abbiamo trovato su per il fiume, e che siccome siamo troppo poveri per viaggiare su di un battello, così ci siamo fatti imprestare questa zattera dai nostri amici, e stiamo portandolo giú, per ricevere la taglia. Naturalmente un bel paio di manette e delle catene farebbero anche migliore figura, ma però non vanno d'accordo con quello che contiamo, che siamo cosí poveri. Sarebbe come portare dei gioielli. No, un pezzo di fune è la cosa adatta, dobbiamo mantenerci fedeli alle unità, come diciamo noi, gente di teatro.

Si è tutti d'accordo che il duca è veramente in gamba, e che cosí non si dovevano piú avere noie, anche viaggiando di giorno. Si pensa che quella notte potevamo viaggiare abbastanza da portarci a una distanza sufficiente, per evitare le conseguenze del baccano che certo creava, in quel buco di paesino, il lavoro fatto dal duca nella tipografia, e che dopo si poteva continuare a navigare senza paura, anche di giorno, ogni volta che ci faceva comodo.

Allora si rimane tranquilli e zitti, senza piú far niente, fin verso le dieci, poi si scivola giú per il fiume, a una notevole distanza dal paese, e non si accende il fanale che quando si è ben lontani.

Quando Jim mi chiama per il mio turno di guardia, alle quattro del mattino, mi dice:

– Sentite, Huck, credete che incontreremo degli altri re in questo viaggio?

– No, – dico io, – credo di no.

– Be', – dice lui, – allora va bene. Un re o due non m'importa molto, ma mi sembra che bastano. Questo è ubriaco come un maiale, e anche il duca non è molto meglio.

Vengo allora a sapere che Jim aveva cercato di farlo parlare francese, tanto per farsi un'idea di come era, ma quello gli aveva risposto che era ormai da tanto tempo che si trovava nel nostro paese, e che aveva avuto tante disgrazie che l'aveva dimenticato completamente.

Ormai era spuntato il sole, ma noi si continua a viaggiare senza fermarci. Poco dopo il re e il duca escono da sotto il casotto, e non avevano un'aria molto in gamba. Però, dopo che sono saltati nel fiume e hanno nuotato un poco, sono molto piú vivaci. Fatta colazione il re si siede in un angolo, si cava gli stivali, rimbocca i pantaloni e lascia ciondolare le gambe nell'acqua, per star comodo, e accende la pipa, e si mette d'impegno a studiare a memoria la sua Giulietta e Romeo. Quando ormai la sapeva bene, lui e il duca cominciano a provare insieme. Il duca doveva continuamente impararli come dire ogni parola, e gli faceva fare dei sospiri, e portare la mano al cuore, e dopo un poco dichiara che cosí poteva andare. – Soltanto, – dice, – non dovete mettervi a muggire «Romeo» come un bue, dovete dirlo con un tono dolce, languido, tenero, cosí: Romeeeo! Ecco, cosí va bene, perché Giulietta è un bocciolino di ragazza, sapete, e non può ragliare come un somaro.

Poi tirano fuori un paio di lunghe spade, che il duca aveva fabbricato con delle assicelle di legno, e cominciano a provare il duello. Il duca si faceva chiamare Riccardo III, e a vederli menarsi sventole e saltabeccare tutto in giro sulla zattera, era veramente uno spettacolo. Ma a un tratto il re inciampa e cade dalla zattera, dopo di che i due si riposano e si mettono a raccontare le varie avventure che avevano avuto in altri tempi sul fiume.

Dopo pranzo il duca dice:

– Sentite, Capeto, dobbiamo fare in modo che questo spettacolo sia proprio di classe, e cosí ho pensato che magari ci aggiungo qualche cosa. In ogni caso dobbiamo aver pronto qualche pezzo per le richieste di bis.

– Che diavolo sono i bissi?

Il duca glielo spiega, e poi aggiunge:

– Io posso accontentarli con una contraddanza scozzese, o con la giga del marinaio, e voi... voi... ah, ecco, ho trovato, voi potete recitare il soliloquio di Amleto.

– Lo sproloquio di cosa?

– Ma no, il soliloquio, il monologo di Amleto, il brano piú celebre di tutto Shakespeare. È sublime, assolutamente sublime! Tutti lo applaudono e diventano pazzi, solo a sentirlo. Nel libro non c'è, perché ho solo un volume, ma credo che posso ricordarmelo tutto. Mi metto a camminare in su e in giú per qualche minuto, e credo di poterlo racimolare tutto dai profondi forzieri della mia rimembranza.

Allora si mette a camminare in su e in giú, e si vedeva che spremeva il cervello tanto che sovente faceva delle smorfie da far paura, e poi sollevava le sopracciglia, e si stringeva la fronte con la mano, e faceva qualche passo all'indietro come se stesse per svenire, poi riprendeva a sospirare e cercava di spremere qualche lacrima. Era uno spettacolo veramente meraviglioso. E cosí, spremi che ti spremi, gli riesce di ricordarselo tutto. Allora ci dice di far attenzione. Assume un'aria molto nobile, con una gamba protesa in avanti, le braccia all'insú, la testa all'indietro, lo sguardo al cielo, e poi comincia a dimenarsi, e a contorcersi, a digrignare i denti e dopo, durante tutto il discorso, urlava e faceva dei versacci e gonfiava lo stomaco, e insomma io non ho mai visto nessuno recitare cosí bene in vita mia. E questo è il discorso, che ho imparato abbastanza facilmente, mentre lui cercava di impararlo al re:

Essere ovver non essere, questo è il nudo stiletto
Che sciagura di lunga età prolunga;
Perché chi mai fardelli porteria
Finché al gran Dunsimano non saglia
Di Birmano la vasta boscaglia,
Se il timor di qualcosa oltre la morte
Non uccidesse l'innocente sonno,
Secondo corso della gran natura,
Che frombolar ci fa contro fortuna?
Anziché scampo ricercare in altri, di cui nulla sappiamo
Qui sostare convien per una pausa.
Sveglia Duncano, bussando! Il potessi,

Chi sopportar vorria frusta e scherni del tempo,
Dell'oppressor gli oltraggi, del superbo
L'insulto e il duro delle leggi indugio
Solo potesse saldar lo stiletto
Nell'incerto deserto della notte, allorché i cimiteri
Spalancano lor fauci, in abituali vesti di cupo nero,
Non fosse per la plaga ignota, donde niuno piú torna
A contagi esalar sul mondo intero,
Sí che il natio color di decisione,
Come il povero gatto dell'adagio, si discolora e langue
E le nubi che gravano i comignoli
A questo punto devian lor correnti
Perdendo il nome d'opra, e si vorrebbe
Attinger tal consumazione – Ofelia,
Sta calma e non aprir le tue marmoree
Fauci. Piuttosto, fatti monachella.

Al vecchio quel discorso gli piace molto, e ben presto
sapeva recitarlo anche lui ch'era una meraviglia. Sembrava
che era nato proprio per recitare quel discorso. E dopo che
lo sa bene, ed era caldo al punto giusto, era un vero spettacolo vedere come si dimenava e le smorfie e i salti che
faceva, mentre lo recitava.

Alla prima occasione che si presenta il duca fa stampare
alcuni manifesti per lo spettacolo, dopo di che, per due o
tre giorni, mentre si navigava, la zattera diventa una specie di terremoto galleggiante, perché quei due non facevano altro se non provare e riprovare la singolar tenzone. Un
mattino, quando eravamo già nel cuore dello Stato di Arkansas, si giunge in vista di un paesucolo in un ampio gomito del fiume, e noi ci fermiamo a circa tre quarti di miglio
a monte, alla foce di un fiumiciattolo coperto, come una
galleria, da cipressi, e poi tutti e tre si lascia Jim sulla zattera, si salta sulla canoa, e via verso quel borgo, per vedere se era possibile dare uno spettacolo.

Si arriva proprio al momento giusto, perché quel pomeriggio doveva esserci un circo, e la gente di campagna cominciava già a giungere in paese, su vecchi carri malconci,
o a cavallo. Il circo partiva prima di sera, cosí che la sera
era proprio il momento buono per il nostro spettacolo.
Allora il duca affitta il palazzo di giustizia e noi giriamo
per il paese ad attaccare manifesti. Dicevano:

RAPPRESENTAZIONI SHAKESPEARIANE

Magnifico spettacolo
per questa sola sera soltanto.
I famosi attori
DAVID GARRICK IL GIOVANE, del Teatro Drury Lane di Londra
e
EDMUND KEAN IL VECCHIO del Teatro Reale di Haymarket,
Whitechapel, Pudding Lane, Piccadilly, Londra e dei
Teatri Regi di tutta l'Europa
nel loro sublime spettacolo Shakespeariano
intitolato

LA SCENA DEL BALCONE IN ROMEO E GIULIETTA!!

Romeo . . . . Sig. Garrick
Giulietta . . . . Sig. Kean

Con l'intervento dell'intera compagnia.
Nuovi costumi, nuove scene, nuovo allestimento

SEGUIRÀ:

La spaventosa magnifica raccapricciante

SINGOLAR TENZONE DI RICCARDO III

Riccardo III . . . . Sig. Garrick
Richmond . . . . Sig. Kean

Chiuderà lo spettacolo (a richiesta speciale)

L'IMMORTALE MONOLOGO DI AMLETO

detto dall'illustrissimo KEAN
reduce da trecento recite consecutive a Parigi.
Soltanto per questa sera sola
per via di improrogabili impegni nel Continente.

Ingresso: 25 cent.; bambini e negri: 10 cent.

Poi si andò a gironzolare per la città. I negozi e le case
erano quasi esclusivamente delle malandate capanne di legno, che da molto tempo non erano piú state verniciate.
Sorgevano a tre o quattro piedi dal suolo, su delle specie
di trampoli, per esser al riparo quando il fiume straripava.
Le case erano circondate da minuscoli orti; ma sembrava
che non vi crescevano che piante di stramonio, girasoli,
mucchi di cenere, vecchi pezzi di stivali e ciabatte, fram-
menti di bottiglie, stracci e tegami sfondati. Gli steccati
erano costruiti con vari tipi di assi, piantati in epoche diver-

se e pencolanti da una parte o dall'altra. Erano chiusi da cancelli che in genere non avevano che un cardine solo, fatto con un pezzo di cuoio. Alcuni di questi steccati erano stati verniciati in qualche tempo lontano, ma il duca diceva che doveva essere stato al tempo di Cristoforo Colombo. Gli orti erano quasi sempre invasi da orde di maiali, che i proprietari cercavano di cacciar fuori, senza riuscirci.

Tutti i negozi erano allineati lungo una sola strada. Avevano sul davanti delle tende bianche fatte in casa, e la gente di campagna legava i cavalli ai montanti di quelle tende. Sotto le tende si trovavano anche delle casse da imballaggio vuote, e i fannulloni vi sedevano sopra tutto il santo giorno, intenti a tagliuzzarle con i loro coltelli a serramanico, a masticar tabacco, sbadigliare e stiracchiarsi. Erano una compagnia ben poco attraente. Quasi tutti portavano in capo dei cappelli di paglia gialla, larghi quasi quanto un ombrello, ma non indossavano né giacca né panciotto. Si chiamavano tra di loro Bill, Buck, Hank, Joe, Andy, e parlavano lenti, strascicando le parole e usando una notevole quantità di bestemmie. C'era almeno un fannullone sotto ogni tenda, che teneva quasi sempre le mani nelle tasche dei pantaloni, eccetto quando le tirava fuori per porgere un pezzo di tabacco, o per grattarsi. I loro discorsi erano di questo genere:

– Dammi una cicca di tabacco, Hank!

– Non posso, ché n'ho solo piú una cicca per me. Chiedila a Bill.

Ora poteva capitare che Bill dava la cicca richiesta, e poteva anche darsi che mentiva, dichiarando che non ne aveva piú. Alcuni di quei fannulloni non avevano un centesimo in tasca, né un morso di tabacco, e riuscivano a ciccare solo a forza di prestiti. Dicevano per esempio a un loro compagno: – Dovresti proprio darmene una cicca, Jack, perché in questo momento ho regalato a Ben Thompson l'ultima che avevo, – il che era quasi sempre una frottola, che però non riusciva a ingannare nessuno, se non un estraneo. Ma Jack non era un estraneo e infatti rispondeva:

– Ah, cosí tu ne hai regalato una cicca! Ma non sarà stata la nonna del gatto di tua sorella? Prima restituiscimi tutto il tabacco che ti sei fatto dare da me, Lafe Buckner, e poi magari te ne impresto una o due tonnellate, senza neppure chiedertene gli interessi.

– Be', una volta te ne ho restituito un poco, me ne ricordo benissimo.

– Sí, è vero, ma non valeva niente. Ti fai dare del buon tabacco di bottega, e mi restituisci del testa di negro.

Il tabacco di bottega è tabacco nero compresso e tritato, ma questa gente il piú delle volte mastica le foglie secche e appena intrecciate. Quando si fanno imprestare una cicca, in genere non ne tagliano il pezzo col coltello, ma portano la treccia alla bocca, ci mordono dentro, e poi tirano finché non riescono a staccarne una buona porzione. Qualche volta il proprietario del tabacco assume un'aria melanconica, quando se lo vede restituire, e dichiara sarcastico:

– Senti, restituiscimi piuttosto la cicca, ché io ti regalo tutta la tavoletta.

Strade e sentieri erano di terra battuta, e non si vedeva altro che fango, nero come il catrame, e in certi punti si sprofondava per circa un piede, e non c'era luogo dove non era alto due o tre pollici almeno. Dappertutto maiali, stesi al sole o che grugnivano. Talvolta si incontrava qualche scrofa tutta infangata, con i suoi maialini, che si buttava per terra nel mezzo della strada, tanto che la gente doveva fare un giro attorno, e quella si stendeva beata, e socchiudeva gli occhi e dimenava le orecchie, mentre i piccoli poppavano, e aveva un'aria cosí contenta come se la pagassero per vivere cosí. Ma ben presto uno dei fannulloni si metteva a gridare: – Su, Tige, sotto! – e la scrofa scappava con dei guaiti terribili, un cane per orecchio, e tre o quattro dozzine che la inseguivano. Allora tutti i fannulloni si alzavano per godersi lo spettacolo e schiattavano dalle risate, soddisfatti di quel chiasso. Poi tornavano ai loro soliti posti a far niente, finché non c'era una zuffa tra cani. Non c'era niente che poteva svegliarli tutti, e cosí completamente, e divertirli tanto quanto una zuffa di cani, a meno che non fosse di cospargere di trementina un povero cane randagio e dargli fuoco, o legargli qualche vecchia casseruola alla coda, e vederlo correre impazzito, finché non crepava.

Lungo il fiume alcune case sporgevano dalla riva, ed erano cosí curve e sbilenche che sembrava che dovevano cadere in acqua da un momento all'altro. Di solito erano disabitate. La riva era stata portata via da sotto l'angolo di qualche altra casa, che pendeva da quel lato, ma era ancora abitata sebbene pericolosa, perché a volte il fiume inghiotti-

sce, di colpo, una porzione di riva, grande quanto le fondamenta di una casa. Altre volte era una striscia di terra di
un quarto di miglio che cominciava a essere corrosa e a
diminuire, finché un bel giorno il fiume non la spazzava via
netta. Paesi del genere devono continuamente rinculare,
perché il fiume non si stanca mai di mangiare la terra sulla
riva.

Quanto piú si avvicinava mezzogiorno, tanto piú aumentava la folla di carri e cavalli per le strade, e ogni momento ne giungevano di nuovi. Intere famiglie avevano portato
da mangiare, e facevano pranzo sui carri. Si beveva anche
parecchio whisky, e io riesco ad assistere a tre zuffe. Ma
a un tratto uno si mette a gridare:

– Ecco il vecchio Boggs, che arriva dalla campagna per
la sua sbronza mensile. Attenti, ragazzi!

Tutti i fannulloni sembrano animarsi, e io capisco che
dovevano aver l'abitudine di divertirsi alle spalle di Boggs.
Uno di quelli dice:

– Chissà con chi se la piglia, questa volta? Avesse fatto
fuori tutti quelli che ha minacciato, questi ultimi vent'anni, certo che si sarebbe fatto un bel nome.

E un altro dice: – Ci terrei che Boggs volesse far fuori
me, oggi, perché allora sono sicuro che campo ancora mille
anni.

Ed ecco che arriva Boggs di corsa, sopra il suo cavallo,
urlando e gridando come un pellerossa:

– Fatemi largo, fatemi largo! Sono sul sentiero di guerra, e il prezzo delle bare aumenta presto!

Era completamente ubriaco, e ciondolava sulla sella. Doveva essere sopra i cinquanta, e aveva una faccia molto
rossa. Tutti gli urlano dietro e si mettono a ridere e a
pigliarlo in giro, e lui rispondeva per le rime, e dice che
badava presto a tutti, e li voleva spacciare uno dopo l'altro, ma che adesso non poteva fermarsi perché era venuto
in città per uccidere il vecchio colonnello Sherburn, e il
suo motto era: «Prima la carne e poi la pappa, per mandar-
la giú!»

A un tratto mi vede, e sprona il cavallo nella mia direzione, e mi chiede:

– Da dove vieni, ragazzo? Sei pronto a morire?

Poi si allontana di corsa. Io avevo paura, ma un tale mi
dice:

– Non devi badarci, parla sempre cosí, quand'è ubriaco.

Ma è il piú innocuo idiota che c'è in tutto l'Arkansas, e non ha mai fatto male a una mosca, né quando è ubriaco, né quando non lo è.

Allora Boggs si porta davanti al piú grosso negozio del paese, piega la testa in modo da poter vedere sotto la tenda, poi si mette a urlare:

– Venite fuori, Sherburn! Venite a misurarvi con l'uomo che avete truffato. Siete voi il farabutto che cerco oggi, e non pensate di potermi sfuggire.

E cosí continua, dando a Sherburn tutti i titoli che gli vengono in mente, e tutta la strada era piena di gente che ascoltava quei discorsi e si divertiva un mondo. Poco dopo un uomo dall'aria fiera sui cinquantacinque – era la persona meglio vestita che avevo visto in paese fino a quel momento – esce dal negozio e tutta la folla gli fa largo per lasciarlo passare. Molto calmo, e lento, si rivolge a Boggs e gli dice:

– Sono veramente stanco di questa commedia, ma la sopporto fino all'una. State attento: sino all'una e non un minuto di piú. Se aprite ancora la bocca contro di me, anche una volta sola, dopo quell'ora, potete scappare dove volete, ma io vi raggiungo.

Poi gli volta le spalle e se ne va. Tutta la gente ha un'aria piuttosto tranquilla, non uno che osa muovere un dito, e neppure ridere. Boggs invece continua a correre sul suo cavallo, e insulta Sherburn con quanto fiato ha in gola, per tutta la strada. Poco dopo ritorna, si ferma davanti al negozio e continua i suoi discorsi. Allora alcuni uomini gli si fanno sotto, e cercano di avvicinarsi per farlo stare zitto, ma non c'è verso. Gli dicono che fra quindici minuti è l'una, e che è meglio se va a casa, che deve filare subito, ma tutto era inutile. Lui risponde bestemmiando con quanto fiato ha, e sbatte il cappello per terra nel fango, e ci passa sopra col cavallo, e ben presto percorre di nuovo la strada, con i capelli grigi che gli svolazzavano al vento. Tutti quelli che erano riusciti ad avvicinarlo avevano fatto del loro meglio per deciderlo a smontare, per poterlo afferrare e chiudere in qualche stanza, finché non gli passano i fumi dell'alcool. Ma tutto era stato inutile: lui galoppa di nuovo per la strada e riprende a imprecare contro Sherburn, e a un tratto uno dice:

– Andate a cercare sua figlia, presto, non c'è un momento da perdere, fate venire sua figlia, che qualche volta lui la ascolta. Se c'è una persona che riesce a calmarlo, è certo sua figlia.

Allora qualcuno si allontana di corsa. Io me ne vado giú per la strada e poi mi fermo. Dopo circa cinque o dieci minuti ecco tornare Boggs, che però non era piú a cavallo. Avanzava barcollando nella mia direzione, a testa nuda, tra due amici, uno per parte, che lo sostenevano per le braccia e cercavano di farlo camminare il piú presto possibile. Lui era tranquillo, aveva un'aria spaventata, e certo che non si impuntava, ma anzi cercava di camminare quanto piú in fretta poteva. In quel momento si sente una voce:

– Boggs!

Io mi volto per vedere chi è che l'ha chiamato, ed era il colonnello Sherburn. Stava perfettamente immobile nel mezzo della strada, e aveva una pistola nella mano destra, non puntata, ma tenuta in alto, con le canne verso il cielo. In quel preciso istante vedo una giovane ragazza che corre giú, e era seguita da due uomini. Boggs e i suoi due compagni si voltano per vedere chi è che l'ha chiamato, e quando vedono la pistola quei due saltano da una parte e dall'altra, mentre la pistola scende lenta e sicura finché non si trova all'altezza giusta, e aveva i due cani già sollevati. Boggs allora alza tutte e due le mani e grida: – Per l'amor di Dio, non sparate! – Pum! si sente il primo colpo, e lui va un po' indietro e pare che annaspi nell'aria, pum! il secondo colpo, e lui cade supino per terra, duro e pesante, con le due braccia spalancate. Quella ragazza si mette a urlare, e si avventa di corsa e si butta sopra suo padre, piangendo e gridando: – Oh, l'ha ucciso, me l'ha ammazzato! – Tutti si avvicinano, e si davano degli spintoni, si urtavano tra loro, con il collo proteso, per cercare di vedere, mentre la gente che era vicino al caduto li respingeva e urlava: – Indietro, indietro, aria, fate largo!

Il colonnello Sherburn butta la pistola per terra, poi si volta e si allontana.

Boggs viene trasportato in una piccola farmacia, con tutta la gente che si affollava attorno, e sembra che tutto il paese gli va dietro, e allora mi avvicino anch'io per poterlo vedere meglio. Lo stendono per terra, gli mettono una grossa Bibbia sotto la testa, e poi ne spalancano un'altra e gliela posano sul petto, ma prima gli avevano stracciato la camicia, e io avevo visto dove era entrata la pallottola. Lui respira dieci, dodici volte, profondo, e il petto sollevava la

Bibbia quando inspirava, e poi la lasciava andar giú quando espirava. Dopo di che resta immobile. Era morto. Allora allontanano la figlia che urlava e piangeva, e la portano via. Aveva circa sedici anni, e un'aria dolce e buona, ma era tremendamente pallida, e aveva gli occhi spalancati dal terrore.

Non passa molto tempo e tutto il paese si trova là, e cercavano di farsi avanti, e si spingevano, e si davano delle gomitate per potersi avvicinare alla finestra, e guardar dentro, ma chi era in prima fila non voleva cedere il posto, e chi era alle spalle continuava a dire: – Sentite, avete già guardato, voi. Non è giusto, non dovete restare lí tutto il giorno, senza lasciar vedere niente agli altri. Abbiamo tutti gli stessi diritti.

C'era dell'irritazione in giro, cosí che me ne vado, per paura che magari fanno a cazzotti. Le strade erano piene di gente, e tutti molto eccitati. Chi aveva assistito alla sparatoria stava raccontando come era accaduta e la folla in giro tendeva il collo e ascoltava ogni parola. Un tipo di spilungone, coi capelli lunghi, un cappello a staio, di pelo bianco, poggiato sulla parte posteriore della testa, e una canna col manico a becco, stava segnando per terra i posti precisi dove si trovavano Boggs e Sherburn e la gente gli andava dietro da un posto all'altro, seguendo con attenzione tutto quello che faceva, e scuotendo la testa per mostrare che capivano, e poi si fermavano un poco e poggiavano le mani sulle cosce per guardarlo bene, quando segnava i posti per terra con il bastone. Poi quello si rizza, rigido e immobile, dove che si era fermato Sherburn, corruga le sopracciglia e, tirando giú sugli occhi la tesa del cappello, urla: – Boggs! – Poi prende il bastone e lo abbassa lento, finché è all'altezza giusta, e allora fa: – Pum! – e muove qualche passo all'indietro e poi fa di nuovo: – Pum! – e cade giú come un sacco. La gente allora dice che aveva dato un'idea precisa di come era capitato, proprio cosí che era capitato. Allora almeno una dozzina di spettatori tirano fuori le bottiglie e gli offrono da bere.

Be', dopo un poco qualcuno dice che si deve linciare Sherburn, e non tardano a essere tutti d'accordo, e vanno via furiosi urlando, e prendevano tutte le corde da bucato che capitavano sotto mano, per poterlo impiccare.

Avanzano in folla per la strada verso la casa di Sherburn, urlando e gridando, furiosi come pellirosse, e tutti dovevano allontanarsi e cedere il passo, o quelli magari li calpestavano, ne facevano poltiglia, che era uno spettacolo impressionante. I ragazzi fuggivano davanti al grosso della gente, e urlavano, cercando di mettersi in salvo, e ogni finestra lungo il passaggio era piena di teste di donne, e c'erano dei negretti su ogni albero, e giovanotti e ragazze negre che spiavano da dietro gli steccati e, non appena la folla si avvicinava, si allontanavano e sparivano, per non trovarsi in mezzo. Parecchie donne e ragazze piangevano e urlavano e avevano una paura della forca.

Avanzano sin davanti allo steccato della casa di Sherburn, cosí fitti che nessuno poteva passarci in mezzo, e non si riusciva a pensare, tanto erano gli urli e il chiasso. Davanti alla casa c'era un cortile di circa venti piedi. Qualcuno si mette a urlare: – Giú lo steccato! Sbattetelo giú! – poi si sente un fracasso di assi infrante, divelte dal terreno, ridotte in pezzi, e lo steccato cede, e le prime onde della folla coprono tutto, come un fiume che straripa.

In quel preciso momento Sherburn si fa avanti sul tetto del piccolo porticato d'ingresso, con un fucile a due canne in mano. Là si ferma, calmo e sicuro, senza dire una parola. Il chiasso si smorza di colpo, l'ondata di gente rincula.

Sherburn non dice una parola, resta là, fermo, a fissarli. C'era un silenzio che dava i brividi, che faceva star male. Sherburn volge lo sguardo lento, attento su tutta la folla e chiunque si sentiva fissato cercava di sostenere lo sguardo, ma non ce la faceva, abbassava gli occhi come se volesse nascondersi. Ben presto Sherburn sghignazza un poco, non una risata piacevole; dà piuttosto l'impressione che si prova quando si mastica pane con della sabbia dentro.

Poi, a voce bassa, e con disprezzo:

– Solo l'idea che possiate linciare qualcuno fa ridere! L'idea che vi illudiate di avere il coraggio di linciare un uomo! Perché avete il coraggio di cospargere di pece e penne qualche disgraziata donna che capita da queste parti, credete di avere il coraggio che ci vuole per mettere le mani sopra un uomo! Un uomo è al sicuro nelle mani di diecimila della vostra razza, almeno finché fa giorno, e voi non vi trovate alle sue spalle.

– Come se non vi conoscessi! Ma io vi conosco benissimo, io sono nato e cresciuto nel Sud, e ho vissuto nel Nord, cosí che so cosa sono gli uomini. Gli uomini sono quasi tutti dei vigliacchi. Nel Nord si lasciano fare quello che uno vuole, sopportano tutto, poi vanno a casa e pregano per diventare umili e avere la forza di sopportare in pace ogni angheria. Nel Sud un uomo è riuscito a fermare da solo una diligenza piena di gente, di giorno, e a derubare tutti. I vostri giornali vi dicono tanto che siete coraggiosi, che adesso vi siete persuasi di esserlo piú degli altri, mentre invece siete coraggiosi come gli altri, e niente piú. Perché i vostri giurati non impiccano gli assassini? Perché hanno paura che gli amici di quell'assassino gli sparino nella schiena, quando fa buio, che è proprio ciò che farebbero.

– Cosí che assolvono sempre e poi un uomo di notte, accompagnato da cento vigliacchi mascherati, lincia quel mascalzone. Il vostro errore è stato, primo, quello di non portare neanche un uomo con voi; e, secondo, di non venir di notte e di non nascondervi dietro una maschera. Avete portato un mezzo uomo, Buck Harkness laggiú, e se non aveste avuto lui, vi sareste accontentati di chiacchiere.

– Voi non volevate venire. L'uomo comune non ha la minima voglia di procurarsi dei grattacapi né di cacciarsi nei pericoli. A voi non piacciono né i pericoli né i grattacapi. Ma basta che un mezzo uomo, come Buck Harkness laggiú, si mette a urlare: Linciatelo, linciatelo! e voi avete paura di stare indietro, paura di lasciar vedere quello che siete, e cioè dei vigliacchi, e cosí vi mettete a urlare, e vi attaccate alle falde di quel mezzo uomo e venite a urlare fin quassú, giurando che farete un finimondo. Lo spettacolo piú disgustoso che c'è al mondo è una folla, e anche un esercito non è che una folla. I soldati non combattono con il coraggio che si trovano dentro, ma con il coraggio che accattano dal loro numero e dagli ufficiali. Ma una folla senza neanche un uomo alla testa... non ci sono parole che bastano per disprezzarla come si merita. Ora quello che dovete fare è di abbassare la coda, tornarvene a casa, e andare a nascondervi nell'angolo piú buio che trovate. Se qui si farà mai un linciaggio, sarà fatto al buio, alla moda del Sud, e quelli che vengono si nasconderanno con una maschera, e si porteranno un uomo. Ora andatevene, e portatevi via quella metà di un uomo che avete – e cosí dicendo poggia il fucile sul braccio sinistro, alzando i cani.

La folla balza indietro, e poi si sciolgono, e tutti scappavano, chi da una parte, chi dall'altra, e Buck Harkness li segue anche lui e non aveva un'aria molto fiera. Io potevo magari rimanere, se ci tenevo, ma non ne avevo voglia.

Invece vado al circo, e ciondolo verso la parte di dietro finché il guardiano non se ne va, e allora mi caccio a testa prima sotto la tenda. Naturalmente avevo sempre la mia moneta d'oro da venti dollari, e altri soldi, ma penso che è meglio risparmiare, perché non si sa mai il momento che se ne può avere bisogno, quando si è lontani da casa, e si vive tra forestieri. Non si può mai essere abbastanza prudenti. Non che sia contrario a spendere dei soldi per andare al circo, quando proprio non se ne può fare a meno, ma sprecarci i soldi lo trovo stupido.

Era un vero circo, ma di quelli in gamba. Era la cosa piú splendida che ho mai visto, quando tutti entrano a cavallo, e vengono avanti, due alla volta, un uomo e la sua dama, uno accanto all'altro, gli uomini in mutande e maglia, ma senza scarpe né sproni, e poggiano le mani sulle cosce, tranquilli e sicuri – ce ne doveva essere almeno una ventina – e tutte le dame con una cosí bella carnagione e proprio eleganti, con l'aria di vere regine genuine, e con dei vestiti che costavano milioni di dollari, tanto luccicavano di diamanti. Era uno spettacolo magnifico; mai visto prima niente di cosí bello. E poi, uno dopo l'altro, si alzano e stanno in piedi, e corrono per la pista come ballassero, come ondeggiassero con tanta grazia e gli uomini sono cosí diritti, e leggeri, alti, con le teste che vanno su e giú girando rapide sotto la tenda del circo, e i vestiti rosa delle dame crepitano leggeri, si stirano, lucidi sui fianchi, e avevano l'aria di splendidi parasoli.

E poi corrono sempre piú veloci, e tutti si mettono a ballare, alzando prima un piede in aria, e poi un altro, e i cavalli si inclinavano sempre piú, e il direttore del circo andava in giro attorno all'albero che era nel mezzo, e faceva schioccare la frusta e gridava: Op... op là! – mentre il clown contava delle barzellette dietro lui; e poi, poco alla volta, tutti lasciano cadere le redini, e ogni dama poggia le mani sui fianchi, e tutti i cavalieri incrociano le braccia, e allora come si inclinano ancora di piú i cavalli, e come si inarcano! E cosí, uno dopo l'altro, saltano tutti a terra, e fanno il piú grazioso inchino che ho mai visto, e si allontanano di corsa, e tutti battevano le mani e sembravano impazziti.

Be', durante tutto lo spettacolo ne combinano una piú bella dell'altra, e il clown ne inventava tante che la gente per poco non crepava dalle risate. Il direttore non riusciva a dirgli una parola, che lui subito lo rimbeccava, rapido come un batter d'occhio, con le battute piú ridicole che ho mai sentito. E come faceva a pensarne cosí tante, e cosí in fretta e cosí azzeccate, è una cosa che ancor oggi non riesco a capire. Io per me non sarei riuscito a pensarne una, ci avessi ponzato su tutto un anno. Dopo un poco un ubriaco cerca di entrare nella pista, e dice che voleva andare a cavallo, dice che sapeva montare bene quanto gli altri. Quelli si mettono a discutere, cercano di tenerlo fuori, ma lui non molla, e tutto lo spettacolo si ferma. Allora la gente si mette a urlargli dietro, a prenderlo in giro, e questo lo rende furioso, tanto che comincia a scaldarsi e a insultare. Questo non fa che scaldare anche piú la gente, e molti si alzano dai sedili e scendono verso la pista dicendo: – Ma sbattetelo fuori, prendetelo a calci, – tanto che una donna o due comincia a strillare. Allora il direttore fa un piccolo discorso, e dice che sperava che non capitasse niente di spiacevole, e che se l'uomo prometteva di non fare piú chiasso, be', lui lo lasciava montare a cavallo, se lui proprio credeva di sapersi tenere in sella. Cosí tutti si mettono a ridere, e dicono che cosí va bene, e l'uomo sale a cavallo. Il momento che c'è sopra il cavallo comincia a fare il furioso, a saltare, inalberarsi, corvettare, mentre due uomini del circo lo tengono per le briglie e cercano di farlo star fermo, e l'ubriaco si stringe stretto al collo e i tacchi gli saltano su a ogni sgroppata del cavallo, e tutti erano in piedi, e urlavano e ridevano, da aver le lacrime agli occhi. Ma infine, nonostante tutti gli sforzi dei palafrenieri, il cavallo dà uno strattone, e scappa via come un fulmine, sempre in giro per la pista, mentre l'ubriaco, steso sopra e attaccato stretto al collo, sembra che stia per cadere da un minuto all'altro, e ora pencola ed è lí per cadere da una parte, e ora dall'altra, e la gente pareva impazzita tanto si divertiva, ma invece io non ci provavo molto gusto, e tremavo a pensare al pericolo di quel disgraziato. Ma poco dopo, a forza di provarsi, quello si regge in sella, e afferra le briglie, piegandosi da una parte e dall'altra. Poi, un minuto dopo, salta in piedi e abbandona le briglie e rimane in equilibrio, mentre il cavallo continuava a correre, come se avesse il fuoco alla coda. Lui se ne stava in piedi, calmo e tranquillo, come non avesse mai bevuto una goccia di liquore in vita sua. Poi comincia a togliersi i vestiti e a seminarli in giro. Se ne toglie tanti che l'aria ne sembra piena, in tutto si toglie diciassette vestiti, e infine lo vediamo, snello ed elegante, vestito che era una meraviglia, e dà una frustata al cavallo che corre che quasi non si vedeva piú, poi salta per terra, fa un inchino e si ritira con eleganza nel suo camerino, mentre tutti urlavano dal piacere e dallo stupore.

Allora il direttore si accorge che l'hanno fregato, e avreste dovuto vedere l'aria scema che prende. Figuratevi che l'ubriaco non era altri se non uno dei suoi cavallerizzi. Aveva immaginato quello scherzo da solo, e non ne aveva parlato con nessuno. Be', io mi sento abbastanza stupido, per essermi lasciato turlupinare cosí, ma certo che non volevo trovarmi al posto di quel direttore, manco per mille dollari. Io non so, può essere che ci sono dei circhi piú divertenti di questo, ma è certo che io non ne ho mai visto nessuno. A ogni modo a me mi basta questo, e ogni volta che lo troverò potete star sicuri che può sempre contare sulla mia presenza.

La sera c'è il nostro spettacolo, ma ci saranno stati in tutto dodici spettatori, appena quello che bastava per pagare le spese. E quelli ridono durante tutto lo spettacolo, e il duca aveva un diavolo per capello. E poi tutti se ne vanno prima che è finito, eccetto un ragazzo che si era addormentato. Cosí che il duca dice che questi zucconi dell'Arkansas non potevano certo capire Shakespeare. Quello che andava bene per loro era una volgare farsa, o forse anche qualcosa di peggio. Dice che sapeva lui quello che ci voleva per quella gente. Cosí che il giorno dopo prende dei grossi fogli di carta da imballaggio, e un po' di pittura nera, e ci scrive sopra i manifesti e li attacca per tutto il paese. I manifesti dicevano:

PALAZZO DI GIUSTIZIA

Per tre sere soltanto!
Il celeberrimo Attore

DAVID GARRICK IL GIOVANE

e

EDMUND KEAN IL VECCHIO

dei teatri di Londra e del Continente
nella loro emozionantissima tragedia

IL CAMELOPARDO DEL RE

ovvero

LA REGALE MERAVIGLIA

Ingresso: 50 centesimi

Poi al fondo c'era una riga, scritta piú grossa di tutte le altre, che diceva:

VIETATO L'INGRESSO ALLE DONNE E AI MINORENNI.

– E adesso, – dice lui, – se questa riga non mi riempie la sala, è segno che l'Arkansas non lo conosco piú.

Il duca e il re passano il giorno intero a lavorare e improvvisano una specie di palcoscenico, e un sipario, e una fila di candele per ribalta, e quella sera la sala era piena zeppa di uomini. Quando non c'è piú posto per nessuno, il duca lascia la porta d'ingresso, entra dalla porta di dietro, sale sul palcoscenico davanti al sipario e fa un discorsetto, e si mette a lodare questa tragedia, e dice che era la cosa piú straordinaria che mai era stata scritta, e continua a parlare della tragedia e di Edmund Kean il Vecchio, che aveva la parte principale, e infine quando li ha scaldati bene tutti, tira su il sipario e il momento dopo il re avanza sgambettando sulle quattro zampe, completamente nudo, e tutto chiazzato e macchiettato in ogni sorta di colori, splendido come un arcobaleno. E poi... be', lasciamo stare il resto della tragedia, ma vi assicuro che era veramente straordinaria, e che faceva ridere a crepapelle. Gli spettatori stavano male dalle gran risate, e quando il re ha finito di sgambettare e si è allontanato dietro le scene, quelli si mettono a urlare e applaudire e a fare un chiasso del diavolo, finché lui non ritorna e ripete la stessa scena, dopo di che è obbligato a ripeterla una terza volta. Be', persino una vacca si metteva a ridere, a vedere le smorfie e gli sberleffi che faceva quel vecchio idiota.

Allora il duca tira giú il sipario e s'inchina al pubblico, e dice che la grande tragedia verrà rappresentata solo per altre due sere, per via di improrogabili impegni a Londra, dove tutti i posti sono già stati venduti al Drury Lane, e poi fa un altro inchino e dice che, se è riuscito a divertirli e a istruirli, allora sarà grato se vogliono parlarne ai loro amici e dire che vengano anche loro la sera dopo.

Una ventina di persone salta su e urla:

– Ma come? Già finito? È tutto qui?

Il duca risponde di sí. È un momento critico. Tutti si mettono a urlare che sono stati turlupinati, e si alzano in piedi furiosi, e stanno per saltare sul palcoscenico e far macello dei due attori. Ma un uomo grande e grosso, e dall'aspetto distinto, salta sopra una panca e urla:

– Fermatevi! Ascoltate prima me, signori –. Quelli si fermano per ascoltarlo. – Sí, siamo stati ingannati, turlupinati in modo vergognoso. Ma credo che nessuno di voi vuole essere sfottuto da tutto il paese, che non ci darà respiro finché campiamo. Siete d'accordo su questo? Bene. Allora dobbiamo andarcene tranquilli e con l'aria soddisfatta, lodare lo spettacolo per ingannare anche quelli che non sono ancora venuti. Allora ci troveremo tutti nella stessa barca. Non vi pare una buona idea? (– Avete ragione! Il giudice ha ragione! – urlano tutti in coro). – Benissimo, allora che nessuno dica una parola di come si è stati fregati. Tornatevene tranquilli a casa, e consigliate a tutti di venire a vedere la tragedia.

Il giorno dopo in tutto il paese non si parlava d'altro se non dello spettacolo, e di come era magnifico. La sera la sala era di nuovo piena zeppa, e noi truffiamo il pubblico nello stesso identico modo. Quando io, il re e il duca si ritorna sulla zattera, ceniamo tutti e tre, e dopo un poco, verso mezzanotte, i due ordinano a me e a Jim di staccare la zattera, portarla a valle navigando nel mezzo del fiume, e poi tornare a riva e nasconderla, circa due miglia sotto la città.

La terza sera la sala è di nuovo piena zeppa, e questa volta non di visi nuovi, ma di gente che era già stata allo spettacolo in una delle due sere precedenti. Io mi trovavo con il duca presso la porta, e noto che tutti quelli che entravano avevano le tasche gonfie, o qualcosa nascosto sotto la giacca, e si capiva che non erano profumi ma ben altro. C'era infatti un puzzo di uova fradice, cavoli marci e roba del genere che asfissiava, e se ho mai visto in vita mia un gatto morto, e vi assicuro che ne ho visti la mia parte, be', quella sera ce n'era almeno sessantaquattro in sala. Io resto là per un momento, ma la varietà dei profumi era troppa, non riuscivo a sopportarla. Be', quando la sala è piena che non ci può piú entrare nessuno, il duca dà un quarto di dollaro a un tale e gli dice di badare lui alla porta per un minuto, e poi va verso la porta che dà sul palcoscenico e io lo seguo, ma il momento che si svolta l'angolo e si è al buio, lui mi dice:

— Adesso cammina in fretta, finché non sei fuori del paese, e poi via verso la zattera, come se avessi il fuoco alla coda.

Io obbedisco e lui mi dà il buon esempio. Saltiamo tutti e due sulla zattera nello stesso preciso momento, e in meno di due secondi si naviga già sulla corrente, completamente al buio e in silenzio, e si punta verso il mezzo del fiume, senza scambiare parola. Pensavo che il povero re avrebbe dovuto vedersela lui col pubblico, ma mi ero sbagliato, perché ben presto quello sbuca di sotto il casotto e chiede:

— Be', duca, com'è andata 'sta volta?

Il re non era neanche andato in paese.

Noi non si issa nessun fanale, finché non si è a circa dieci miglia a valle del villaggio. Poi si accende e si cena e il re e il duca per poco non crepavano dalle sghignazzate, a pensare a come avevano fregato tutta quella gente. Il duca dice:

— Zucconi, teste di cavolo! Io sapevo che gli spettatori della prima sera stavano muti come pesci, per far turlupinare gli altri, e sapevo anche che aspettavano la terza sera, persuasi che allora veniva la volta buona per divertirsi loro. Be', la volta buona è venuta, e darei qualunque cosa per sapere quanto sono riusciti a divertirsi. Vorrei sapere in che maniera approfittano della splendida occasione che ho offerto a tutti. Se proprio ci tengono, possono magari improvvisare una merendina, perché non sono certo le provviste che mancano.

Quei mascalzoni in quelle tre sere avevano incassato quattrocento e sessantacinque dollari. Prima d'allora non avevo mai visto guadagnare i soldi a palate, come facevano loro.

Dopo un poco, quando quelli già dormivano e anzi russavano, Jim mi dice:

— Sentite, Huck, non siete un po' sorpreso a vedere le cose che combinano questi re?

— No, — dico io, — niente affatto.

— E perché no, Huck?

— Non mi sorprende, perché è tutta colpa della razza. Penso che sono tutti lo stesso.

— Ma, Huck, questi nostri re sono dei farabutti, ecco quello che sono, niente altro che farabutti.

– Be', è proprio quello che dico io. Tutti i re in genere sono farabutti, almeno per quello che ne so io.

– Ah, è cosí?

– Dovresti leggerne la vita una volta sola, e ti basta. Pensa a Enrico Otto, paragonato con lui questo nostro re è una specie di sacrestano. E pensa a Carlo Secondo, a Luigi Quattordici, Luigi Quindici, Giacomo Secondo, Riccardo Terzo e almeno altri quaranta, e a tutte le eptarchie sassoni che non facevano che menarsi delle gran botte e fare un diavolio della malora. Ti assicuro, caro Jim, che avresti dovuto conoscere il vecchio Enrico Otto, quando era in gamba. Quello sí che era un tipo! Sposava una nuova moglie ogni giorno, e il mattino dopo gli tagliava la testa. E lo faceva cosí tranquillo, come ordinasse due uova al burro. Diceva per esempio: «Portatemi Nell Gwynn». E quelli gliela portavano. E il giorno dopo: «Tagliategli la testa!» E quelli gliela tagliavano. Poi diceva: «Portatemi Jean Shore», e quella veniva. E il giorno dopo: «Tagliategli la testa», e quelli gliela tagliavano. «Suonate il campanello della bella Rosmunda». La bella Rosmunda risponde. E il mattino dopo: «Tagliategli la testa». E le obbligava tutte a contargli una storia ogni sera, e continua cosí finché non ha messo insieme mille e una storia, e poi le mette tutte insieme in un libro, che è chiamato la Catasta Generale, che è certo un bel titolo e ti fa capire che catasta di mogli ha messo insieme quel tale. Ma, ti assicuro, Jim, che tu i re non sai neppure per sbaglio cosa sono, e questo vecchio mascalzone che abbiamo con noi, è il re piú onesto che potevamo trovare. Per esempio, a Enrico gli viene in testa che gli piacerebbe dar noia a questo paese. E allora cosa ti combina? Forse che li avverte prima, o lascia capire qualcosa? Manco per sogno! Improvvisamente butta in mare tutto il tè che trova nel Golfo di Boston, e poi sbatte giú una dichiarazione di indipendenza, e li sfida a uscire di casa, se osano. Era cosí che lui faceva. E non dava mai requie a nessuno. Poi ha dei sospetti sul conto di suo padre, il duca di Wellington. E allora cosa ti fa? Forse che gli chiede di presentarsi a corte? Non certo lui! Te lo annega in una botte di malvasia, come un gattino. E se la gente lasciava del denaro in giro, dove che c'era lui, sai cosa faceva? Se lo intascava. Supponi che aveva promesso di fare un lavoro, e che tu glielo pagavi... Se non gli stavi alle costole per vedere che lo facesse, cosa ti combinava lui? Faceva sempre qualche altra cosa. Quando apriva la bocca sai cosa ne usciva? Se non la chiudeva piú che in fretta gli scappava fuori una filza di fandonie! Quello era il tipo di merlo che era Enrico, e se avevamo lui con noi, ti assicuro che truffava il paese, ma molto peggio che non hanno fatto i nostri. Non che i nostri siano degli agnellini, ché non lo sono, quando si pensa alle cose che combinano, ma fanno ridere paragonati a quel vecchio caprone. Comunque, quello che dico io è che i re sono sempre re, e che quindi bisogna tenere conto della loro natura. Tutto considerato sono una razza di gente che ha proprio poco di buono. Forse è il modo come sono stati allevati.

— Be', questo nostro puzza di poco di buono, Huck.

— Tutti puzzano di poco di buono, Jim. È inutile cercar di rimediare alla puzza dei re, manco la storia non l'ha ancora insegnato.

— Prendete il duca, invece, è abbastanza sopportabile, in certa maniera.

— Sí, un duca è diverso. Ma non molto diverso. Questo, considerato che è un duca, non è poi molto meglio. E, quando è ubriaco, non c'è nessuno che può capire in che cosa è diverso da un re.

— Be', a ogni modo, certo che non desidero vederne mai piú degli altri, Huck. Questi due mi bastano, e ne ho da vendere!

— Anche io la penso cosí, Jim. Ma adesso ce li troviamo sulle braccia e dobbiamo ricordare cosa sono, e avere un po' di compassione. Qualche volta ho quasi voglia di sentire di un paese dove che non ci sono dei re.

A cosa poteva servire spiegare a Jim che questi non erano dei veri re e dei veri duchi? Non serviva a niente, e poi era proprio come aveva detto: che era molto difficile distinguerli da quelli veri.

Poi vado a dormire, e Jim non mi sveglia quando è il mio turno. Faceva sovente cosí. Quando mi sveglio, all'alba, lo trovo seduto con la testa tra le ginocchia, tutto triste e piagnucoloso. Allora faccio finta di non vederlo, non gli do a vedere che l'ho notato. Sapevo benissimo a cosa pensava. Pensava a sua moglie, e ai suoi bambini, che erano rimasti lassú, e si sentiva giú di corda, e molto melanconico, perché in vita sua non era mai stato cosí lontano prima, e credo che lui voleva bene alla sua famiglia, quasi come un bianco alla sua. Non sembra naturale, ma penso che era proprio cosí. Sovente gemeva e piangeva di notte, quando credeva che io ero addormentato, e si metteva a esclamare: – Piccola Lizabeth, piccolo Johnny! Oh, che tristezza pensare che magari non vi vedo mai piú, mai piú, mai piú! – Certo che Jim era proprio un bravo negro.

Ma questa volta, manco so come, mi metto io a parlargli di sua moglie e dei suoi piccoli, e allora lui mi conta:

– Se sono tanto triste adesso, è perché ho sentito un rumore là sulla riva, come di uno schiaffo o uno scapaccione, poco tempo fa, e mi sono ricordato della volta che ho trattato cosí male la mia povera Lizabeth. Aveva solo quattro anni, e aveva fatto la scarlattina, e era stata molto malata, ma stava già meglio, e un giorno me la vedo in piedi davanti e gli dico: «Chiudi la porta». Lei manco si muove, resta in piedi sempre sorridendo, e io mi viene la mosca al naso e gli dico di nuovo molto forte: «Non mi hai sentito? Chiudi la porta!» Lei continua sempre lo stesso, a sorridere. Io non ci vedo piú. Allora gli dico: «Sta' a vedere che adesso ti insegno io». E gli mollo uno scapaccione sulla testa che la sbatte per terra, lunga e distesa. Poi vado nell'altra stanza e ci resto per quasi dieci minuti, e quando torno ecco vedo la porta che è sempre aperta, e la bambina che ci sta quasi accanto, con un'aria tutta triste, e piangeva, e le lacrime gli correvano per le guance! Be', vi assicuro, avevo la schiuma alla bocca, mi avvicino alla bambina e proprio in quel momento, la porta si apriva verso l'interno, proprio quel momento un colpo di vento sbatte quella porta e la chiude alle spalle della mia bambina con un colpo da far paura... e la bambina... manco si muove! Resto che quasi non potevo respirare e mi sentivo... be' non so dirvi come che mi sentivo. Allora mi volto tutto tremante, mi giro attorno, apro adagio la porta, sporgo la testa vicino a quella della bambina senza far rumore, e di colpo un urlo, piú forte che potevo! Ma lei niente. Oh, Huck, mi si è spezzato il cuore, e me la stringevo tra le braccia, e le dico: «Oh povera, povera bambina mia! Che Dio Onnipotente, che perdoni lui il povero vecchio Jim, perché Jim già non può mai perdonarsi finché vive». Era sordomuta, Huck, sordomuta, e io gli avevo mollato quella pacca!

Il giorno dopo, verso sera, ci fermiamo sotto un isolotto coperto di salici, nel bel mezzo del fiume, e c'erano due villaggi, uno per parte, e il duca e il re cominciano a fare dei progetti per lavorarsi quei due posti. Jim allora parla al duca e gli dice che sperava che non ci volessero piú di poche ore, perché era penoso e pesante dover passare tutto il giorno nel casotto, legato mani e piedi. Infatti, quando lo lasciavamo solo, dovevamo legarlo, perché se qualcuno capitava e non lo trovava legato, non aveva molto l'aria di essere un negro evaso e riacciuffato. Cosí il duca dice che capiva quanto doveva esser noioso passare tutto il giorno legato, ma che avrebbe immaginato qualche trucco per risolvere anche questo problema.

Era veramente in gamba il duca, e ben presto infatti ha trovato. Fa infilare a Jim il costume di Re Lear, che era una lunga tunica di cotonina per tende, e gli mette addosso una parrucca bianca di peli di cavallo e degli scopettoni, poi prende dei belletti di teatro e dipinge tutta la faccia, le mani, le orecchie e il collo di Jim d'un colore blu scuro, che dopo aveva l'aria di un uomo che è annegato da almeno nove giorni. Che sia dannato se non era il piú orribile spettacolo che ho mai visto. Poi il duca si mette a scrivere sopra una tavoletta di legno queste parole:

Beduino infermo,
ma innocuo
quando non fuori di mente

e inchioda la tavoletta sopra un'asse che pianta quattro o cinque piedi davanti al casotto. Jim era tutto contento. Dice che era meglio che non starsene legato un paio di anni ogni giorno, e tremare ogni volta che sentiva un rumore. Il duca gli dice che poteva vivere sicuro e tranquillo, e che se qualcuno veniva a curiosare da quelle parti lui non aveva che da saltar fuori da sotto il casotto, e fare qualche smorfia, cacciare qualche urlo come una bestia feroce, e quelli se la davano a gambe e lo lasciavano in pace. Il che era probabile, solo che nessuno avrebbe avuto il coraggio di aspettar tanto da sentirlo urlare. Aveva l'aria di essere non un cadavere putrefatto, ma qualcosa di peggio.

I due mascalzoni volevano di nuovo tentare il gioco del Camelopardo, perché c'era da guadagnare tanto, ma poi si dicono che magari non era molto sicuro, perché la notizia poteva ormai essere giunta sin da quelle parti. Non riuscivano a trovare niente di piena soddisfazione, cosí che infine il duca dice che voleva distendersi e pensarci su un'ora o due, per vedere se non gli spuntava un'idea buona per quel villaggio dell'Arkansas, mentre il re dice che lui aveva voglia di andare nell'altro villaggio, senza nessun piano preciso, fidando nella Provvidenza che gli offrisse qualche modo di far dei soldi, e credo che la Provvidenza per lui era un altro nome per il diavolo. Nell'ultimo posto dove ci eravamo fermati avevamo comprato degli abiti fatti, e adesso il re infila il suo vestito buono, e mi dice di infilare anche me il mio. Naturalmente io mi vesto. Il vestito del re era tutto nero, e quando era vestito cosí aveva l'aria elegante e distinta. Non avevo mai saputo che i vestiti possono cambiare tanto una persona. Prima di vestirsi bene aveva l'aria del piú miserabile mascalzone che si può incontrare, ma adesso, quando si toglieva il feltro bianco, e faceva un inchino, e sorrideva, aveva un'aria solenne e buona e religiosa, che uno pensava ch'era uscito allora dall'arca, era magari il vecchio Levitico in persona. Jim prepara la canoa e io afferro la pagaia. C'era un grosso battello all'approdo poco sotto la punta, circa tre miglia a monte del paese. Era fermo da un paio di ore perché doveva caricare merci. Il re dice:

— Visto come sono vestito, forse è meglio se arrivo da St Louis o Cincinnati o da qualche altra grossa città. Portati presso il battello, Huckleberry, e ci saliamo per sbarcare al villaggio.

Non devo farmi ripetere l'ordine due volte, all'idea di viaggiare sopra un battello. Tocco terra circa mezzo miglio a monte del villaggio, e poi risalgo lungo la riva scoscesa, nelle acque tranquille. Ben presto ci imbattiamo in un cetriolo di contadinotto, che era seduto sopra un tronco e si asciugava il sudore della fronte, perché faceva un caldo da crepare. Aveva accanto un paio di grosse sacche da viaggio.

– Tocca terra, – mi ordina il re, e io gli obbedisco. –
Dove siete diretto, giovanotto?

– Al battello, perché devo andare a Orleans.

– Salite in barca, – gli ordina il re. – Un minuto, il mio
servo vi dà una mano per trasportare le sacche, e tu, Adol-
phus, salta a terra e aiuta il signore, – e io capisco subito
che intendeva me.

Obbedisco e tutti e tre riprendiamo il viaggio. Il ragaz-
zotto era molto riconoscente, e dice che era un lavoro duro
portare del bagaglio con quel caldo. Poi chiede al re dove
era diretto, e il re gli dice che era sceso giú per il fiume, ed
era sbarcato quella mattina stessa nel villaggio di fronte, e
che adesso faceva un piccolo giro, per andare a visitare un
vecchio amico, in una fattoria da quelle parti. Allora il
giovanotto dice:

– Non appena vi ho visto mi sono detto: questo deve
essere il signor Wilks, e per poco non giungeva a tempo.
Ma poi mi dico subito: no, penso che non è lui, lui non
arriva certo in barca. Voi non siete lui, vero?

– No, mi chiamo Blodgett, Alexander Blodgett, il reverendo Alexander Blodgett, dovrei forse dire, dato che
anch'io sono uno dei poveri servi di Nostro Signore. Ma
tuttavia mi rincresce per questo signor Wilks, se non è
arrivato in tempo, e ha perduto qualcosa, ma spero che non
è cosí.

– Be', perduto denaro certo che no, perché potrà avere
tutto lo stesso, ma non è riuscito a vedere suo fratello Peter prima che morisse, cosa che magari non gli importa
molto, perché nessuno può mai sapere di preciso certe cose, ma suo fratello avrebbe dato qualunque cosa in questo
mondo per poterlo vedere, prima di morire. In queste ultime tre settimane non ha parlato d'altro, non l'aveva visto da quando erano tutti e due bambini, non aveva mai
visto suo fratello William, quello che è sordomuto, perché
William non ha piú di trenta o trentacinque anni. Peter e
George erano i soli due che vivevano ancora qui; George era
il fratello sposato, ma lui e sua moglie sono morti tutti e due
l'anno scorso, e Harvey e William sono i soli due che sono
rimasti adesso e, come già vi dicevo, non ce l'hanno fatta
ad arrivare in tempo.

– Ma qualcuno li ha certo avvertiti!

– Certo. Un mese o due fa, quando Peter si è messo a

letto, siccome diceva di sentire che questa volta non se la scapolava, qualcuno ha scritto. Vedete, era piuttosto vecchio, e le ragazze di George sono troppo giovani per potergli tenere compagnia, tranne Mary Jane, quella dei capelli rossi, e cosí, dopo che George e sua moglie sono morti, lui si sentiva piuttosto solo, e non è che ci teneva piú molto a continuare a vivere. E cosí aveva una voglia matta di vedere Harvey, e anche William naturalmente, perché era uno di quelli che non hanno mai il coraggio di fare testamento. Ha lasciato una lettera indirizzata a Harvey, assicurando che gli ha detto dov'è nascosto il capitale, e come voleva che venga divisa la sua eredità; in modo che le ragazze di George non manchino mai di niente, perché George non ha lasciato nulla. E quella lettera è stata tutto quello che sono riusciti a fargli scrivere.

— E per quale motivo pensate che Harvey non sia venuto? Dove vive?

— Oh, lui vive in Inghilterra, a Sheffield, è ministro in quella città, e non è mai stato in questo paese. Magari che non ha ancora avuto il tempo di venire; o magari non ha mai ricevuto quella lettera, per quanto ne sappiamo noi.

— È un peccato, un vero peccato che non è riuscito a sopravvivere tanto da rivedere i suoi fratelli. Poveretto! Voi andate a Orleans, mi avete detto?

— Sí, ma questa è solo la prima parte del viaggio. Mercoledí prossimo m'imbarco sopra un grosso bastimento, diretto a Rio Janeiro, dove vive mio zio.

— Bel viaggio e ben lungo! Ma sarà splendido. Vorrei anch'io poter andare con voi. Dunque, Mary Jane è la piú vecchia, vero? E le altre, che età hanno?

— Mary Jane ha diciannove anni, Susan quindici e Joanna circa quattordici, questa è quella che ha il labbro leporino, e che si occupa di opere di beneficenza.

— Povere bambine, trovarsi sole in questo mondo crudele!

— Be', potevano trovarsi molto peggio. Il vecchio Peter aveva degli amici, e questi faranno in modo che non capiti niente di male alle ragazze. C'è Hobson, il ministro battista, e c'è il diacono Lot Hovey, e poi Ben Rucker e Abner Shackleford, e poi Levi Bell, l'avvocato, e il dottore Robinson, e le loro mogli, e la vedova Bartley e... be' c'è un mucchio di amici, ma questi sono quelli con cui Peter era piú amico, e qualche volta ne parlava quando scriveva a casa, e cosí Harvey sa certo a chi rivolgersi, quando cercherà degli amici, una volta arrivato qui.

Be', il vecchio continua a fare delle domande, finché non ha pompato quasi completo quel giovane cetriolo. Che sia dannato se non si informa di tutti e di tutto in quel paese, e non chiede ogni sorta di notizie a proposito dei Wilks, e sul mestiere di Peter, che faceva il conciatore, e su quello di George, che era carpentiere, e su Harvey, che era un pastore di setta dissidente, e cosí via. Poi dice:

— Ma perché avete camminato sino a dove è ancorato il battello?

— Perché è un grosso battello diretto a Orleans, e avevo paura che magari non si fermava al paese. Quando sono carichi non si fermano per un solo passeggero. Un battello che viene da Cincinnati sí, ma questo invece viene da St Louis.

— E Peter Wilks aveva dei denari?

— Oh, sí, se la faceva piuttosto bene. Aveva case e terreni, e credo che ha lasciato tre o quattromila dollari in contanti, nascosti in qualche posto.

— Quando avete detto che è morto?

— Non ve l'ho ancora detto, ma è morto ieri sera.

— E allora i funerali si fanno domani, vero?

— Sí, verso mezzogiorno.

— Be', è proprio una cosa molto triste, ma tutti, un giorno o l'altro, dobbiamo andarcene. Cosí che dobbiamo sempre essere preparati e non ci può mai capitare niente di troppo brutto.

— Sí, signore, è proprio cosí che bisogna fare. Anche mia mamma diceva sempre cosí.

Quando si giunge presso il battello questo avevano quasi finito di caricare, e ben presto parte. Il re non accenna piú a salire a bordo, cosí che, dopo tante fatiche, io me ne resto con un palmo di naso. Quando il battello è partito il re mi ordina di risalire il fiume di un altro miglio, sino a un posto solitario, poi scende a riva e mi dice:

— Adesso spicciati, fila, torna sulla zattera e fa' venire il duca, e prendi anche i nuovi sacchi da viaggio. E se per caso è andato sull'altra riva, va' sino là a cercarlo. E digli di vestirsi il meglio che può. E adesso via, e olio ai gomiti.

Io capisco subito il piano che aveva combinato, ma naturalmente non dico niente. Quando infine torno col duca, si nasconde la canoa, e poi quelli si siedono sopra un tronco, e il re conta tutto, proprio come gli aveva detto il giovanotto, ogni parola, senza dimenticarne una. E mentre gli contava tutto cercava di parlare come un inglese, e ci riusciva abbastanza bene, per quello zoticone che era. Io non so imitarlo, e quindi non mi provo nemmeno, ma veramente ci riusciva piuttosto bene. Poi dice:

– E voi, come ve la cavate a fare il sordomuto, Acquafiasca?

Il duca gli dice di non pensarci, che parecchie volte aveva recitato la parte del sordomuto ai lumi della ribalta, cosí che restano ad aspettare un battello.

Verso la metà del pomeriggio passa un paio di piccoli battelli, ma non venivano da abbastanza lontano. Poi finalmente ne spunta uno grosso, e quelli fanno segno che si fermi. Quello manda la yole, e noi saliamo a bordo, e veniamo a sapere che veniva da Cincinnati. Quando diciamo che vogliamo fare un viaggio di appena quattro miglia o cinque miglia, dànno fuori da matti, e ci mandano a tutti i diavoli, e dicono che non ci sbarcheranno. Ma il re, calmo e tranquillo:

– Se dei signori vogliono pagarsi il lusso di sborsare un dollaro a testa per miglio, per essere presi a bordo e sbarcati con la yole, un battello può accettare, vero?

Allora quelli si calmano un poco, e dicono che cosí è diverso, e quando si è all'altezza del villaggio ci portano a riva con la yole. Circa due dozzine di uomini ci corrono incontro, non appena vedono la barca che si accosta, e quando il re dice:

– Forse che voi signori potreste indicarmi dove vive il signor Peter Wilks? – tutti si scambiano uno sguardo, e fanno dei cenni col capo, come per dire: – Be', che vi avevo detto? – poi uno di quelli parla a voce bassa e con molto rispetto:

– Sono molto spiacente, signore, ma il meglio che posso fare è dirvi dove che ha vissuto fino a ieri sera.

Rapido come un fulmine, il vecchio farabutto pretende di essere annientato dal dolore, e si abbandona contro l'uomo che aveva parlato, gli poggia il mento sulla spalla, e si mette a piangergli sulla schiena e dice:

– Ahimè! Ahimè! Il nostro povero fratello... defunto... e noi non possiamo piú vederlo. Oh, è terribile, troppo terribile...

Poi si volta, sempre singhiozzando, verso il duca, e gli

fa una serie di gesti idioti con le mani, e che sia dannato se
quello non lascia cadere il sacco da viaggio, e si mette anche lui a ragliare. Che sia fulminato in questo momento, se
quei due mascalzoni non erano i farabutti piú in gamba
che ho mai incontrato.

Be', tutti si raccolgono attorno ai due, e cercano di conso-
larli, e dicono quello che pensano che può fargli coraggio,
e gli portano i sacchi da viaggio su per la salita, e li sostengono e li lasciano piangere, e contano al re tutti i particolari sugli ultimi momenti del suo fratello morto, e il re ripete tutto al duca a forza di segni con le mani, e tutti e due
piangono il vecchio conciatore, come se avessero perduto i
dodici discepoli. Be', se ho mai incontrato prima gente cosí, possa diventare un negro in questo momento. Erano
tali mascalzoni che uno si vergognava di appartenere alla
razza umana.

In due minuti la notizia si diffonde per tutto il paese, e si vedeva la gente correre giú per le strade da ogni parte, e alcuni stavano ancora infilandosi la giacca. Ben presto ci troviamo nel mezzo di una vera folla, che facevano un rumore come di soldati in marcia. Le finestre e le porte erano tutte piene, e ogni minuto spuntava qualcuno da dietro uno steccato, che diceva:

– Sono loro?

E qualcuno, che trotterellava accanto al gruppo per la strada, rispondeva:

– E chi se non loro?

Quando finalmente si giunge alla casa, la strada davanti era nera di gente, e le tre ragazze si trovavano sulla soglia. Mary Jane aveva i capelli rossi, ma non importa, era una bellezza, e la faccia e gli occhi erano tutti illuminati, come a gloria, tanto era contenta di vedere suo zio. Il re spalanca le braccia, e Mary Jane gli corre incontro, mentre invece quella col labbro leporino corre verso il duca, e tutti si baciano e si abbracciano. Non c'è uno o almeno non c'è donna che non pianga di commozione ad assistere a questo incontro, che rallegrava tanto tutti.

Poi il re, senza farsene accorgere, ma io lo noto, dà un colpetto di nascosto al duca, e poi si guarda in giro, e vede la bara in un angolo, disposta su due sedie, e allora lui e il duca, prendendosi per le spalle e portando l'altra mano agli occhi, si avvicinano lenti e solenni verso quell'angolo, mentre tutti gli fanno largo, perché possano avanzare comodi, e smettono di parlare e si sente fare *sst!* e gli uomini si tolgono il cappello e piegano la testa, che si poteva udir cadere uno spillo. Quando quei due giungono presso la bara si curvano, e guardano nella bara a lungo, poi un lungo sospiro, e poi scoppiano in singhiozzi, che uno poteva sentirli da Orleans almeno, e poi si buttano le braccia al collo, e appendono il mento l'uno sulla spalla dell'altro, e per tre buoni minuti e magari anche quattro non ho mai visto due persone piovere come quei due. E tenete presente che tutti facevano lo stesso, e che la stanza era diventata cosí umida, come non ne ho mai vista un'altra. Poi uno va da una parte della bara, e l'altro dall'altra, e s'inginocchiano, poggiano la fronte sulla bara, e fingono di pregare in silenzio. Be', a vederli fare cosí, tutta la folla si commuove, che era uno spettacolo, e tutti riprendono a singhiozzare e a piangere forte, anche le povere ragazze, e quasi ogni donna va vicino alle ragazze, senza dir parola, e gli imprimono dei solenni baci sulla fronte, e poi gli mettono la mano sulla testa, e guardavano su verso il cielo, con le lacrime che continuavano a piovere, e poi scoppiano in singhiozzi e se ne vanno via, sempre piangendo e strofinandosi la faccia, per dar modo a un'altra donna di fare lo stesso. Era uno spettacolo da far vomitare.

Dopo qualche minuto il re si alza in piedi, si fa avanti e si monta un poco e sbrodola una specie di discorso lacrimoso e pieno di fesserie, dicendo che terribile dolore che era stato, per lui e per il suo povero fratello, di aver perduto il deceduto e di non essere riusciti a vedere ancora vivo il deceduto, dopo un lungo viaggio di quattromila miglia, ma che il suo dolore era come addolcito e santificato dalla commovente simpatia, e da quelle sacre lacrime, e che cosí li ringraziava dal profondo del cuore, e dal profondo del cuore del suo fratello anche, perché con la bocca sola non potevano, dato che le parole sono troppo deboli e inette, e ti continua a snocciolare balle e fanfaluche, che faceva schifo, e infine termina con un pio e untuoso *amen* e poi si lascia andare e si rimette a piangere e a singhiozzare.

Non aveva ancora finito di parlare che qualcuno nella folla attacca la dossologia, e tutti ci vanno dietro, con quanto fiato hanno in gola, e insomma si scaldavano e si cominciava a star bene, come quando una funzione in chiesa sta per finire. La musica è veramente una cosa straordinaria, e dopo tanta vaselina spirituale e broda per i porci, non ho mai visto niente capace di rinfrescare tutto, e avere un tono cosí onesto e virile.

Poi il re rimette in moto le vecchie macine, e dice che lui e le sue nipoti saranno molto felici se alcuni dei principali amici piú importanti della famiglia vogliono fermarsi a cena con loro quella sera, per aiutarli a disporre delle ceneri del deceduto, e dice che se il suo povero fratello che giace là deceduto potesse parlare, lui sa chi vorrebbe indicare, perché erano le persone che gli erano piú care sopra tutte le altre, e che sovente ricordava nelle sue lettere, e che cosí lui invita quelle stesse persone e precisamente: il reverendo signor Hobson e il diacono Lot Hovey e il signor Ben Rucker e Abner Shackleford e Levi Bell e il dottore Robinson e le mogli e la vedova Bartley.

Il reverendo Hobson e il dottor Robinson si trovavano dall'altra parte del paese, ché erano andati a caccia insieme, voglio dire che il dottore stava spacciando un malato all'altro mondo, e il prete gli indicava la via giusta. L'avvocato Bell si trovava a Louisville per affari. Ma gli altri erano disponibili, e cosí tutti si fanno avanti, e stringono la mano al re, e lo ringraziano, e si mettono a parlare con lui, e poi stringono la mano al duca, e non gli dicevano niente, ma gli sorridevano e scuotevano la testa, come tanti cretini, mentre lui faceva un mucchio di gesti con le mani, e diceva tutto il tempo: – Gu-gu... gu-gu-gu... – come un bambino che non sa parlare.

Il re intanto non stava in ozio, e poco alla volta chiede notizie di quasi tutti gli abitanti del paese, cani compresi, chiamandoli per nome, e ricordando tanti piccoli episodi accaduti in paese, o alla famiglia di George o a Peter, e diceva sempre che Peter gli aveva scritto di quelle cose, il che naturalmente era una balla, perché tutte quelle notizie era riuscito a pomparle dal cetriolo, che avevamo portato in canoa sino al battello.

Poi Mary Jane prende la lattera che lo zio aveva lasciato, e il re la legge ad alta voce e riprende a piangere. Lasciava la casa e tremila dollari in oro alle ragazze; la conceria (che rendeva parecchio) con altre case e terre (per un valore complessivo di circa settemila dollari) e tremila dollari in oro a Harvey e William, e infine diceva dove erano nascosti i seimila dollari, giú in cantina. Allora i due mascalzoni dicono che vogliono andare a prendere i dollari e portarli su, perché tutto sia chiaro e pulito, e mi dicono di accompagnarli con una candela. Chiudiamo la porta della cantina alle nostre spalle, e quando quelli trovano il sacchetto, lo versano per terra e vi assicuro che era uno spettacolo, tutti quei soldoni dorati! Dovevate vedere come brillano gli occhi del re. Dà un colpo sulle spalle del duca e dice:

– Ah, questa è una bazzecola, eh? Roba da niente, vero? Vi assicuro, Fiasca, che è meglio ancora del Camelopardo!

Il duca è d'accordo. Si mettono a palpare quei dollari, li fanno scorrere fra le dita, li lasciano cascare tintinnanti per terra, poi il re dice:

– Non ci sono parole adatte. Adesso che siamo fratelli di un ricco defunto, rappresentiamo degli eredi stranieri, questo è il nostro nuovo mestiere. E ce lo siamo meritato, perché abbiamo confidato nella Divina Provvidenza. Tutto considerato è sempre il meglio che si può fare. Io ho provato ogni trucco, e non ce n'è nessuno che batte la fiducia nella Divina Provvidenza.

Tutti sarebbero stati soddisfatti di quel mucchio di soldi, e l'avrebbero accettato cosí come era. Ma no, quelli si mettono a contarlo. Cosí contano e ricontano, e s'accorgono che mancano quattrocentoquindici dollari. Il re dice:

– Che sia maledetto, vorrei proprio sapere cosa diavolo ne ha fatto di quei quattrocentoquindici dollari!

Restano male, e cercano dappertutto, ma non li trovano. Allora il duca dice:

– Be', era molto malato, e con ogni probabilità si è sbagliato. Credo che è questa la spiegazione del mistero. La cosa migliore da fare è di lasciar stare le cose cosí, e di non parlarne con nessuno. Possiamo accontentarci anche cosí.

– Santo diavolo, certo che possiamo accontentarcene. Non me ne importa niente dei soldi; adesso stavo pensando al conteggio. Tutto deve essere chiaro, lampante, cristallino, senza ombra di sospetto, voi mi capite. Dobbiamo portare questo sacchetto di soldi di sopra, e contarli davanti a tutti, cosí che nessuno può sospettare di niente. E dopo che il morto ha detto che c'erano seimila dollari, voi capite che non possiamo...

– Fermo, – dice il duca. – Completiamo noi la somma, – e comincia a contare dei dollari d'oro, che tira fuori dalla sua tasca.

– Splendida idea, Acquafiasca, splendida idea! Avete proprio una zucca che funziona, sul vostro collo, – dice il re. – Che sia dannato se il vecchio Camelopardo non ci aiuta un'altra volta, – e anche lui comincia a sborsare dollari d'oro e a farne delle pile.

Quando hanno completato la somma erano quasi al verde, però ce l'avevano fatta.

– Sentite, – dice il duca, – mi è venuta un'altra idea. Andiamo di sopra, contiamo i soldi, e poi consegnamo tutto alle ragazze.

– Splendido, duca, splendido! Qui tra le mie vecchie zampe. È la piú splendida trovata che è mai spuntata nel cervello di un uomo. Avete proprio la cucurbita piú meravigliosa che ho mai visto. Oh, questa è veramente una trovata da maestro, e crepi chi dice di no. E adesso avanti chi ha ancora dei sospetti, se ne ha voglia... questa mossa li stende tutti.

Poi si sale sopra, e tutti si raccolgono attorno al tavolo, e il re si mette a contare i dollari, e a farne delle pile, ogni pila di trecento dollari, venti eleganti e minuscole pile, e tutti contemplano quei soldi con occhi affamati, e si leccavano le labbra. Poi rimettono i soldi nella borsa, e io mi accorgo che il re comincia a pomparsi per espettorare un altro discorso. Comincia infatti:

– Cari amici, il mio povero fratello deceduto è stato molto generoso verso quelli che ha lasciato in questa valle lacrimogena, e specialmente verso queste povere agnelline che amava e proteggeva, e che sono rimaste orfane di padre, orfane di madre. È vero, ma noi che lo conosciamo sappiamo che sarebbe stato anche piú generoso verso di loro, se non aveva paura di offendere il suo caro William e me. Non pensate anche voi che faceva certo cosí? Io ne sono persuaso, non ne ho il piú minimo dubbio. Ebbene, allora che razza mai di fratelli siamo noi, se cerchiamo di incespicare i suoi desideri, in un momento come questo? Che razza di zii siamo noi mai, se ci mettiamo a derubare, sí signori, a tosare, per cosí dire, queste povere agnelline che lui tanto amava, e in un momento cosí? Se io conosco William, e credo di conoscerlo, anche lui... Ma forse faccio meglio a chiederglielo –. Allora si volta e comincia a fare tanti gesti con le mani al duca, e il duca lo guarda con degli occhi da scemo, per un po' di tempo, e poi, di colpo, sembra che riesce a capire quello che l'altro vuol dirgli, allora fa uno zompo verso il re, e si mette a fare: – Gu-gu-gu, – tutto contento, e lo abbraccia almeno quindici volte prima di piantarla. Allora il re continua: – Ne ero sicuro, e penso che adesso tutti sono convinti di quello che pensa mio fratello. Ecco: Mary Jane, Susan, Joanna, prendete i denari, prendeteli tutti. Rappresentano il dono del nostro povero deceduto, che è freddo ormai, ma ha il cuore pieno di gioia.

Mary Jane allora avanza verso lui, Susan e Labbro leporino avanzano verso il duca, e ricominciano a sbavarsi e sba-
ciucchiarsi. E tutti stavano in giro con gli occhi pieni di
lacrime, e quasi tutti stringevano le mani di quei mascalzoni, e non la piantavano di esclamare:

– Che anime nobili! Che splendido gesto!... Ma come
potete essere cosí generosi?

Be', presto tutti ricominciano a parlare del deceduto, e
di come che era buono, e di che perdita che è stata, e altre
storie del genere, e dopo un po' di tempo un uomo alto
con mascelle robuste si fa strada dal di fuori, e si ferma ad
ascoltare e a guardare, senza dire una sola parola, e nessuno gli dice niente, perché il re stava parlando e tutti lo
ascoltavano attenti. Il re stava dicendo, nel mezzo di qualcosa che gli aveva offerto lo spunto:

– ... perché erano loro gli amici piú cari del deceduto,
ecco perché sono stati invitati questa sera. Ma domani voglio che vengano tutti, tutti quanti, perché lui rispettava
tutti, amava tutti, cosí che le sue orge funebri devono essere un evento pubblico.

E ti infila una scemenza dopo l'altra, come ubriacato dalle sue stesse parole, e dopo un poco ecco che sputa di
nuovo fuori le orge funebri, finché il duca non ne può piú,
e allora scrive sopra un pezzetto di carta: «Esequie, vecchio citrullo», e piega il pezzo di carta e si mette a fare:
– Gu-gu-gu, – e sporgendo la mano sulla testa della gente
gli consegna il biglietto. Il re lo legge, lo mette in tasca, e
dice:

– Il povero William, benché cosí addolorato, non per
questo cessa di pensare agli altri. Mi ha pregato di invitare
tutti a partecipare al funerale, vuole che tutti si sentano
come di casa, ma non deve avere nessuna paura, perché era
proprio ciò che stavo facendo in questo momento.

Poi riprende a parlare, tutto calmo e tranquillo, e di
tanto in tanto continua a sputare le orge funebri, come
prima. E quando ha scaracchiato quella frase la terza volta
dice:

– E dico orge, non perché è il termine usuale, perché
non lo è, il termine usuale essendo esequie, ma perché orge è la parola piú giusta. Oggi in Inghilterra non si parla
piú di esequie, che è una parola fuori moda. Oggi noi in
Inghilterra parliamo sempre di orge, e orge infatti è meglio, perché significa meglio la cosa che vogliamo, risulta

piú chiaro. È una parola che deriva dal greco *orgo*, che vuol dire aperto, fuori, e dall'ebraico *gisum*, che vuol dire piantare, coprire, e quindi seppellire. Cosí voi ora capite che orge funebri significa un funerale pubblico, al quale è invitato tutto il pubblico.

Era impossibile trovarne un altro come lui. Ma in questo momento l'uomo con le mascelle di ferro gli fa una bella risata sul muso. Tutti restano male, e gli dicono: – Ma via, dottore! – e Abner Shackleford gli dice:

– Ma Robinson, non avete ancora saputo la novità? Questo è Harvey Wilks.

Il re gli rivolge un affettuoso sorriso, e gli stende la zampa, e gli dice: – Siete dunque voi il caro amico e medico del mio povero fratello? Io...

– Giú quella mano! – dice il dottore. – Voi cercate di parlare come un inglese, vero? Devo dichiararvi che è la peggiore imitazione che ho mai sentito. Voi il fratello di Peter Wilks? Voi siete un ciurmatore, ecco quello che siete!

Be', dovevate vedere come si rivoltano tutti! Si fanno attorno al dottore, e cercano di calmarlo, di spiegargli tutto, di contargli come Harvey ha mostrato in mille maniere di essere proprio Harvey, e conosceva tutti per nome, e persino i nomi dei cani, e lo supplicano, lo pregano di non offendere Harvey, di non offendere le ragazze, e altre babbuinate del genere. Ma tutto era inutile, lui continuava a imprecare, e diceva che chi pretendeva di essere un inglese, e non riusciva a imitare la pronuncia inglese meglio di quel tale, era un volgarissimo ciurmatore, un autentico farabutto. Le povere ragazze intanto si erano attaccate al re, e piangevano, e improvvisamente il dottore si indirizza a loro e gli dice:

– Ero l'amico di vostro padre, e sono il vostro amico, e ora vi consiglio, da vero e onesto amico, che desidera proteggervi ed evitare che vi facciano del male e vi ingannino, di allontanare subito quel mascalzone, di non aver nulla a che fare con lui, con quest'ignorante farabutto, con tutto il suo greco ed ebraico, come lo chiama lui. È il piú scoperto impostore che ho mai incontrato, è giunto qui con dei nomi e delle informazioni che deve aver raccattato in qualche posto, e che voi avete scambiato per prove, e siete spinte a far delle sciocchezze da questi vostri sciocchi amici, che dovrebbero mostrare di essere un po' piú sennati.

Mary Jane Wilks, voi sapete che io sono un vostro amico, un vostro sincero amico. Ora prestatemi ascolto. Cacciate di casa questi miserabili mascalzoni, vi supplico. Mi presterete ascolto?

Mary Jane si rizza tutta, e dovevate vedere in quel momento com'era bella, e poi dice:

– Ecco la mia risposta –. E prende il sacchetto dei dollari e lo depone nelle mani del re e dice: – Prendete questi seimila dollari, e investiteli per me e per le mie sorelle nel modo che vi sembra meglio, e non voglio neanche ombra di ricevuta.

Poi butta le braccia al collo del re, e Susan e Labbro leporino la imitano subito. Tutti si mettono a battere le mani, a pestare i piedi, che facevano un chiasso d'inferno, mentre il re solleva la testa con un sorriso pieno di fierezza. Allora il dottore dice: – Fate come volete, io me ne lavo le mani. Ma vi avverto tutti che ben presto spunterà il giorno, quando il ricordo di questa vostra stupidità vi farà arrossire d'onta, – dopo di che se ne va.

– Benissimo, dottore, – gli replica il re, con tono ironico, – quel giorno vi manderemo a chiamare, – e tutti si mettono a sghignazzare, e dicono che era la stoccata che quello si meritava.

Capitolo ventiseiesimo

Be', quando sono partiti tutti, il re chiede a Mary Jane come stanno a camere per ospiti, e lei dice che hanno una sola camera libera, che va benissimo per zio William, e che lei cede la sua a zio Harvey, perché è un po' piú grande, e lei va a dormire nella camera delle sue sorelle, su di un lettuccio. In soffitta c'è poi una piccola stanzetta, con un pagliericcio. Il re dice che la stanzetta va benissimo per il suo valletto, che ero io.

Cosí Mary Jane ci porta sopra, e mostra le camere, che erano molto semplici ma carine. Poi dice che poteva portare via i suoi vestiti e altre cosucce, se per caso davano noia a zio Harvey, ma lui dice di lasciar stare tutto. I vestiti erano appesi lungo il muro e riparati da una tenda di percalle, che pendeva sino al pavimento. In un angolo c'era un vecchio baule di crine, in un altro una custodia di chitarra, e poi varie sciocchezze e gingilli, cui ricorrono, di solito, le ragazze per abbellire la loro camera. Il re dice che cosí era molto piú accogliente e graziosa, per via di tutti quei ninnoli, e che poteva lasciar stare tutto come era. La stanza del duca era molto piccola, ma anche quella comoda e linda, e cosí la mia.

Quella sera si fa una grande cena, e tutti gli uomini e le donne invitati erano presenti, e io stavo ritto in piedi, dietro le sedie del re e del duca e li servivo, mentre i negri servivano gli altri. Mary Jane sedeva a capo tavola, e aveva accanto Susan, e badava a dire che il pane era stato cotto molto male, e che le marmellate non valevano niente, e che il pollo fritto era duro come cuoio, e mal preparato, e altre sciocchezze del genere, come fanno sempre le donne per essere complimentate. Tutti sapevano benissimo che ogni cosa era squisita, e lo dicevano. Dicevano per esempio: – Ma come fate a ottenere delle pagnottine cosí

croccanti? – oppure: – Nel nome di Dio, dove avete trovato dei sottaceti cosí? – e altre corbellerie del genere, come
fa sempre la gente, quando è a tavola.

Quando il pranzo è finito, io e Labbro leporino si mangia in cucina gli avanzi, mentre gli altri aiutano i negri a
lavare le stoviglie. Labbro leporino attacca a farmi cantare
sull'Inghilterra, e che Dio mi benedica se non comincio a
sentirmi imbarazzato. Mi chiede per esempio:

– Hai mai visto il re?

– Chi? Guglielmo IV? Be' puoi essere sicura che l'ho
visto, viene sempre nella nostra chiesa –. Sapevo benissimo che era morto da molti anni, ma non c'era bisogno
che lo dico a una come lei. Cosí quando gli dico che viene
nella nostra chiesa, lei mi chiede: – Ma come... regolarmente?

– Certo, regolarmente. Il suo banco è proprio di fronte
al nostro, dall'altra parte del pulpito.

– Ma io credevo che viveva a Londra.

– Certo che vive a Londra. Dove deve vivere?

– Ma credevo che voi stavate a Sheffield!

M'accorgo subito che sono in un brutto impiccio. Allora
devo fingere che mi è andato di traverso un osso di pollo,
per guadagnare un po' di tempo e trovare una risposta adatta. Poi gli dico:

– Volevo dire che viene regolarmente nella nostra chiesa, quando si trova a Sheffield. Naturalmente è solo d'estate, quando viene a fare i bagni di mare.

– Ma cosa mi conti? Sheffield non è sul mare!

– Be', chi ti ha mai detto che è sul mare?

– Tu l'hai detto, proprio adesso.

– Manco per sogno!

– Ma sí!

– Ma no!

– Ma sí!

– Ma tu sogni!

– E allora cosa hai detto?

– Ho detto che viene a fare i bagni di mare, ecco che
cosa ho detto.

– Be'? Come si fa a fare i bagni di mare, se a Sheffield il
mare non c'è?

– Senti un po', – dico io; – hai mai visto dell'acqua di
Congress?

– Sí.

– Be', sei forse dovuta andare a Congress per prenderla?

– Certo che no!

– Ebbene Guglielmo IV non ha nessun bisogno di andare al mare per fare i bagni di mare.

– E allora come li fa?

– Li fa, come si fa qui per avere dell'acqua di Congress, la fa venire in barili. Nel palazzo che ha a Sheffield hanno delle grosse stufe, perché l'acqua del mare lui la vuole ben calda. Come ce la fanno a far scaldare tutta quell'acqua nel mare? Non ce la farebbero mai, non avrebbero le stufe.

– Adesso capisco. Ma potevi dirmelo subito, e cosí non dovevo farti tante domande.

Quando lei mi dice cosí capisco che, per quella volta, sono riuscito a scapolarmela, e mi sento di nuovo tranquillo. Poco dopo lei mi chiede:

– E tu vai in chiesa?

– Ma certo, regolarmente!

– E dove ti siedi?

– Be', nel nostro banco!

– Nel banco di chi?

– Ma nel nostro, quello di tuo zio Harvey.

– Nel suo? Ma cosa se ne fa lui di un banco?

– Per andarsi a sedere. Per cosa mai credi che può servire un banco?

– Be', io credevo che lui invece andava sul pulpito.

Al diavolo, avevo dimenticato ch'era un ministro! Vedo che mi trovo di nuovo in un brutto impiccio, e cosí ricorro a un altro osso di pollo e do un'altra spremuta alla zucca. Poi gli dico:

– Ma diavolo, ma credi che c'è solo un ministro in una chiesa?

– Ma che ne fanno di piú di uno?

– Ma come, per predicare davanti a un re! Mai visto una ragazza come te. Ne hanno nientemeno che diciassette.

– Misericordia! Diciassette! Io non ce la farei mai a starli a sentire tutti, anche se mi gioco il posto in cielo! Deve prendere una settimana!

– Ma senti, ma non predicano mica tutti e diciassette lo stesso giorno. Non predica che uno al giorno.

– E allora gli altri cosa fanno?

– Quasi niente. Vanno in giro, passano il vassoio delle offerte, si occupano di sciocchezze. Ma soprattutto non fanno niente.

– E allora perché li tengono?

– Ma per dar tono. Non capisci proprio niente?

– No, non capisco, e non voglio capire sciocchezze del genere. E come sono trattati i servi in Inghilterra? Li trattano meglio di come trattiamo noi i nostri negri?

– No, un servo non conta proprio niente là. Li trattano peggio dei cani.

– Ma non li lasciano mai liberi nelle feste, come facciamo noi a Natale, e la prima settimana dell'anno, e il quattro di luglio?

– Che idee! Basta quello per capire che non sei mai stata in Inghilterra. Ma mia cara Labbro... voglio dire, cara Joanna, quelli non hanno mai un giorno di festa, dal primo all'ultimo dell'anno, non vanno mai al circo, né a teatro, né agli spettacoli, non vanno mai in nessun posto.

– Neppure in chiesa?

– Neppure in chiesa.

– Ma tu ci andavi sempre in chiesa!

Be', eccomi negli impicci un'altra volta. Avevo dimenticato che ero io il servo del vecchio. Ma il momento dopo ho già imbastito una specie di spiegazione, e le conto su che un valletto è diverso da un servo comune, e che lui sí, deve andare in chiesa, che gli piaccia o no, e deve sedere accanto alla famiglia, perché la legge vuole cosí. Ma la spiegazione questa volta non mi riesce molto bene, e quando ho finito m'accorgo che non era molto convinta. Lei mi dice:

– Parola d'un indiano, non mi hai contato un sacco di storie?

– Parola d'un indiano, – rispondo io.

– Neanche una?

– Neanche una? Manco mezza!

– Allora metti la mano su questo libro e giura.

Io vedo subito che non è altro che un vecchio vocabolario e cosí ci metto la mano sopra e giuro. Allora lei ha l'aria un po' piú soddisfatta, e dice:

– Be', adesso credo a qualcuna delle storie che mi hai contato. Ma sarei ben scema se ci credo a tutte.

– Cos'è che non vuoi credere, Jo? – dice Mary Jane entrando in cucina con Susan dietro. – Non è bene, non è gentile da parte tua parlargli cosí, considerando che è un forestiero, e cosí lontano dai suoi. Forse che ti piacerebbe se ti trattassero te in quel modo?

– Già, tu fai sempre cosí, tata, sempre pronta a proteggere il primo venuto, per paura che gli facciano male. Ma io non gli ho fatto niente. Mi ha sballato delle storie, penso e io gli ho detto che non le bevevo, ecco tutto. Credo che una cosa cosí non lo offende mica, vero?

– Non me ne importa affatto se è una cosa cosí o una cosa cosà. Lui è in casa nostra, ed è un forestiero, e non è stato gentile parlargli in quel modo. Se fossi al suo posto, proveresti vergogna, e cosí non devi mai dire niente a nessuno per farlo vergognare.

– Ma pensa, tata, che mi ha detto...

– Non me ne importa niente di quello che ti ha detto, e non si tratta di quello che ha detto. Quello che importa è che devi trattarlo bene, e non dirgli delle cose che gli fanno ricordare che è lontano dal suo paese e dai suoi.

Io mi dico: «E questa è la ragazza che io lascio che quel vecchio serpente gli porti via tutti i soldi!»

Poi ecco che attacca Susan, e dovete credermi quando vi dico che anche lei dà una bella passata a quella povera Labbro leporino.

Allora io mi dico: «E questa è l'altra che io lascio che quel vecchio mascalzone gli rubi ogni bene!»

Allora Mary Jane riprende lei, e questa volta si mette a parlare dolce e gentile, com'era la sua abitudine, ma quando ha finito, di povero Labbro leporino non ne restava piú niente. Tanto che infine la poveretta si mette a urlare e a piangere.

– Bene, bene, allora, – dicono le due ragazze, – chiedigli scusa.

E lei mi chiede scusa, e me la chiede con tanta gentilezza, con tanta dolcezza, che faceva proprio piacere sentirla, e io ero disposto a cantarle altre mille balle per poterla sentire un'altra volta.

Allora mi dico: «E questa è la terza che lascio che venga derubata». E quando mi ha chiesto scusa, tutte si dànno d'attorno perché anch'io mi senta a mio agio, e io mi accorgo subito che mi trovo fra dei veri amici. Mi sento un tale verme, un tale mascalzone che devo dirmi: «Basta, ormai è deciso, ci penso io a mettere al sicuro i soldi per loro, o crepo!»

Dopo di che mi alzo per andare a letto, gli dico, ma con l'intenzione di andarci quando che potrò. Quando sono solo comincio a pensare all'impiccio in cui mi trovo. Comincio a dirmi, forse che devo andare di nascosto dal dottore, e contargli la verità su questi farabutti? No, la cosa non va. Lui può magari dire chi è che gliel'ha detto, e allora il re e il duca diventano una compagnia piuttosto pericolosa. Devo forse andare di nascosto e contare tutto a Mary Jane? No, neanche questo va. La sua faccia è come un libro aperto, si legge tutto, e sono loro che hanno in tasca i soldi, e scappano subito e glieli portano via. Se lei poi va a cercare aiuto, anch'io ci vado di mezzo, prima che tutto è sistemato, penso. No, c'è solo una maniera che va bene. Non so ancora come, ma devo rubare i denari, rubarli in maniera che quelli non si sognano manco di sospettare di me. Qui hanno trovato da piantare la vigna, e non se ne vanno finché non hanno spremuto tutto quello che possono da questa famiglia e da questo paese, e cosí non sarà né il tempo né l'occasione che mi mancano. Io devo rubare quei soldi, e nasconderli, e poi piú tardi, quando sarò tornato sul fiume, scrivo una lettera e dico a Mary Jane dove che ho nascosto i suoi soldi. Ma è forse meglio se li rubo stanotte, se posso, perché forse il dottore non ha rinunziato a smascherarli, come sembra lasciar credere, e può magari spaventarli e farli scappare.

Cosí, mi dico io, devo andare a frugare nelle loro camere. Al piano superiore il corridoio era scuro, ma riesco a trovare la stanza del duca e comincio a tastare in giro con le mani, ma poi penso che il re non è certo un tipo che lascia a un altro la briga di tenergli i soldi, e cosí vado nella sua camera, e mi metto a tastare in giro. Ma ben presto capisco che non posso combinare niente di buono senza una candela, e naturalmente non osavo accenderla. Cosí, mi dico, devo ricorrere a un altro mezzo: aspettare qui e ascoltare quello che dicono. Proprio in quel momento sento i loro passi che salgono, e stavo già per infilarmi sotto il letto e mi avvicino a dove credevo che c'era, e non lo trovo. Tocco invece la tenda che copriva i vestiti di Mary Jane e salto dietro quella, e mi infilo tra i vestiti e rimango là, fermo come una statua.

Quelli entrano, e chiudono la porta, e la prima cosa che il duca fa è di andare a guardare sotto il letto. E cosí sono contento di non averlo trovato quando pensavo di infilarmi sotto. Eppure, come sapete, è una cosa che viene quasi naturale andarsi a nascondere sotto il letto, quando si cerca di fare qualcosa di nascosto. Poi i due si siedono e il re dice:

– Be', cosa avete? E, mi raccomando, fatela corta, perché è meglio se si torna giú a dare una mano ai pianti e alle preghiere, che non stare quassú e lasciarli soli, ché possono parlare dietro le nostre spalle.

– Be', si tratta di questo, caro Capeto. Che io non mi sento molto sicuro... non mi sento tranquillo. Non faccio altro se non pensare a quel dottore, e cosí ci tengo a conoscere le vostre intenzioni. Io, da parte mia, ho un progetto, che credo che non è troppo male.

– E quale sarebbe, duca?

– Che è meglio che ce la scapoliamo di qui, prima delle tre del mattino e ce la battiamo giú per il fiume, con quello che siamo già riusciti a incassare. Soprattutto visto che abbiamo intascato quei soldi con tanta facilità, che ce li hanno messi loro nelle mani, ce li hanno buttati addosso, per cosí dire, quando naturalmente noi si pensava che dovevamo rubarli piú tardi. La mia idea è di prendere quei soldi e far piazza pulita al piú presto.

Quell'idea non mi garbava affatto. Solo un'ora o due prima la pensavo magari in modo diverso, ma adesso mi irritava e mi metteva negli impicci. Ma il re risponde:

– Come! Andarcene senza aver venduto il resto dei beni? Allontanarci come un paio di cretini, e lasciar perdere otto o novemila dollari di beni, che non chiedono altro se non di venire intascati? E tutti beni che si possono vendere facilmente, in un attimo...

Il duca continua a borbottare, e dire che il sacchetto d'oro può bastare, e che lui non aveva intenzione di continuare quel gioco, che non gli piaceva rubare a degli orfani tutto quello che avevano.

– Che babbuinate! – dice il re. – Tanto piú che non gli rubiamo un bel corno, se non questi soldi. Chi resta ciurlato sono quelli che comperano i beni, perché, non appena si scopre che noi non siamo i legittimi proprietari, e lo scoprono subito appena scappiamo, i contratti non hanno piú nessun valore, e tutto torna al suo legittimo proprietario. Cosí che queste vostre povere orfanelle tornano ad avere la loro casa, e ne hanno da vendere. Sono giovani, e in gamba, e possono facilmente guadagnarsi da vivere. Insomma non sono loro che devono pagarne le spese. E poi, pensateci un momento: in questo mondo ci sono migliaia di perso-

ne, che non hanno certo la loro fortuna. Che Dio le benedica, ma non hanno affatto il diritto di lamentarsi...

Be', il re tante gliene dice che lo convince, cosí che alla
fine cede e dice che va bene, ma però continua a pensare
che, secondo lui, è proprio da stupidi restare in quel posto,
e con quel dottore che gli pende sopra. Ma il re sbotta:

– Al diavolo quel vostro dottore! Cosa ce ne importa?
Forse che non abbiamo dalla nostra tutti gli idioti del paese? e gli idioti non costituiscono sempre la maggioranza in
ogni paese?

Cosí sono pronti a scendere sotto. Il duca dice:

– Non credo che abbiamo messo in un posto sicuro quel
denaro!

Quello mi fa piacere, perché cominciavo ad avere paura
che magari non ne parlavano e io non potevo saperne niente. Il re dice:

– E perché?

– Perché Mary Jane da questo momento in poi porterà
il lutto, e prima che ci pensiamo vengono i negri a rifare la
camera, con l'ordine di mettere tutto a posto e di portar
via i vecchi vestiti. E voi credete che un negro può trovarsi
a tu per tu con dei soldi, e non prenderne qualcuno, per
ricordo?

– Adesso ragionate di nuovo bene, duca, – dice il re, e
viene a frugare dietro la tenda, a due o tre passi da dove
ero nascosto io. Io mi spiaccico contro il muro, e resto
assolutamente immobile, ma tremavo tutto e mi chiedevo
che cosa potevano dire quei due se mi sorprendevano, e
cominciavo a pensare cosa dovevo inventare, se mi scopri-
vano. Ma il re aveva già afferrato il sacchetto prima che
ero riuscito a spremere mezzo pensiero, e non ha il minimo sospetto che io mi trovo da quelle parti. Prendono il
sacchetto, e lo infilano in un taglio nel grosso saccone di
paglia che c'era sotto il piumino, e lo cacciano un piede o
due nel mezzo della paglia, dicendo che adesso è certo al
sicuro, perché un negro non bada che a sprimacciare il
piumino, e il saccone di paglia non lo volta che una o due
volte all'anno, cosí che non c'è nessun pericolo che trovano il gruzzolo.

Naturalmente io la pensavo diverso. Non erano ancora
giunti a pianterreno, che già avevo tirato fuori il mallop-
po. Poi salgo a tastoni sino nella mia camera, e lo nascondo là, in attesa di trovare il posto piú adatto. Penso che

era meglio nasconderlo in qualche posto fuori casa, perché, quando si accorgono che non c'è piú, è certo che si
mettevano a ispezionare con cura tutta la casa; di quello
non avevo nessun dubbio. Poi mi caccio a letto, vestito
com'ero, ma non riuscivo a dormire, manco se lo volevo,
perché non vedevo l'ora di sistemare tutto. Passa del tempo, e infine sento che il re e il duca sono saliti nelle loro
camere. Cosí io salto giú dal mio pagliericcio, e mi stendo
col mento per terra, a sommo della scaletta, per vedere se
mai capita qualcosa. Ma non capita niente.

Aspetto finché anche gli ultimi rumori sono spenti e i
primi segni del risveglio non sono ancora cominciati, e poi
scivolo quatto, giú per la scaletta.

M'avvicino in punta di piedi alla loro porta e tendo l'orecchio: russavano. Allora, sempre in punta di piedi e senza far rumore, scendo al piano terreno. Silenzio di tomba. Spio attraverso una fessura nella porta della sala da pranzo, e vedo che gli uomini che dovevano vegliare il cadavere dormono tranquilli sulle loro sedie. La porta che dava nel salotto, dove era esposto il cadavere, era aperta e in ognuna delle due stanze c'era una candela accesa. Io continuo ad avanzare. La porta del salotto era aperta e vedo che nel salotto non c'è nessuno, se non il cadavere del povero Peter. Procedo oltre, ma la porta d'ingresso è chiusa a chiave, e nella toppa la chiave non c'era. Proprio in quel momento sento il rumore di qualcuno che scende le scale alle mie spalle. Corro nel salotto, mi guardo inquieto in giro, e l'unico posto buono che trovo, dove nascondere il sacchetto, è la bara. Il coperchio era abbassato di circa un piede, per lasciar vedere la faccia del cadavere, coperta da un panno umido. Il corpo è avvolto nel sudario. Io infilo il sacchetto d'oro sotto il coperchio, suppergiú all'altezza dove si trovano le mani incrociate, e rabbrividisco tutto nel sentirle cosí fredde, poi attraverso di corsa la stanza e mi nascondo dietro la porta.

La persona che stava scendendo era Mary Jane. Essa si avvicina alla bara in silenzio, si inginocchia, e si mette a guardare. Poi porta un fazzoletto agli occhi, e vedo che comincia a piangere, anche se non la sento, perché mi voltava le spalle. Allora scivolo via, e mentre attraverso la sala da pranzo penso ch'era meglio essere sicuro che quelli che vegliavano non mi avevano visto. Cosí guardo di nuovo attraverso la fessura, ma tutto era in ordine: non s'erano mossi.

Allora mi infilo a letto, ma non molto soddisfatto, per-

ché l'affare s'era concluso cosí, dopo che m'ero preso tante
pene e avevo corso tanti rischi sperando di combinare qualcosa di ben meglio. Mi dico infatti che se il sacchetto resta
dove si trova, tutto va bene, perché una volta tornato sul
fiume e percorso un cento o duecento miglia, potevo scrivere a Mary Jane, e lei poteva far aprire la tomba e riprendere i denari. Ma non è cosí che va a finire. Va a finire che
scoprono il sacchetto, quando vanno a inchiodare il coperchio della bara. Allora il re riprende i suoi soldi, e dovrà
passare un bel tempo, prima che qualcuno abbia la possibilità di rimetterci le mani sopra. Naturalmente avevo intenzione di tornare giú a riprendere il sacchetto, ma non me
ne sentivo il coraggio. Ormai ogni minuto che passava era
sempre piú vicino all'alba, e ben presto alcuni degli uomini della veglia magari si ridestano, cominciano a muovere, e
io potevo venir sorpreso, sorpreso con in mano seimila dollari, che nessuno m'ha incaricato di sistemare. Non ho la
minima intenzione di trovarmi in un guaio simile, mi dico.

Il mattino, quando scendo sotto, il salotto era chiuso e
gli uomini della veglia se ne erano andati. In giro non c'era
altri se non i membri della famiglia, la vedova Bartley, e la
nostra tribú. Io spio le loro facce per vedere se si sono
accorti di niente, ma non riesco a capirlo.

Verso la metà del giorno viene l'impresario delle pompe
funebri, con un suo inserviente e sistemano la bara nel
mezzo della stanza, la piazzano su di un paio di sedie, e poi
mettono tutte le sedie in fila, e se ne fanno imprestare
anche dai vicini, tanto che l'entrata, il salotto e la sala da
pranzo ne erano piene. Io vedo che il coperchio della bara
è esattamente come prima, ma, mi capite, con tanta gente
in giro, non osavo certo guardare sotto.

La gente comincia a entrare, e i due farabutti e le ragazze prendono il loro posto in prima fila, a capo della bara, e
per mezz'ora la gente passa davanti lenta, uno dopo l'altro,
contemplano un momento la faccia del morto, e qualcuno
magari sparge una lacrima, e tutto era molto tranquillo e
solenne, solo che le ragazze e i due furfanti si portavano il
fazzoletto agli occhi, e tenevano chine le teste, e di tanto
in tanto scappava fuori un singhiozzo. Non si sentiva altro
rumore, se non lo stropicciare dei piedi per terra, e qualcuno che si soffia il naso, perché la gente ai funerali si soffia il
naso molto piú che in qualsiasi altro posto, salvo che in
chiesa.

Ormai le stanze erano zeppe, e allora, silenzioso come un gatto, l'impresario va in giro con i suoi guanti neri, con quel suo fare che sembra una carezza, a dar gli ultimi tocchi, a mettere tutto e tutti in ordine, perché tutto fili come sull'olio. Non dice una parola, muove la gente, stringe un poco gli ultimi arrivati, apre dei passaggi, e ottiene tutto semplicemente con cenni e gesti della mano. Poi riprende il suo posto contro il muro. Era la persona piú silenziosa, piú insinuante, piú lubrificata che ho mai conosciuto, e sulla sua faccia non si vedeva ombra di sorriso, sempre seria come un prosciutto.

Si erano fatti imprestare un armonium, ma era un po' sfiatato. Quando tutto è pronto una signorina si siede e comincia a lavorarci sopra, ma guaiva tanto e aveva tanto mal di pancia, e tutti si mettono a cantare, che Peter era quello che stava meglio, secondo me. Poi il reverendo Hobson attacca lui, lento e solenne, e comincia a parlare, e immediatamente nella cantina scoppia il piú tremendo baccano che si è mai sentito. Non si trattava che di un cane, ma faceva un chiasso come venti, e non la piantava un minuto. Il povero ministro deve stare zitto vicino alla bara e aspettare, perché con quel chiasso uno non poteva neanche sentirsi pensare. Era un fracasso terribile, e nessuno sembra saper cosa fare. Ma ben presto si vede l'impresario dalle gambe lunghe che fa un segno al ministro, come per dirgli: – Non preoccupatevi, ché ci penso io –. Poi si curva un poco, e comincia a scivolar lungo il muro, e non si vedeva che le spalle che si muovevano sopra le teste della gente. E mentre scivola cosí, l'urlio e il chiasso diventano sempre piú spaventosi. Finalmente quando è scivolato per due lati della stanza scompare verso la cantina. Circa due secondi dopo, sentiamo il colpo di una gran pacca, e il cane lancia ancora uno dei piú tremendi ululati che ho sentito, poi silenzio completo, e il ministro riprende il suo solenne discorso nel punto preciso dove che l'ha piantato. Dopo un minuto o due ecco rispunta l'impresario, che riprende a strofinare spalle e schiena contro il muro di fondo, e striscia e avanza lungo tre lati della stanza, poi si alza in piedi e, coprendo la bocca con le mani, stira il collo verso il prete, sopra le teste della gente, e sussurra con voce soffocata: – Aveva un topo! – Poi scivola di nuovo lungo il muro, e raggiunge il suo posto. Si vede subito che tutti ne restano soddisfatti, perché naturalmente morivano dalla voglia di sapere cosa era. Una piccola cosa cosí non costa niente, ma son proprio le piccole cose del genere che rendono simpatica una persona e ne fanno la fortuna. In tutto il paese infatti non c'era persona piú popolare di questo impresario.

Be', il discorso funebre era bellissimo, ma tremendamente lungo e noioso. Poi avanza il re, e anche lui deve squadernare le sue solite fesserie, e finalmente tutto è finito, e l'impresario comincia a scivolare verso la bara, col cacciavite in mano. In quel momento ero tutto un sudore, e l'osservavo senza perderlo di vista un istante. Lui si limita ai pochi movimenti necessari, fa combaciare il coperchio come se lo spingesse su del velluto, poi lo avvita rapidamente. Cosí che io mi trovo al punto di prima. Che non sapevo se il denaro era dentro la bara oppure no. «Supponiamo», mi dico io, «supponiamo che qualcuno ha preso il sacchetto, senza farsene accorgere? Ora, come faccio a sapere se devo o non devo scrivere a Mary Jane? Supponiamo che fa disseppellire lo zio, e che poi non trova niente, allora cosa penserà di me? Che Dio mi benedica», penso «possono magari cercarmi e mettermi in prigione. È meglio se sto zitto, acqua in bocca, e non scrivo niente. La situazione adesso è troppo intricata, e se cerco di migliorarla la peggioro cento volte, e vorrei aver lasciato stare tutto com'era, che Dio maledica questo pasticcio!»

Lo seppelliscono, noi si torna a casa, e io ricomincio a scrutare le facce. Non potevo farne a meno, non potevo stare tranquillo, ma le facce non mi dicevano niente.

Il re verso sera va in giro a far visite, ed era gentile con tutti, e se li faceva tutti amici. Poi si mette a dire che la sua congregazione in Inghilterra non vede l'ora di riaverlo, cosí che era costretto a sbrigare tutto in fretta, e disporre il piú rapidamente possibile dei beni lasciati dal fratello, per poter tornare alla sua chiesa. Gli rincresceva molto dover agire con tanta premura, e anche alla gente rincresce: tutti sarebbero stati cosí contenti se poteva fermarsi di piú, ma dicevano che capivano che era una cosa impossibile. E lui dice che, naturalmente, lui e William si portano dietro le ragazze, a vivere con loro, e anche questa è una cosa che piace a tutti, perché cosí le ragazze si trovano ben sistemate, presso dei parenti. Le ragazze poi ne restano cosí incantate che dimenticano immediatamente ogni dolore, e gli dicono di vendere tutto il piú in fretta possibile, ché

loro saranno pronte. Quelle povere innocenti erano cosí
contente e felici, che mi faceva male al cuore vederle turlu-
pinate in quel modo, ma non mi veniva fatto di trovare
qualche maniera per intervenire e cambiare il tono della
musica.

Be', che sia maledetto se il re non fa immediatamente
notificare la vendita all'asta della casa, dei negri e ogni
proprietà: la data viene fissata a due giorni dopo il funerale, ma chiunque voleva poteva comperare anche prima, in
privato.

Cosí il giorno dopo il funerale, verso mezzogiorno, la
felicità delle ragazze subisce la prima doccia fredda: arriva
un paio di negrieri, e il re gli vende tutti i negri a un
prezzo ragionevole, per una tratta pagabile a tre giorni,
come dicono, e i negri devono far fagotto: i due figli risalgono il fiume verso Memphis, mentre la madre invece viene
avviata a Orleans. Per un momento credo che le povere
ragazze e quei negri stanno per morire dal dolore, si abbracciavano, e piangevano, ed erano cosí tristi, che proprio
non mi reggeva il cuore di assistere alla scena. Le ragazze
dicono che non si sarebbero mai immaginate di vedere la
famiglia divisa, o venduta fuori del paese. Non posso ancora adesso dimenticare la vista di quelle poverette, cosí addo-
lorate; di quei negri che si abbracciavano e piangevano
disperati, e io penso che non potevo resistere allo spettacolo, ma che saltavo nel bel mezzo e dicevo la verità, se
non avessi saputo che la vendita non aveva nessun valore,
e che i negri tornavano sicuramente a casa, in una settimana o due.

La vendita fa chiasso in città, e molti dicono quello che
pensano, e osservano che è scandaloso separare una madre
dai suoi figli, in quella maniera. I due farabutti ne risento-
no il contraccolpo, ma il vecchio idiota continua per la sua
strada, nonostante tutte le proteste del duca, e vi assicuro
che il duca non si sentiva affatto tranquillo.

Il giorno dopo era il giorno dell'asta. Non appena è giorno fatto, il re e il duca salgono in soffitta, e mi svegliano, e
dalla faccia capisco che c'è qualcosa che non va. Il re mi
dice:

— Sei stato in camera mia l'altro ieri notte?

— No, Vostra Maestà, — perché lo chiamavo sempre cosí, quando eravamo tra noi.

— Ci sei stato ieri, o ieri sera?

– No, Vostra Maestà.

– Parola d'onore eh, e non mentire!

– Parola d'onore, Vostra Maestà, vi dico la verità. Non sono stato in camera vostra, da quando la signorina Mary Jane vi ha portato su, e ve l'ha mostrata a voi e al duca.

Il duca allora:

– Hai visto qualcuno entrare in camera nostra?

– No, Vostra Grazia, non che me ne ricordi.

– Be', pensaci bene un momento.

Io ci penso un momento, e trovo subito la scappatoia, e cosí dico:

– Adesso che ci penso, ho visto i negri entrarci parecchie volte.

Tutti e due dànno un piccolo zompo, e hanno l'aria come se non si aspettavano una cosa simile, e al tempo stesso se l'aspettavano. Poi il duca chiede:

– Ma come, tutti i negri?

– No, o almeno non tutti insieme. Cioè, non credo di averli visti uscire tutti insieme, se non una volta sola.

– E quando? quando li hai visti?

– È stato il giorno che c'è stato il funerale. Nel mattino. Mi sono alzato un po' tardi, perché ero rimasto addormentato. Stavo proprio scendendo la scaletta, quando li ho visti.

– Be', forza, avanti, che cosa facevano? come si comportavano?

– Non facevano niente. E non si comportavano in nessun modo speciale, almeno per quanto ho potuto capire. Se ne sono andati in punta di piedi, e cosí ho immaginato che erano entrati per mettere in ordine la camera di Vostra Maestà, o qualcosa del genere, pensando che voi vi eravate già alzato, e che poi si erano accorti che voi non eravate ancora alzato, e cosí se ne andavano in punta di piedi, sperando di non svegliarvi, se non vi avevano già svegliato.

– Corpo di mille fulmini, questo è un bell'affare! – dichiara il re, e tutti e due sembravano di colpo malati, con un'aria un po' scema. Restano fermi a pensare, e si grattano la pera un minuto, e poi il duca ridacchia in modo sarcastico e fa:

– E quello che corona l'impresa è come hanno recitato i negri. Facevano finta di essere afflitti di doversene andare dal paese, e io credevo che lo erano proprio. E anche voi l'avete creduto, e tutti l'hanno creduto. Non ditemi piú che un negro non possiede talento istrionico. Al modo come hanno recitato ieri, chiunque si lasciava ingannare. Io ho sempre pensato che c'è una vera fortuna nei negri. Se avessi il capitale e un teatro, non cercherei altro. Ed ecco che noi li abbiamo venduti per una sciocchezza. Speriamo almeno che non sia una fregatura anche la tratta. Sentite un po', dove si trova?

– In banca, per l'incasso. Dove dovrebbe trovarsi?

– Be', quella almeno è al sicuro, che Dio sia ringraziato.

Allora dico io, con un'aria timida:

– C'è qualche cosa che non va?

Il re si volta di scatto, e mi urla:

– Caccia il naso nei tuoi affari. La cosa non ti riguarda e tieni ben chiusa la bocca, se non vuoi trovarti nei guai. Fino a quando restiamo in paese, non dimenticarti mai la consegna, capito? – Poi dice al duca: – Non ci resta che tranguggiare il boccone, e non dire niente: la consegna è acqua in bocca.

Mentre si avviano verso la scaletta, il duca ridacchia un'altra volta e dice:

– Vendite spicce e profitti modesti! Sí, ottimi affari si fanno, cosí!

Ma il re gli risponde inviperito:

– Cercavo di fare del mio meglio a venderli in fretta. Se il profitto si è ridotto a poco, anzi si è risolto in una perdita, è forse colpa mia piú che vostra?

– Be', quelli sarebbero ancora in questa casa, e noi non ci saremmo piú se si fosse seguito il mio consiglio.

Il re gli risponde a tono per come può, e poi si volta di nuovo verso di me e mi dà una passata. Mi fa una bella lavata di testa perché non sono subito andato a dirgli che avevo visto i negri uscire dalla camera sua, e che si comportavano in modo cosí strano, e dice che qualunque cretino si poteva accorgere che c'era qualcosa sotto. Poi se la piglia con se stesso, e dice che tutto deriva dal fatto che non era rimasto a letto tardi, quel mattino, e non s'era riposato come al solito, e che potesse venir dannato se ancora una volta gli capitava di comportarsi cosí. Poi se ne vanno, sempre imprecando, e io sono molto contento d'aver scaricato tutto sui negri, senza che i negri devono portarne la minima conseguenza.

Dopo un poco è ora di alzarsi, cosí io infilo la scaletta e faccio per scendere al pianterreno, ma quando passo davanti alla stanza delle ragazze vedo la porta aperta e Mary Jane seduta vicino al suo vecchio baule, che è aperto. Era intenta a preparare le sue cose per poter partire per l'Inghilterra. Ma in quel momento si era fermata, con un vestito piegato sulle ginocchia, e si stringeva il volto tra le mani, e piangeva. A vedere un simile spettacolo mi sento molto giú di corda, come si sarebbe sentito chiunque. Allora entro nella sua stanza e gli dico:

– Signorina Mary Jane, voi non potete sopportare l'idea di vedere della gente triste, e neppure io lo posso o, almeno, di solito non lo posso. Ditemi, cosa avete?

E lei me lo dice. Si trattava sempre dei negri, come già sospettavo. Mi dice che la gioia del viaggio in Inghilterra è quasi completamente rovinata, e che non sapeva come poteva poi fare a vivere felice lassú, ricordando che una madre e i suoi figli non si sarebbero mai piú visti. E a questo punto scoppia a piangere piú forte di prima, e alza al cielo le mani, e dice:

– Ma pensate, pensateci, che non potranno mai piú rivedersi!

– E invece si rivedranno, e in meno di due settimane. Lo so di sicuro, – dico io.

Dio santo, m'era scappato prima che me n'ero accorto, e prima ancora che posso muovere lei mi butta le braccia al collo, e mi prega di dirgli di nuovo quelle parole, di ripeterle ancora, ancora!

Io mi accorgo che avevo parlato troppo presto, che avevo detto troppo, e che sono in un brutto guaio. Allora la prego di lasciarmi riflettere un minuto, e lei mi sedeva davanti, impaziente e tutta eccitata, ed era cosí bella, e aveva un'aria felice e tranquilla, come qualcuno che si è fatto finalmente strappare un dente. Cosí io mi metto a pensare. Mi dico che una persona che salta su e dice la verità, quando si trova in una situazione difficile, si espone certo a molti rischi, anche se io personalmente non ne ho mai fatto la prova, e non posso esserne assolutamente sicuro. Ma però a me mi sembra cosí. Però ecco un caso dove, che sia maledetto se non mi pare che la verità è meglio e, tutto sommato, piú sicura che non una bugia. Devo pensarci bene, mi dico, e ricordarmi di pensarci su quando ho un po' di tempo libero, perché mi sembra una cosa strana e contraria a tutto quello che ho sempre creduto. Per me è una vera scoperta. Be', mi dico infine, questa volta rischio, mi faccio coraggio e dico la verità, anche se mi sembra quasi come sedermi sopra un barile di polvere e accostarci la miccia, tanto per vedere dove vado a finire. Poi dico: – Signorina Mary Jane, conoscete qualche posto vicino al paese, ma un po' fuori mano dove potete andare a fermarvi tre o quattro giorni?

– Sí, dal signor Lothrop. Perché?

– Non chiedetemi il perché, per ora. Se io vi dico com'è che so che i negri si rivedranno, e in meno di due settimane, e qui in questa casa, e vi do le prove che lo so, voi andate dal signor Lothrop, a passare quattro giorni?

– Quattro giorni, – dice lei, – ma io ci sto un anno!

– Benissimo, – dico io, – a voi non chiedo altro se non la vostra parola, e ho piú fiducia nella vostra parola nuda e cruda, che non vedere un altro baciare la Bibbia –. Lei sorride e arrossisce un poco, ed era anche piú carina, e io gli dico: – Se lo permettete, preferisco chiudere la porta, e ci metto anche il chiavistello.

Poi torno vicino a lei, mi siedo, e gli dico:

– Adesso, vi prego, niente chiasso. Restate tranquilla, e ascoltate la verità, come un uomo. Devo dirvi la verità, e voi dovete farvi forza, signorina Mary, perché è una brutta verità, che vi farà male a sentirla, ma non c'è altro modo per risolvere la situazione. Questi vostri zii non sono affatto vostri zii, ma un paio di mascalzoni, dei veri furfanti. Ecco, ormai il peggio è passato, e il resto potete ascoltarlo con piú calma.

Lei naturalmente era tutta agitata, e fremeva, ma ormai io mi trovavo in acque tranquille, e cosí continuo calmo, mentre gli occhi le scintillavano come braci, e le conto

ogni cosa, da quando avevamo trovato il giovane cetriolo
diretto al battello, sino al punto dove lei si era abbandonata sul petto del re, davanti alla porta d'ingresso, e lui l'aveva baciata sedici o diciassette volte. Allora lei non riesce
piú a contenersi e salta su con la faccia rossa come un pomo-
doro e mi dice:

— Che mascalzoni! Vieni, non perdiamo un minuto, neppure un secondo, li faccio spalmare di catrame e di penne,
e buttare nel fiume!

Faccio io:

— Certo, ma prima di andare dal signor Lothrop, oppure?...

— Oh, — dice lei, — non capisco piú niente! — dice, e poi
ritorna tranquilla a sedere. — Non badare a quello che ho
detto, ti prego di non badarci. Non ci baderai vero? — e
posa la sua mano di seta sulla mia, e io mi dico che per lei
ero pronto magari anche a morire. — Non avrei mai creduto che mi sarei eccitata tanto, — dice lei. — Adesso continua, e io sto tranquilla. Dimmi cosa devo fare, ed io faccio
tutto quello che mi dici.

— Be', — faccio io, — quei due farabutti sono gente pericolosa, e io mi trovo in una situazione speciale, per cui devo
viaggiare con loro ancora un pezzetto, che mi piaccia o che
non mi piaccia, e preferisco non dirvene il motivo. Ora, se
voi li smascherate, gli abitanti del paese mi salveranno dalle loro grinfie, e io sono a posto, ma c'è un'altra persona
che voi non conoscete, che si troverà in un brutto impiccio.
Ora, noi dobbiamo salvarla quella persona, vero? Naturalmente che dobbiamo. Bene, allora bisogna stare zitti, e
non dire niente per il momento.

Le parole che ho pronunziato mi suggeriscono una buona idea. Vedo come magari mi riesce di liberarmi me e Jim
da quei mascalzoni, e farli imprigionare tutti e due in paese, e poi andarmene. Ma non volevo navigare sulla zattera
durante il giorno, io solo a bordo a rispondere a tutte le
domande, cosí che il mio piano non poteva entrare in funzione che molto piú tardi, a sera fatta. Cosí dico:

— Signorina Mary Jane, vi dico io cosa faremo. E in modo che voi non dovete restare troppo dal signor Lothrop.
Quant'è lontana la sua casa?

— Poco meno di quattro miglia, qui in campagna, dietro
il paese.

— Be', va benissimo cosí. Ora voi andatevene là, e restate

tranquilla fino alle nove, o alle nove e mezzo di stasera, e poi fatevi accompagnare a casa da quei vostri amici, dite che vi siete ricordata di una cosa che dovete fare. Se arrivate qui prima delle undici, mettete una candela a questa finestra, e se io non vengo da voi, aspettate sino alle undici, e poi se neppure allora vengo, vuol dire che me ne sono andato e che sono al sicuro. Allora potete fare cosa volete, e rivelare la verità a tutti, e fare imprigionare questi due mascalzoni.

– Benissimo, – dice lei, – faccio cosí.

– E se poi capita che non riesco a scappare, ma che vengo preso insieme a loro, allora voi dovete farvi avanti e dire che vi ho contato tutto prima, insomma dovete prendere le mie parti.

– Prendere le tue parti? Contaci pure! Che osi qualcuno toccarti un capello, a te! – dice lei, e vedo che le narici le vibrano, e gli occhi lampeggiavano, mentre dice cosí.

– Se io scappo prima, non posso trovarmi qui, – dico io, – per provare che questi mascalzoni non sono vostri zii, e non potrei bene, neppure se mi trovo qui. Posso giurare che sono due farabutti, e truffatori, e magari le mie parole possono servire a qualcosa. Ma ci sono altri che possono farlo molto meglio di me, della gente di cui nessuno può dubitare, come potrebbero invece di me. Adesso vi dico come trovarli. Datemi una matita e un pezzo di carta. Ecco: «*Il Camelopardo del Re, Bricksville*». Nascondete in qualche angolo questo pezzetto di carta, e non perdetelo. Quando il tribunale vuole scoprire qualcosa su questi due tipi, mandate qualcuno a Bricksville, a dire che avete preso i due farabutti che hanno recitato *Il Camelopardo*, e chiedete dei testimoni, e vi assicuro che tutto il paese è qui, prima che avete avuto tempo di batter ciglio, signorina Mary, e che vengono pieni di buone intenzioni, ve l'assicuro!

Mi pareva ormai d'aver pensato e sistemato tutto. Cosí gli dico:

– Lasciate pure che continuino con l'asta, e non preoccupatevi di niente. Nessuno deve pagare quello che compera, sino dopo ventiquattro ore, a motivo del poco tempo di preavviso, e loro non se ne vanno finché non hanno incassato quei soldi, e da come abbiamo sistemato tutto, la vendita non ha nessun valore, e loro non incasseranno mai quei soldi. Anche per l'asta è lo stesso come coi negri, ché non è stata una vera vendita, e i negri torneranno presto. Inoltre non possono ancora incassare i soldi ricevuti per la vendita dei negri. Vi assicuro che sono in una situazione molto brutta, signorina Mary.

– Be', – dice lei, – scendo giú un momento a far colazione, e poi andrò subito dal signor Lothrop.

– Attenta, che non è cosí che mi avete promesso, signorina Mary Jane, – dico io, – e non va, cosí. Partite prima di colazione.

– E perché?

– Ma perché pensate che io voglio allontanarvi di casa, signorina Mary?

– Già, non ci ho neppure pensato, adesso che lo dici. E non lo so. Perché vuoi mandarmi via?

– Ma semplicemente perché voi non avete una faccia di bronzo. Non ho mai visto un libro dove si legge piú chiaro che nella vostra faccia. Basta sedersi davanti a voi, e si legge tutto, come se fosse stampato a caratteri grossi. Pensate forse che sapreste affrontare i vostri zii, quando vi baciano e vi salutano, e stare...

– Basta, basta, per piacere, Sí, me ne vado prima di colazione, e non vedo l'ora di essere lontana, ma come faccio a lasciare qui le mie sorelle?

– Non pensateci. Loro devono sopportare la cosa ancora per qualche tempo. Se vi allontanate tutte e tre insieme, quelli possono sospettare qualcosa. Non dovete vedere né loro, né le vostre sorelle, né nessuno in paese. Se qualche vicino vi chiede come stanno i vostri zii stamane, la vostra faccia rivela qualcosa. No, andatevene via immediatamente, signorina Mary Jane, e ci penso io a contar loro qualche storia. Dico alla signorina Susan di salutare da parte vostra i vostri zii, e dire che vi siete allontanata solo per poche ore, per riposare un poco, e cambiar aria, o per vedere un'amica, e che tornate a casa stasera, o domani mattina presto.

– Che sia andata a vedere un'amica, va bene, ma non voglio che facciano i miei saluti a quei tali!

– Be', non li faranno –. Tanto valeva dir cosí, perché non c'era nessun danno. Era solo una sciocchezza, che non mi costava niente, e sono le sciocchezze che rendono piú facile la vita, quaggiú. Mary Jane si sentiva meglio, e a me non mi costava niente. Poi gli dico: – C'è ancora un'altra cosa... quel sacchetto di dollari.

– Be', quello ce l'hanno, e mi sento una vera stupida a pensare com'è che l'hanno avuto.

– No, anche in questo vi sbagliate. Non ce l'hanno piú.

– Come? E allora chi ce l'ha?

– Vorrei saperlo, ma non lo so. L'ho avuto io, perché l'ho rubato a loro, e l'ho rubato per darlo a voi, e so benissimo dove l'ho nascosto, ma ho paura che non si trova piú là. Ne sono molto mortificato e peggio, signorina Mary Jane, non potete manco immaginarvi quanto lo sono, ma ho fatto il meglio che potevo, ve lo giuro. Per poco non venivo sorpreso, e ho dovuto nasconderlo nel primo posto che mi è capitato sotto mano, e poi scappare, e non era certo un posto molto adatto.

– Smettila di accusarti, ché non posso sentirti e non te lo permetto. Evidentemente non hai potuto far meglio, e non è colpa tua. Dov'è che l'hai nascosto?

Ora io non volevo che lei si rimettesse a pensare ai suoi dolori, e non mi veniva di dirgli delle cose che gli dovevano far pensare a quel cadavere, steso nella bara, con quel sacchetto d'oro sulla pancia. Cosí che per il momento non dico niente, e poi:

– Preferisco non dirvi dove l'ho messo, signorina Mary Jane, se a voi non rincresce. Ma ve lo scrivo su un pezzo di carta, e voi potete leggerlo mentre andate dal signor Lothrop, se lo volete. Credete che cosí può andare?

– Certamente.

Allora scrivo: «L'ho messo nella bara. Mi trovavo giú, quella notte, quando voi siete andata a pregare e piangevate. Ero nascosto dietro la porta, ed ero cosí triste per voi, signorina Mary Jane».

Mi sento gli occhi pieni di lacrime, a ricordare come piangeva tutta sola, quella notte, mentre quei serpenti dormivano sotto il suo stesso tetto, e la coprivano d'onta, e volevano rubargli fin la camicia a quelle poverette. Quando poi piego il foglio e glielo consegno, vedo che anche lei aveva gli occhi pieni di lacrime, e lei mi stringe la mano, me la stringe forte, e mi dice:

– Addio. Farò tutto esattamente come mi hai detto di fare, e se capita che non ti vedo piú, non mi dimenticherò mai di te, e penserò a te tante e tante volte, e pregherò per te anche! – E scompare.

Pregare per me! Penso che, se mi conosceva meglio, si sarebbe sobbarcata a un'impresa piú nel limite delle sue forze. Ma credo anche che magari lo faceva lo stesso, perché era una donna così. Avrebbe avuto il coraggio di pregare per Giuda Scariotta, se gli saltava in mente. Non c'era niente che poteva spaventarla, credo. Potete dire quello che volete, ma secondo me c'era in lei qualche cosa che non tutte le ragazze hanno. Secondo me era veramente in gamba, e piena di coraggio. Potete magari pensare che voglio adularla, ma vi sbagliate. E per bellezza, e anche bontà, be', le batteva tutte. Da allora non l'ho mai più vista, da quando è uscita da quella porta, ma credo che ho pensato a lei milioni e milioni di volte, e che mi sono ricordato della sua promessa, di pregare per me, e se mi saltava in testa che potevo essergli utile a pregare per lei, che sia dannato se magari non mi mettevo a pregare anche me, a costo di crepare.

Be', Mary Jane si allontana dalla porta di dietro, penso, perché nessuno la vede uscire. Quando incontro Susan e Labbro leporino dico:

— Come si chiama quella gente, dall'altra parte del fiume, dove voi andate qualche volta?

Quelle mi rispondono:

— Ce ne sono parecchi, ma in genere andiamo dai Proctor.

— Proprio quello il nome, — dico io, — me n'ero quasi dimenticato. Be', la signorina Mary Jane mi ha detto di dirvi che lei è andata là, e che aveva fretta, perché ci sono dei malati in casa.

— Chi è malato?

— Non so. Non me ne ricordo più bene. Mi sembra che ha detto...

— Per l'amor di Dio, spero che non sia Hanner!

— Mi rincresce moltissimo, — dico io, — ma si tratta proprio di Hanner.

— Dio santissimo, e pensare che stava così bene, solo la settimana scorsa! E cosa ha?

— Non si sa ancora bene. L'hanno vegliata tutta la notte, ha detto la signorina Mary Jane, e hanno paura che non può vivere più molte ore.

— Misericordia! Ma cos'ha, cos'è che ha?

Io non potevo pensare sul momento a qualche malattia, e così dico: — Gli orecchioni!

— Tua nonna ha gli orecchioni! Nessuno passa la notte a vegliare chi ha solo gli orecchioni!

– Ah, nessuno passa la notte? Ma con questi orecchioni
è molto meglio se la passano, ve l'assicuro, ché questi sono
orecchioni di un nuovo tipo. Cosí almeno ha detto la signorina Mary Jane.

– Ma di che tipo sono?

– Sono... sono che sono accompagnati da tante altre cose, insomma!

– Quali altre cose?

– Be', scarlattina, tosse asinina, risipola, etisia, itterizia,
febbre cerebrale e non so cosa altro ancora.

– Dio santissimo, e li chiamano orecchioni?

– Be', cosí almeno ha detto la signorina Mary Jane.

– Ma perché diavolo li chiamano orecchioni?

– Perché si tratta di orecchioni. Sono stati gli orecchioni che hanno cominciato tutto.

– Be', per me è un modo molto stupido di chiamarli.
Uno può urtare il dito grosso, e avvelenarsi e cadere in un
pozzo, e rompersi il collo, spaccarsi la testa, e quando qualcuno chiede di che cosa è morto, se qualche idiota risponde: «Ha urtato il dito grosso per terra», ti pare che sarebbe una risposta sensata? No. E cosí non è affatto sensato
chiamarli orecchioni. Ed è una malattia che si attacca?

– Che si attacca?! Le cose che mi tocca sentire! Ti sembra forse che un erpice si attacca, al buio? Se non vi attaccate a un dente, allora vi attaccate all'altro, vero? E non
potete staccarvi da quel dente senza tirarvi dietro l'erpice
intero. Be', questa specie di orecchioni è una specie di erpice, per cosí dire, e non è un'erpice che lascia la presa, una
volta che si è attaccato sul serio.

– Be', è proprio tremendo, – dichiara Labbro leporino.
– Io vado da zio Harvey e...

– Brava, – dico io, – proprio una bella pensata. Io ci
andrei subito, senza perdere un minuto.

– E perché non devo andarci?

– Cerca di pensarci un minuto, e forse anche tu riesci a
capire. Forse che i tuoi zii non sono costretti a partire per
l'Inghilterra il piú presto possibile? E credi forse che sono
cosí cattivi da lasciarvi fare tutto quel viaggio da sole? Lo
sai benissimo che vi aspettano. Sino a questo punto siamo
d'accordo, spero. Ora, tuo zio Harvey è ministro, vero?
Benissimo. Ora credi forse che un ministro può ingannare
il commissario di un piroscafo, il commissario di un transa-
tlantico, perché lascino salire a bordo la signorina Mary

Jane? Lo sai benissimo che un ministro non può fare una cosa cosí. E allora cosa farà mai? Semplicissimo. Si dirà: mi rincresce moltissimo, ma la mia chiesa dovrà andare avanti il meglio che può da sola, perché la mia nipote è stata esposta a dei terribili orecchioni del tipo pluribus-unum, e cosí è mio stretto dovere restare qui e aspettare tre mesi, per vedere se anche lei li ha presi. Ma non importa, non importa, se tu credi che è meglio andarlo a contare a tuo zio Harvey...

– Già, e restare qui a fare le stupide, mentre potremmo divertirci tanto in Inghilterra, stare qui ad aspettare per vedere se Mary Jane ha o non ha i suoi orecchioni? Parli proprio da quell'idiota che non sei altro.

– A ogni modo forse è meglio dirlo a qualcuno dei vicini.

– Ma senti, senti! Proprio che batti tutti, quando si tratta di fare lo stupido! Ma non capisci che vanno subito loro a dirlo? No, l'unica cosa da fare è di stare zitte, e di non parlarne assolutamente con nessuno.

– Be', forse che hai ragione... Sí, comincio a credere anch'io che forse hai ragione.

– Ma penso che dovremo dire a zio Harvey che è andata a fare una visita, in modo che lui non se ne preoccupi.

– Sí, la signorina Mary Jane vi ha pregato di fare cosí. Dice: digli di salutarmi tanto, e dare un bacio a zio Harvey e a zio William, e che io vado di là del fiume per vedere i signori... come si chiama quella ricca famiglia che vostro zio Peter teneva in tanta considerazione... Voglio dire quella...

– Ah, vuoi dire gli Apthorp, vero?

– Precisamente, che vadano al diavolo questi nomi che uno non riesce mai a ricordarsene nessuno. Be', dice lei, dite che deve andare a chiedere agli Apthorp di venire all'asta, e di comperare loro questa casa, perché lei sa che lo zio Peter preferirebbe vederla in mano loro che di non importa chi, e lei andrà a dirglielo e a insistere, finché non promettono di venire, e poi se non è troppo stanca torna a casa, e se invece è stanca viene a casa domani mattina. Ha detto di non dire niente dei Proctor, ma solo degli Apthorp, che non è una bugia, perché lei va anche a trovarli, per deciderli a comperare la casa, e io lo so, perché me l'ha detto proprio lei.

– Benissimo, – dicono tutte e due. E se ne vanno per

incontrare gli zii e abbracciarli, baciarli e fare l'ambasciata.

Adesso tutto era in regola. Le ragazze non ne facevano certo parola con nessuno, perché volevano andare in Inghilterra, e il re e il duca per conto loro preferivano che Mary Jane fosse lontana, a lavorare per la loro asta, che non in paese, a portata di mano del dottor Robinson. Io mi sentivo contento, e mi pareva d'aver combinato tutto con un certo stile, e pensavo che neppure Tom Sawyer poteva fare molto meglio. Naturalmente lui avrebbe combinato tutto con piú eleganza, ma a me quello non riesce mai molto bene, perché non ho educazione.

L'asta pubblica si tiene in piazza, verso la fine del pomeriggio, e la truffa va avanti, una cosa dopo l'altra, e il vecchio era sempre a portata di mano, e cercava di fare del suo meglio, e di tratto in tratto lardellava le parole con qualche massima della Sacra Scrittura o qualche detto morale, mentre il duca andava in giro e faceva «gu-gu» in segno di simpatia, e in genere si davano tutti e due da fare il piú che potevano.

Anche l'asta un bel momento finisce e tutto era stato venduto. Tutto, tranne un piccolo pezzetto di terra nel cimitero. Volevano vendere anche la tomba. Non avevo mai visto in vita mia una simile giraffa come il re, che voleva ingoiare tutto e non ne aveva mai basta. Be', mentre stavano per vendere la tomba, un battello attracca, e due minuti dopo arriva una folla, che urla, e grida, e ride, e fa un finimondo:

– È arrivata l'opposizione, ecco qua due serie di eredi del vecchio Peter Wilks. Fuori i soldi, e puntate sul vincitore!

Nel mezzo della folla si notava un vecchio signore dall'aspetto distinto, seguito da un altro piú giovane, lui pure dall'aria simpatica e con un braccio al collo. Dovevate sentire come urlava la gente, e ridevano, e il chiasso che c'era. Ma io non riuscivo ad apprezzare il lato comico della situazione, e pensavo che anche il duca e il re dovevano sforzarsi, per trovarci qualcosa di buffo. Pensavo che magari impallidivano, ma no, non mutano affatto di colore. Il duca non lascia mai capire che sospetta di qualche cosa, ma continua ad andare in giro a fare «gu-gu», felice e soddisfatto come una brocca che versa latte scremato. Per conto suo il re si mette a contemplare con uno sguardo pieno di mestizia i nuovi arrivati, come se il cuore stia per spezzarsi al pensiero che nel mondo si trovano di tali ciurmatori e mascalzoni. Vi assicuro che recitava proprio bene. Gran parte delle persone piú importanti si riuniscono attorno al re, per fargli capire che sono dalla sua parte. Il vecchio signore aveva un'aria molto piú stupita. Ben presto comincia a parlare, e io mi accorgo subito che parla come un inglese, e non come il re, per quanto l'imitazione del re non era disprezzabile. Non so ripetere le parole del nuovo arrivato, né imitarlo, ma egli si volta verso la folla e dice qualcosa del genere:

– Questa è una sorpresa, che non mi aspettavo, e devo ammettere, candidamente e francamente, che non mi trovo nelle condizioni migliori per controbatterla, perché mio fratello e io abbiamo avuto qualche contrattempo: lui si è spezzato un braccio, e il nostro bagaglio è stato sbarcato, per errore, in una città piú in su. Io sono Harvey, il fratello di Peter Wilks, e questo è suo fratello William, che è sordomuto e che non può neanche parlare molto a segni, adesso che può esprimersi solo con un braccio. Noi siamo quelli che diciamo di essere, e tra un giorno o due, quando ho ricevuto il mio bagaglio, potrò darvene tutte le prove che volete. Sino allora non voglio dire altro, ma starò all'albergo, per attendere il risultato finale.

Dopo di che lui e il sordomuto si ritirano, e il re si mette a ridere e comincia a blaterare:

– Poverino, si è spezzato il braccio, vero? Già, è probabile, o per lo meno molto comodo, per un ciurmatore che deve parlare a segni, ma che non ha ancora imparato bene. E hanno perduto il bagaglio! Altra ottima trovata, e molto ingegnosa, date le circostanze.

Poi scoppia in un'altra risata, e cosí fanno tutti, eccetto tre o quattro, o al massimo mezza dozzina. Uno di questi era quel dottore, un altro era un signore dall'aria furba, con un sacco da viaggio di foggia antica, fatto con stoffa di tappeto, che era sceso allora dal battello e stava parlando sottovoce col dottore, e guardava il re di tratto in tratto, e faceva cenni col capo. Si trattava di Levi Bell, l'avvocato che era andato a Louisville. Un terzo era un tipo grande e grosso e piuttosto rustico, che si era avvicinato e aveva sentito tutto quello che aveva detto il nuovo arrivato, e adesso ascoltava quello che stava dicendo il re. Quando il re ha finito, questo tipo salta su e dice:

– Sentite un po', voi, se siete veramente Harvey Wilks, quand'è che siete arrivato in questa città?

– Il giorno prima dei funerali, amico, – risponde il re.

– A che ora del giorno?

– La sera, un'ora o due prima del tramonto.

– E come siete giunto?

– Ho viaggiato da Cincinnati, sul *Susan Powell*.

– Be', allora spiegatemi un po' come avete fatto a trovarvi alla Punta, quello stesso mattino, in canoa?

– Ma io non ero affatto alla Punta, quel mattino.

– Bugiardo!

Parecchi presenti gli saltano addosso, e lo supplicano di non parlare in quel modo a un vecchio, che per di piú è un ministro di Dio.

– Al diavolo il ministro, è un farabutto e un bugiardo. Quel mattino si trovava alla Punta. Io vivo là, lo sapete anche voi. Bene, mi trovavo alla Punta, e c'era anche lui. L'ho proprio visto. Era arrivato in una canoa, con Tim Collins e un ragazzo.

Il dottore salta su e gli chiede:

– Sareste in grado di riconoscere il ragazzo, se lo vedete, Hines?

– Credo di sí, ma non ne sono sicuro. Ma eccolo laggiú,
eccolo. Lo riconosco benissimo.

E intanto mi indicava me. Il dottore allora dice:

– Cari amici, io non so se la nuova coppia è un paio di
farabutti oppure no, ma se questi due non sono dei mascalzoni, io sono un idiota, e il primo a dichiararlo. Credo che
è nostro dovere stare attenti che questi due non se ne vadano dal paese, finché non abbiamo messo in chiaro la faccenda. Voi, Hines, venite con me, e anche voi seguitemi tutti.
Adesso conduciamo questi due all'albergo, e li confrontia-
mo con l'altra coppia, e sono persuaso che, prima di aver
finito, si riesce a scoprire qualcosa.

Tutta la folla accetta la proposta con entusiasmo, tranne
forse i partigiani del re, e tutti si va alla locanda. Il sole
stava per tramontare. Il dottore mi prende per mano, ed
era molto gentile, ma non mi lascia libero un momento.

Entriamo tutti nella sala piú grande dell'albergo, e vengono accese alcune candele, e si fa venire i nuovi arrivati.
Il primo che parla è il dottore, che dice:

– Io non voglio essere troppo duro con queste due persone, ma ho l'impressione che siano truffatori, e magari che
hanno dei complici che noi non ne sappiamo niente. Ora,
se questi hanno dei complici, quelli non possono intanto
scappare col sacchetto d'oro lasciato dal vecchio Peter
Wilks? Non è una cosa impossibile. Se poi non sono dei
malfattori, non possono avere nulla in contrario a far portare qui il denaro, e darcelo in consegna, finché non sono
riusciti a dimostrare che sono persone perbene. Cosa ne
dite?

Tutti sono d'accordo, e io capisco che i miei due amici si
trovano sin dal principio in una situazione piuttosto scabrosa. Il re invece assume un'aria anche piú mesta, e poi dice:

– Signori, io sarei ben lieto di far portare qui il denaro,
perché non ho la minima intenzione di ostacolare un'onesta, aperta e sistematica investigazione di questo spiacevole affare, ma, ahimè quei denari non ci sono piú. Potete
andare voi stessi a sincerarvene, se volete.

– E allora dove sono?

– Be', quando mia nipote mi ha dato quella somma, che
gliela conservassi, io prendo il sacchetto e lo nascondo dentro il saccone di paglia del mio letto, non avendo intenzio-

ne di metterlo in banca per quei pochi giorni che si doveva
restare qui, e pensando che il letto era un posto sufficiente-
mente sicuro, perché non sono abituato ai negri, e li credevo onesti come i servi in Inghilterra. Ma il mattino dopo,
non appena sceso dabbasso, i negri l'hanno rubato, e quando li ho venduti non m'ero ancora accorto che i denari
erano scomparsi, e cosí quelli se li sono portati via. Il mio
servo qui presente può confermare tutto.

Il dottore e parecchi altri esclamano: – Frottole! – e mi
accorgo che nessuno gli credeva completamente. Un tale
mi chiede se avevo proprio visto i negri a rubarlo. Io rispondo di no, ma che li avevo visti uscire dalla stanza e
filar via, e che io non ci avevo piú pensato, credendo che
avevano magari paura d'aver svegliato il mio padrone, e
che quindi cercavano di allontanarsi, prima che lui gli facesse una passata. Questo è quanto mi chiedono. Ma il dottore di scatto si volta verso di me, e mi dice:

– Sei anche tu inglese?

Io rispondo di sí, ma lui e alcuni altri ridono e dicono:

– Questa è buona!

Poi attaccano una investigazione generale, che continua
con alti e bassi un'ora dopo l'altra, e mai uno che pensa alla
cena, o anche solo ha l'aria di pensarci. E cosí continuano
senza mai stancarsi e tutto diventa un tale guazzabuglio
che non se ne capiva piú niente. Poi dicono al re di contare
la sua storia, e poi al nuovo arrivato di contare la sua, e
tutti, tranne qualche cocciuto somaro, ormai incaponito nel-
l'errore, potevano capire che il nuovo arrivato contava la
pura verità; e l'altro non faceva che sballare delle frottole
piú grosse di lui. Dopo un po' di tempo si mettono a interro-
gare me, e mi ordinano di dire tutto quello che sapevo. Il
re mi lancia uno sguardo sinistro, e io capisco abbastanza
per parlare come voleva lui. Comincio a parlare di Sheffield, e di come si viveva lassú, e a dare notizie di tutti i
Wilks che si trovano in Inghilterra e cosí via, ma non mi
lasciano parlare molto, che il dottore comincia a ridere, e
Levi Bell, l'avvocato, mi dice:

– Sta' tranquillo, ragazzo, e se fossi in te non mi affati-
cherei tanto. Non mi sembri abituato a contar frottole,
perché non ti vengono facilmente. Hai bisogno di molto
esercizio, perché, per adesso, non te la cavi molto bene.

Io non apprezzo molto il complimento, ma sono contento che la piantino di tormentarmi.

Il dottore comincia una frase e, voltandosi, dice:

— Se foste stato in città sin dal primo momento, Levi Bell...

Sul che il re lo interrompe, stende la zampa e dice:

— Ma come, mi trovo davanti al vecchio amico del mio povero fratello defunto, che mi scriveva cosí spesso di lui?

L'avvocato gli stringe la mano e si mette a sorridere e, aveva l'aria contenta. Poi parlano un po' di tempo e dopo vanno in un angolo, e parlano sottovoce e infine l'avvocato dice:

— Questo risolve tutto. Io ricevo l'ordine e lo mando insieme a quello di vostro fratello, e allora tutti sapranno che ogni cosa è in regola.

Cosí fanno portare carta e penna, e il re si siede al tavolo, piega la testa sulla spalla, si morde la lingua e scarabocchia qualcosa; poi quelli offrono la penna al duca, e allora per la prima volta vedo che è veramente spaventato. Ma però impugna la penna e scrive. Poi l'avvocato si volta al nuovo arrivato e gli dice:

— Voi e vostro fratello, per favore, scrivete una riga o due, e firmate col vostro nome.

Il nuovo arrivato scrive, ma nessuno riusciva a leggere quello che aveva scritto. L'avvocato assume un'aria molto stupita e dice:

— Be', proprio non ne capisco piú niente! — E tira fuori di tasca un mucchio di vecchie lettere, e le esamina, e poi esamina la scrittura del vecchio, e torna a esaminare le lettere e infine dice:

— Queste vecchie lettere sono di Harvey Wilks, e qui ci sono queste due scritture, e chiunque può vedere che né l'uno né l'altro ha scritto le lettere (il re e il duca assumono un'aria stupita e allocchita a vedere come l'avvocato li aveva messi nel sacco) e questa è la scrittura di questo vecchio signore, e chiunque può capire senza difficoltà che non sono state scritte neppure da lui. Anzi gli scarabocchi che traccia non meritano il nome di scrittura. Ora qui vi sono alcune lettere da...

Il nuovo arrivato allora dice:

— Lasciatemi spiegare. Nessuno può leggere la mia scrittura, se non questo mio fratello, cosí che lui copiava le mie lettere e queste lettere sono state scritte dalla sua mano e non dalla mia.

— Be', — dice l'avvocato, — siamo ben avanzati adesso!

Io ho alcune lettere di William, cosí che se gli fate scrivere una riga o due possiamo par...

– Purtroppo non può scrivere con la sinistra, – dice il nuovo arrivato. – Se potesse usare la destra, vedreste subito che era lui che scriveva le sue lettere e anche le mie. Confrontatele assieme, e vedrete che sono scritte dalla stessa mano.

L'avvocato le confronta e poi dice:

– Credo che sia proprio cosí, e se non è cosí vi è certo una rassomiglianza ben piú forte di quanto avevo mai notato prima. Però... Pensavo di essere sul sentiero buono, e invece mi accorgo che sono nelle peste piú di prima. A ogni modo una cosa è provata, che questi due, né l'uno né l'altro, sono dei Wilks, – e accenna con una mossa del capo al re e al duca.

Be', lo vorreste credere? Quella testa di mulo di un vecchio idiota non vuole ancora darsi per vinto. Tutt'altro. Dice che la prova non è onesta. Dice che suo fratello William era il piú dannato burlone che c'era al mondo, che non aveva cercato di scrivere bene e che lui aveva capito benissimo che William stava combinando uno dei suoi scherzi, sin dal primo momento che aveva preso la penna in mano, e cosí a poco a poco si riscalda e continua a parlare, finché stava per credere lui stesso a quello che diceva, ma ben presto il vecchio signore lo interrompe e dice:

– Io ho pensato a una cosa. C'è qualcuno qui che ha dato una mano a vestire mio fr... a vestire il povero Peter Wilks?

– Sí, – risponde una voce, – io e Ab Turner abbiamo aiutato, e siamo tutti e due qui.

Allora il nuovo arrivato si volta verso il re e gli dice:

– Forse questo signore può dirci che cosa era tatuato sul suo petto.

Che sia dannato se il re non deve far fronte in un batter d'occhio a questo nuovo colpo. O altrimenti crollava di schianto, come una di quelle rive scoscese che sono state scavate sotto dal fiume, cosí improvvisa era stata la domanda. E tenete presente che era una domanda da togliere il fiato a chiunque, sentirsela venire addosso di colpo, senza che nessuno se l'aspetta, perché come faceva lui a sapere che cosa era tatuato su quel tale? Infatti anche lui impallidisce un poco, non può farne a meno. Non si sentiva una mosca volare, tutti erano protesi in avanti e lo fissavano.

Io mi dico: «Adesso cede, e si dà per vinto, capisce che è inutile continuare». Ebbene, lo sapete cosa fa? Quasi nessuno vorrà crederlo, ma neppure allora lui si dà per vinto. Credo che aveva l'intenzione di tener su le sue fanfaluche tanto da stancare tutti, cosí che quelli rallentassero la sorveglianza, e lui e il duca potessero darsela a gambe. A ogni modo resta seduto, e ben presto comincia a sorridere, e dice:

– Già, questa è una domanda difficile, vero? Ebbene, signore, io posso dirvi con precisione cosa era tatuato sul suo petto. Una piccola, sottile freccia blu, ecco quello che c'era tatuato, e se non si guardava da vicino non si riusciva a vederla. E adesso cosa avete ancora da chiedermi?

Be', non avevo ancora mai incontrato nessuno come quel vecchio idiota, con un muso cosí di bronzo!

Il nuovo arrivato si volta rapido verso Ab Turner e il suo compagno, e gli occhi gli brillavano come persuaso che questa volta aveva messo nel sacco il re, e dice:

– Ecco, avete sentito cosa ha detto? Ora sul petto di Peter Wilks c'era forse un segno cosí?

Tutti e due parlano contemporaneamente e dicono:

– Non abbiamo visto niente del genere!

– Bene, – dice il vecchio signore. – Quello che avete visto sul petto era una piccola e pallida P, e una B, che era una iniziale che aveva smesso sin da ragazzo, e poi un W con dei trattini tra una lettera e l'altra, cosí: P-B-W, – e lui stesso li scrive su di un pezzo di carta. – Ora, ditemi, non è questo che avete visto?

I due parlano di nuovo e dicono:

– Non abbiamo visto niente del genere. Non c'era tatuato niente.

Be', nessuno adesso sapeva piú cosa pensare e si mettono a urlare:

– Ma sono un mucchio di truffatori! Buttiamoli in acqua, che vadano ai pesci, sbattiamoli fuori del paese! – e tutti urlavano insieme, e c'era un chiasso infernale. Ma l'avvocato salta sul tavolo, e urla, e dice:

– Signori, ma signori! Ascoltatemi un momento, un momento solo, vi prego! C'è ancora un modo per giungere alla verità. Andiamo al cimitero a disseppellire il cadavere, e guardiamo coi nostri occhi.

Anche questa è una proposta che piace al pubblico.

– Hurrah! – urlano tutti, e stavano per avviarsi subito,

ma l'avvocato e il dottore gridano: – Fermi, fermi! Prendete questi quattro uomini, e anche il ragazzo, e portiamoceli dietro.

– Benissimo! – urlano tutti, – e se non troviamo nessun segno linciamo tutto il mazzo!

Vi assicuro che adesso stringevo, ma non c'era verso di scapolarsela. Ci afferrano tutti, e ci fanno camminare con loro, diritto verso il cimitero, che si trovava a un miglio e mezzo a valle, mentre l'intera cittadinanza ci segue alle calcagna, perché si faceva un chiasso della malora, e non erano che le nove di sera.

Mentre si passava accanto a casa nostra avrei voluto non aver spedito Mary Jane fuori città, perché ora, solo che potessi farle un segno con una strizzatina d'occhio, lei saltava fuori, e mi salvava, e poteva dir la verità sui due farabutti.

Be', si va tutti per la strada lungo il fiume, e urlavano come indemoniati. Per rendere la scena anche piú paurosa, il cielo comincia a oscurarsi, i fulmini a guizzare e saltare per il cielo, il vento a far fremere le frasche. Non mi ero mai trovato prima in un guaio cosí, ed ero come istupidito, perché tutto si svolgeva in modo cosí diverso da come avevo pensato. Invece di trovarmi in una posizione da poter fare tutto con comodo, se volevo, e divertirmi allo spettacolo, e avere Mary Jane alle mie spalle per salvarmi quando veniva il momento critico, mi trovavo che tra me e una morte violenta non c'era nessun riparo se non quei piccoli segni tatuati. Se non li avessero trovati...

Non potevo pensarci a una eventualità del genere, e tuttavia non riuscivo a pensare a niente altro. Intanto diventava sempre piú scuro, ed era proprio il momento buono per scapolarmela, ma quella specie di colosso, quello che si chiamava Hines, mi teneva stretto per il polso, e tanto valeva cercar di sfuggire al gigante Golia. Mi trascinava tutto eccitato, e io dovevo correre per tenergli dietro.

Quando arrivano al cimitero vi entrano tutti, e lo riempiono completo, come un fiume che straripa. Poi, quando giungono alla fossa, si accorgono che avevano per lo meno cento pale e badili piú del necessario, ma che nessuno aveva pensato a portare una lanterna. Però si mettono lo stesso a scavare al guizzo dei lampi, e mandano un uomo alla casa piú vicina, che distava mezzo miglio, per farsi imprestare qualche lume.

E cosí scavano, e scavano, come se non c'era niente altro da fare a questo mondo, e intanto diventa sempre piú scuro, e la pioggia comincia a cadere, e il vento fischiava e urlava, e i lampi diventano sempre piú fitti e spaventosi, mentre il tuono muggiva e rimbombava. Ma quelli manco se ne accorgono, tanto sono occupati nel loro lavoro, e un momento si poteva vedere ogni cosa e ogni faccia distinta di quella folla, e le palate di terra buttate fuori della fossa; il momento dopo buio fitto, che nascondeva tutto, e non si vedeva piú niente.

Finalmente giungono alla bara e cominciano a svitare il coperchio, e allora tutti si accostano ancora piú, e si dànno dei colpi di spalla, e si spingono per farsi avanti, per essere i primi a vedere. E col buio che c'era faceva proprio paura. Hines mi tirava e mi slogava il braccio, e mi stringeva, che il mio povero polso non me lo sentivo manco piú, e penso che si era completamente dimenticato che io esistevo, tanto era eccitato e interessato.

Improvvisamente un fulmine manda una vampata di luce bianca, e qualcuno si mette a urlare:

– Corpo di mille saette, guardate! Guardate, dov'è il sacchetto d'oro!

Hines lancia un urlo come tutti gli altri, e abbandona la presa e si mette a dare spintoni per farsi piú avanti a vedere anche lui, e nessuno saprà mai dire la velocità con cui io infilo la strada e me la batto nel buio.

La strada l'avevo tutta per me e quasi volavo, voglio dire che l'avevo per me, insieme al buio fitto, ai lampi improvvisi, lo scroscio della pioggia, l'urlo del vento, l'assordante boato del tuono, e come è vero che son nato non badavo a niente, ma solo a filare!

Quando arrivo in città vedo che non c'è nessuno fuori, per via del temporale, cosí non cerco le strade secondarie, ma infilo diritto la principale, e quando sono vicino alla nostra casa alzo gli occhi per vedere. Non scorgo la minima luce, la casa era completamente buia, e ne resto male, e come deluso, non so nemmeno io perché. Ma proprio mentre ci passo davanti di corsa, ecco la luce alla finestra di Mary Jane, e il cuore improvvisamente si gonfia di gioia, come se stia per scoppiare; ma la casa mi era già alle spalle, nel buio, io non l'avrei mai piú vista in questo mondo. Era la meglio ragazza che ho mai incontrato, e in gamba cosí non ce n'è piú nessuna.

Quando sono abbastanza fuori del paese per capire che posso raggiungere l'isolotto, comincio a guardarmi in giro per trovare una barca da prendere in prestito, e appena un lampo me ne mostra una che non è legata con la catena ci salto dentro e mi metto a remare. Era una canoa, e non era legata con altro che con una fune. L'isolotto era molto lontano, nel bel mezzo del fiume, ma io non perdo tempo, e quando finalmente tocco la zattera ero cosí sfinito che sarei rimasto disteso ad ansimare e soffiare. Invece no. Appena salto a bordo grido:

— Forza, Jim, e stacca! Che Dio sia benedetto, finalmente ci siamo liberati da quei diavoli incarnati!

Jim salta fuori, e viene verso di me con le due braccia spalancate, tanto era pieno di gioia, ma quando lo vedo al lume di un lampo, il cuore mi balza in bocca e cado in acqua all'indietro. Avevo dimenticato che era un incrocio del vecchio Re Lear con un arabo annegato, e mi dà un tale giro al sangue che non capivo piú niente. Ma Jim mi ripesca subito, e voleva abbracciarmi, e accarezzarmi ed era cosí felice che io ero tornato, e che c'eravamo liberati del re e del duca, ma io gli dico:

— Niente adesso, ne parliamo a colazione, a colazione, capito? Adesso taglia la corda e falla filare!

Cosí in due secondi, via che si fila giú per il fiume, ed era cosí bello esser di nuovo liberi, e noi due soli, sul grosso fiume, senza piú nessuno che ci dà noia. Non ce la faccio a star fermo, devo saltare, e muovermi, e battere un po' di volte i tacchi. Non potevo farne a meno. Ma preciso in quel momento sento un suono che conosco bene, e allora trattengo il respiro, e ascolto, e aspetto, e proprio come avevo paura, al primo lampo che si spacca sull'acqua, ecco li vedo che si avvicinano, e ce la dànno tutta a remare, fanno correre la barca che quasi fischiava. Erano il re e il duca.

Allora mi lascio cadere sulle tavole della zattera, e mi do per vinto, e dovevo fare degli sforzi per non mettermi a piangere.

Appena a bordo il re mi salta addosso, mi afferra per il collo, mi scuote e dice:

– Cercavi di tagliare la corda eh, canaglia? Stanco della nostra compagnia, eh?

Io rispondo:

– No, Vostra Maestà, niente affatto, vi prego, lasciatemi stare, Vostra Maestà.

– E allora svelto, dimmi che intenzioni avevi, o ti faccio uscire le budella dalla pancia!

– Parola d'onore, vi dico tutto, proprio com'è capitato, Vostra Maestà. L'uomo che mi aveva per mano era molto buono con me, e continuava a dirmi che aveva un ragazzo grande come me, che era morto un anno fa, e gli rincresceva di vedere un ragazzo in una posizione come ero io, e quando tutti restano sbalorditi a scoprire il sacchetto, e si spingono in avanti per vedere meglio, quello mi lascia andare e mi dice: «E adesso dattela a gambe, o altrimenti t'impiccano!» e cosí io me la do a gambe. Non mi pareva utile restare, e non potevo farci niente, e naturalmente non mi piaceva finire impiccato, se potevo farne a meno. Cosí che non ho smesso di correre, finché non ho trovato una canoa, e quando sono stato qua ho detto a Jim di filare, che altrimenti magari mi pescavano ancora per impiccarmi, e ho detto che avevo paura che voi e il duca non eravate piú vivi ormai, e che me ne rincresceva tanto, e anche a Jim rincresceva tanto, e sono stato cosí felice quando vi ho visto arrivare tutti e due, potete chiedere a Jim se non è vero.

Jim dice che era proprio cosí, e allora il re gli ordina di chiudere la trappola e dice: – Già, probabile! – e riprende a sbattermi a destra e sinistra, e dice che aveva mezza intenzione di annegarmi. Ma il duca gli dice:

– Lasciate stare quel ragazzo, vecchio idiota! Forse che avreste fatto diverso voi? Forse che avete cercato di lui, quando siete stato libero? Non mi ricordo che avete fatto niente del genere.

Allora il re mi lascia stare, e comincia a maledire quel paese e tutti i suoi abitanti. Ma il duca gli dice:

– Fareste meglio, ma molto meglio, a maledire voi stesso, perché siete voi quello che se lo merita di più. Non ne avete combinata una che valesse un centesimo falso, eccetto quando siete saltato su, sicuro e tranquillo, con quella freccia blu che vi siete inventata. Quella è stata una bella trovata, proprio in gamba, ed è stata quella a salvarci la pelle. Perché se non era della freccia, ci mettevano in prigione, finché non arrivava il bagaglio di quegli inglesi, e poi saremmo finiti in un penitenziario, potete star sicuro. Ma quella vostra trovata li ha condotti al cimitero, e il sacchetto poi ci ha reso un altro grande servizio, perché se quegli idioti non si eccitavano tanto e non lasciavano andare tutto per veder meglio, stasera si dormiva con una bella cravatta attorno al collo, una cravatta, vi assicuro, che non si consuma facilmente, e che dura più di colui che la porta, in genere!

Restano zitti un minuto a pensare, e poi il re dice, con un'aria come svagata:

– Be'... E noi che si pensava che erano i negri che l'avevano rubato.

Io non mi sento molto tranquillo.

– Già, – dice il duca, lento, marcando le parole, e con un tono sarcastico, – già, l'abbiamo proprio creduto.

Dopo circa mezzo minuto il re, strascicando le parole:

– A ogni modo, io l'ho creduto.

Il duca nello stesso tono:

– Al contrario, sono io che l'ho creduto.

Il re improvvisamente si irrita e dice:

– Sentite un po' Acquafiasca, cosa volete insinuare?

Il duca, piuttosto vivace:

– Se si tratta di questo, forse mi permettete che vi chieda io che cosa volete insinuare voi?

– Bubbole, – dichiara il re con molto sarcasmo. – Ecco... magari l'avete fatto da addormentato, senza capire cosa stavate combinando.

Il duca si irrita e fa:

– Sentite, diamo un taglio a queste fesserie. Mi credete

proprio un cretino completo? Credete che non so chi ha nascosto i soldi nella bara?

– Ma certo che lo sapete benissimo, dato che siete stato voi.

– Bugiardo! – e il duca gli salta addosso. Il re urla:

– Giú le mani... Non strozzatemi! Ritiro tutto!

Il duca allora: – Finalmente! – dice. – E ammettete subito che siete stato voi a nascondere quei denari, con l'intenzione di piantarmi uno di questi giorni e poi tornare al cimitero per potervi prendere tutti i soldi da solo!

– Un minuto: prima rispondete a questa mia domanda, sinceramente. Se non siete stato voi a mettere i soldi in quel posto, ditemelo, e io vi credo e ritiro tutto quello che ho detto.

– Vecchio mascalzone, non sono stato io, e voi lo sapete che non sono stato io. Contento, adesso?

– Sí, adesso vi credo. Ma rispondetemi ancora a una sola domanda, e vi prego di non irritarvi: ma non avete avuto neanche l'intenzione di prendere i soldi, e nasconderli?

Il duca non risponde niente per un po' di tempo, e poi dice:

– Be', non ha nessuna importanza se ho o non ho avuto quell'intenzione, perché a ogni modo non l'ho fatto. Ma voi non solo avete avuto l'intenzione, ma l'avete anche fatto.

– Che possa morire di colpo, se l'ho fatto, duca, e vi assicuro che parlo sinceramente. Non voglio dire che non l'avrei fatto, perché avevo intenzione di farlo, ma voi, voglio dire qualcuno, mi ha preceduto.

– Bugiardo, l'avete fatto, e dovete ammettere che l'avete fatto, o altrimenti...

Il re comincia a gorgogliare, e infine ansima con difficoltà:

– Basta! Lo confesso!

Io resto molto contento quando odo quelle parole, perché mi sento molto piú tranquillo. Allora il duca lascia la presa e dice:

– Se osate negarlo ancora una volta sola, vi butto in acqua e vi affogo. State pure lí a piagnucolare come un bambino, fate bene a fare cosí, dopo quello che avete combinato. Mai visto prima uno struzzo come voi, che non ne aveva mai basta, e io che mi fidavo di voi, come foste stato mio padre. Dovreste vergognarvi di quello che avete fatto, sentire incolpare un mucchio di poveri negri, che non avevano nessuna colpa, senza mai avvertire il bisogno di dire una sola parola per scolparli. Mi sento ridicolo, quando penso che sono stato cosí idiota che ho creduto a tutte le vostre fandonie. E che siate maledetto, adesso capisco perché ci tenevate tanto a colmare il deficit: volevate avere tutti i denari che avevo fatto con il Camelopardo, e, in un modo o nell'altro, intascare tutto voi.

Il re allora timidamente, e sempre piagnucolando, si permette di dire:

— Ma sentite, duca, siete stato voi che avete avuto l'idea di colmare il deficit, non io.

— Piantatela! Non voglio piú sentire una sola parola da voi! — dice il duca. — E adesso vedete cosa siete riuscito a combinare. Quelli hanno tutti i loro denari, e per di piú anche i nostri. Adesso andate a dormire, e non deficiatemi piú nessun deficit, finché vivete.

Allora il re entra timido sotto il casotto e cerca conforto nella bottiglia, e dopo un po' di tempo anche il duca attacca la sua, tanto che, passata mezz'ora, erano di nuovo amici come ladroni, e quanto piú diventavano sbronzi tanto piú si vogliono bene, e infine si mettono a russare, l'uno nelle braccia dell'altro. Tutti e due erano cotti, ma noto che Sua Maestà non si era ubriacato tanto da dimenticare di ricordarsi di non negare mai che era stato lui a nascondere il sacchetto dei dollari. La cosa mi fa piacere e mi fa stare tranquillo. Naturalmente, quando attaccano a russare, Jim ed io si attacca noi a parlare e gli conto tutto.

Per giorni e giorni non si ha il coraggio di fermarsi in nessuna città, ma si restava sempre nel mezzo del fiume. Ormai eravamo nel profondo Sud, e faceva caldo, e si era molto lontani da casa. Cominciamo a trovare degli alberi coperti di tillandsia, che pendeva dai rami come una lunga barba grigia. Era la prima volta che la vedevo, e i boschi avevano un aspetto solenne e sinistro. E cosí i due mascalzoni cominciano a sentirsi fuori pericolo e riprendono a lavorare i villaggi sulla riva.

Attaccano con una conferenza sulla virtú della temperanza, ma non riescono a guadagnare neppur tanto da potersi pagare una sbronza tutti e due. In un altro villaggio fondano una scuola di danza, ma di danza se ne intendevano quanto un canguro, cosí che al primo salto tutto il pubblico salta su e li sbatte fuori città. Poi tentano l'ellocuzione ma non hanno ancora avuto il tempo di ellocuzzare nessuno che la gente si mette lei a ellocuzzarli e li fa scappare. Allora tentano le prediche, l'ipnotismo, fanno i mediconi, leggono l'avvenire, insomma fanno di tutto, ma sembrava che la fortuna li avesse abbandonati. Infine si trovano al verde assoluto e restavano sempre sulla zattera che scendeva lenta, e si spremevano il cervello, senza mai dir niente, e stavano a pensare per delle mezze giornate, molto tristi e depressi.

Dopo un poco cambiano e cominciano a discutere tra loro dentro il casotto, a parlare sottovoce, senza farsi sentire, per due o tre ore di fila. Jim e io non ci sentiamo molto tranquilli, e la cosa non ci piaceva niente. Si pensava che stavano magari combinando qualche specie di diavoleria, peggio delle altre. Ci pensiamo sopra, e alla fine si è persuasi che avevano l'intenzione di andare a rubare in qualche casa o negozio, o che magari si mettevano a battere moneta falsa, o roba del genere. La cosa ci spaventa, e decidiamo che per nessun motivo si prende parte ancora alle loro trappolerie, e che alla prima occasione favorevole li piantiamo, e via a gambe, lasciandoli nelle secche. Be', un mattino presto nascondiamo la zattera in un posto sicuro, circa due miglia a valle di un miserabile villaggio chiamato Pikesville, e il re va a terra e ci dice di aspettare, che lui andava a cercar di capire se era giunta anche laggiú notizia del famoso Camelopardo. «Sí, quello che cercate è una casa dove rubare, mio caro», mi dico a me stesso, «ma quando tornate dall'aver fatto il colpo, vi stupirete, chiedendovi cosa ne è di me e di Jim e della zattera, e dovrete accontentarvi di far delle domande, senza poter fornire la risposta». Ci dice che, se non era di ritorno per mezzogiorno, il duca e io dovevamo capire che tutto era in regola, e andare anche noi in città.

Cosí si resta dove eravamo. Il duca non stava fermo, e sudava, e aveva la mosca al naso. Imprecava contro di noi per qualsiasi motivo, e sembrava che non riuscissimo a far niente che andava bene. Trovava da ridire per ogni minima cosa. C'è qualcosa che bolle in pentola, mi dico io. Io sono tutto contento quando giunge mezzogiorno e non si vede spuntare il re; voleva dire un cambiamento, e forse anche la possibilità di mutare completamente di vita. Cosí che io e il duca ci dirigiamo verso il villaggio, e si va in giro in cerca del re, e dopo un poco lo troviamo nella stanza di dietro di una minuscola taverna, completamente ubriaco, e circondato da un mucchio di fannulloni, che lo prendevano in giro tanto per divertirsi, mentre lui imprecava e li minacciava con quanto fiato aveva in gola, ed era cosí ubriaco che non riusciva neppure a camminare, e certo non poteva spaventare nessuno. Il duca comincia a insultarlo, a chiamarlo un vecchio idiota, e il re gli risponde per le rime, e appena li vedo tutti e due ben impegnati, io scuoto le pastoie delle mie zampe posteriori e filo verso il fiume, come un cervo, perché mi pare che quella è l'occasione buona. Mi dico che devono passare dei bei giorni, prima che riescono a rivedere me o Jim. Giungo dov'era la zattera, che quasi non ce la facevo piú per l'affanno della corsa, ma ero felice, e mi metto a urlare:

– Stacca, Jim, stacca che siamo a posto!

Ma nessuno mi risponde, nessuno esce di sotto il casotto. Jim era scomparso! Lancio un grido, e poi un secondo,

un terzo, corro qua e là per i boschi, urlando e chiamando-
lo, ma tutto è inutile: il mio vecchio Jim era scomparso!
Allora mi siedo per terra, e mi metto a piangere; ero dispe-
rato. Ma non potevo certo restar seduto e fermo per molto
tempo. Ben presto ritorno sulla strada, pensando a che cosa dovevo fare, e mi imbatto in un ragazzo, e gli chiedo se
ha visto un negro che non era del posto, vestito cosí e cosí,
e lui mi risponde:

– Sí.

– E dove? – chiedo io.

– Giú nella fattoria di Silas Phelps, due miglia piú a
valle. È un negro che è scappato, e l'hanno preso. Forse
che lo cercavi anche tu?

– Manco per sogno! Mi sono imbattuto in lui nei boschi, circa un'ora o due fa, e lui mi ha minacciato che se
dicevo una sola parola mi sbudellava, e mi ha ordinato di
stendermi per terra e restare tranquillo, e io ho dovuto
obbedire. Sono stato fermo sino adesso, e avevo paura di
muovermi.

– Be', – dice lui, – adesso non devi piú avere paura,
perché l'hanno pescato. È scappato da qualche posto laggiú, al Sud.

– È stato un bel colpo prenderlo!

– Be', mi sembra anche a me. C'è una taglia di duecento
dollari su di lui. È come trovare dei soldi per strada.

– Certo, e pensare che potevo intascarli io, se ero abbastanza grande, perché sono stato io il primo a vederlo. Chi
è che l'ha trovato?

– Un vecchio, un forestiero, e ha venduto il suo diritto
sul negro per quaranta dollari, perché deve risalire il fiume
e non può aspettare. Pensaci un po'! Io aspettavo anche se
dovevo attendere sette anni!

– Anch'io facevo cosí, – dico io. – Ma forse la taglia
non vale di piú, se l'ha venduta per cosí poco. Magari c'è
qualcosa che non va, in tutto l'affare.

– Ma no, no. È tutto chiaro. Ho visto anche io l'avviso.
Descrive il negro preciso, meglio di un quadro, e nomina
anche la piantagione da dove è scappato, sotto New Orleans. No, mio caro, non c'è rischio in quella speculazione,
puoi esser sicuro. Senti, dammi un po' di tabacco da ciccare, per piacere.

Io non ne avevo in tasca, e cosí lui se ne va. Torno sulla
zattera e mi siedo nel casotto a pensare. Ma non riuscivo a

trovare niente. Mi metto a pensare, tanto che la testa mi fa male, ma non trovo come uscire da quell'impiccio. Dopo quel viaggio, dopo quello che avevamo fatto per quei farabutti, ecco che tutto si risolveva in un fiasco e andava a farsi benedire, perché avevano avuto il coraggio di giocare un tiro simile a Jim, condannarlo a una vita di schiavitú, in mezzo a dei forestieri, e tutto per quaranta miserabili dollari!

A un tratto mi dico che era molto meglio per Jim tornare a fare lo schiavo a casa, dove viveva la sua famiglia, dato che doveva fare lo schiavo, e che cosí forse facevo meglio a scrivere a Tom Sawyer, per dirgli di dire alla signorina Watson del posto dove si trovava Jim. Ma presto rinunzio all'idea per due motivi: perché lei era certo irritata e disgustata della sua furfanteria e ingratitudine, che l'avevano spinto a scappare, e cosí lo vendeva subito in qualche piantagione. Ma anche se non lo vendeva, tutti naturalmente dovevano disprezzare un negro cosí mascalzone e ingrato, e il povero Jim si trovava male per tutta la vita, si sentiva avvilito e miserabile. E poi, pensate a me! Si veniva a sapere che Huck Finn aveva aiutato un negro a scappare, e se mai mi incontravo ancora con qualcuno del paese, mi sarei vergognato tanto da esser pronto a inginocchiarmi davanti e a leccargli le scarpe per l'onta. È sempre cosí, che quando si fa qualche cosa di male, poi non si vuole portarne le conseguenze. Si dice che, finché nessuno lo sa, non importa, non è una vergogna. Questa era la mia situazione. Piú ci pensavo, piú la coscienza cominciava a tormentarmi, e mi sentivo sempre piú un mascalzone, un poco di buono, un miserabile. Infine, quando comincio a capire che tutto questo non fa che rivelare la mano della Provvidenza, che mi prende a schiaffi sul muso e mi dà le prove che tutte le mie mascalzonate sono sempre state seguite dall'alto, mentre io favorivo la fuga del negro d'una povera vecchia, che non mi aveva mai fatto ombra di male, e adesso mi mostra che c'è Uno, che ci sorveglia sempre e che lascia che certe birbonate giungano fino a un certo punto, e non piú, per poco non cado per terra, tanto avevo paura. Cerco di far del mio meglio per trovarmi qualche scusa, mi dico che ero stato allevato male, e che quindi la colpa non è poi tutta mia, ma qualche cosa dentro di me continua a dirmi: «Eppure c'era la scuola di religione, e tu potevi andarci. E se ci andavi, ti imparavano certo che la gente che fa come hai fatto tu con quel negro va a finire nella pece bollente!»

Avevo tanta paura, che mi sentivo i brividi. E avevo mezzo deciso di mettermi a pregare, per vedere se mi riusciva di piantarla lí di essere come che ero, e diventare un po' meglio. Cosí mi inginocchio, ma non mi viene fatto di trovare una parola adatta. E perché? Perché era inutile cercare di contare delle storie a Lui. E neppure di contarle a me. Adesso capivo benissimo perché le parole non mi venivano. Era perché il mio cuore non era buono, era perché io non ero buono, era perché io cercavo di fare un doppio gioco. Cercavo di fare credere che rinunziavo alla mia vita di peccati, ma giú dentro di me continuavo a commettere il peccato piú grosso di tutti. Cercavo di forzare la mia bocca a dire che volevo far bene, essere onesto, che volevo scrivere alla padrona di quel negro, e dirci dove che era nascosto, ma giú in fondo al cuore sapevo che erano tutte storie, e Lui lo sapeva benissimo. Non si può pregare con delle bugie, è chiaro.

Cosí ero tanto preoccupato, che non ne potevo piú, e non sapevo cosa fare. Infine mi spunta in testa un'idea, e mi dico: «Adesso scrivo la lettera, e poi vediamo se ce la faccio a pregare». Be', è una cosa straordinaria, che subito mi sento leggero come una piuma, subito, e tutti i miei fastidi sono passati. Allora prendo un pezzo di carta e una matita, tutto allegro e impaziente, e mi siedo e scrivo:

> Signorina Watson, il vostro negro Jim, che è scappato, si trova qui, due miglia sotto Pikesville, e il signor Phelps l'ha lui, e ve lo consegnerà dietro pagamento della taglia quando voi la mandate.
>
> HUCK FINN

Mi sento a posto, e senza piú nessun peccato, per la prima volta da quando son nato, e sapevo che adesso potevo pregare. Ma non attacco subito a pregare, metto giú il pezzo di carta, e mi metto a pensare, a pensare com'era bene che tutto era andato cosí, e come ero andato vicino a finire diritto all'inferno. E continuo a pensare, e mi metto a pensare al nostro viaggio giú per il fiume, e mi pare di vedere Jim davanti agli occhi, durante tutto il tempo, di giorno, di notte, qualche volta c'è la luna, qualche volta ci sono i temporali, e noi viaggiamo sempre, e si discorre, si canta, si ride. Ma in qualche modo non mi pare di riuscire mai a volergli male, anzi, mi capita proprio il contrario. Lo vedo che fa lui il mio turno, dopo che ha fatto il suo, invece di venirmi a svegliare, per lasciarmi dormire ancora. E mi ricordo di come è stato felice quando mi ha ritrovato dopo il gran nebbione, e quando sono tornato da lui, là nella palude, in quel posto dove c'era la faida, e tante altre volte cosí. E che mi chiamava sempre «caro Huck», e mi voleva bene, e faceva tutto quello che può immaginare per me, e con me era sempre cosí buono, e poi dopo mi ricordo di quella volta che l'ho salvato, dicendo a quegli uomini che a bordo c'era uno con il vaiolo, e che lui era cosí riconoscente, e che aveva detto che io ero il meglio amico che il vecchio Jim aveva al mondo, l'unico che aveva, e in quel momento mi guardo in giro, e gli occhi mi cadono su quel foglio di carta.

Be', ero al dunque. Prendo il foglio, e lo tengo stretto in mano. Tremavo tutto, perché dovevo decidere, e per sempre, tra due cose, e lo sapevo bene. Ci penso sopra un minuto, che quasi non riesco a respirare, e poi mi dico: «E va bene, vuol dire che vado all'inferno», e strappo il foglio.

Erano dei pensieri da far paura, delle parole anche peggio, ma ormai le avevo dette. E le lascio dette, e non ci penso neanche piú un minuto a cambiare vita. Via dalla testa ogni idea che mai avevo avuto, e mi dico che adesso mi rimetto a fare il mascalzone, che tanto son nato e sono stato allevato per farlo, mentre invece non ci son fatto per far la persona perbene. E tanto per cominciare mi metterò subito al lavoro, per rubare Jim un'altra volta, e se mi salta in testa qualcosa di peggio, faccio anche quello, perché, dato che avevo fatto la mia scelta, e fatta sul serio, tanto valeva togliermene la voglia, una volta per sempre.

Allora mi metto a pensare a come fare, e penso a tante maniere diverse, e finalmente ne scelgo una che mi sembra che va bene. Cosí che studio la posizione di un'isola boscosa, che era un po' piú a valle e, non appena fa abbastanza scuro, esco con la mia zattera e vado verso quell'isola, nascondo la zattera, e poi mi metto a dormire. Dormo tutta la notte, e salto su prima che è chiaro, faccio colazione, mi metto i vestiti buoni, faccio un fagotto dei rimanenti vestiti e di qualche altra cosa, salto sulla canoa e mi porto a riva. Tocco terra un po' sotto a dove pensavo che era la fattoria dei Phelps, nascondo il mio fagotto nei boschi, poi riempio la canoa d'acqua, ci metto delle pietre, e la faccio affondare in un posto dove potevo ritrovarla, quando ne avevo bisogno, a circa un quarto di miglio sotto una picco-la segheria, che si trovava sulla riva.

Poi infilo la strada, e quando passo davanti alla segheria vedo sopra un'insegna «Segheria Phelps», e quando giun-go davanti a un gruppetto di case, due o trecento jarde piú in là, spalanco bene gli occhi, ma non vedo nessuno, anche se adesso era giorno chiaro. Ma la cosa non m'importava, perché non avevo intenzione di veder nessuno adesso, vole-vo semplicemente farmi una idea del posto. Secondo i miei piani, dovevo giungerci dal villaggio e non da sotto. Cosí do un'occhiata in giro, e poi continuo verso il paese. Be', la prima persona che incontro, quando ci arrivo, è il duca. Stava attaccando un manifesto per il Camelopardo, recita per tre sere, come quell'altra volta. Bisogna dire che quei mascalzoni non mancavano di fegato! Mi trovo alle sue spalle, prima di riuscire a evitarlo. Lui mi guarda un po' stupito, e dice:

– Salve, di dove vieni? – Poi mi dice con un tono alle-gro, e tutto interessato: – E la zattera dov'è? L'hai nasco-sta in un posto buono?

Io rispondo: – Ma è proprio la cosa che volevo chiedere a Vostra Grazia.

Allora lui non ha piú un'aria cosí allegra, e mi dice:
– Ma e perché lo chiedi a me? – dice.

– Be', – dico io, – quando ho visto il re ieri, in quello stato, mi dico che non si riesce certo a portarlo via per molte ore, finché non gli è passata un po' la sbronza, e cosí vado in giro per il paese, tanto per far passare il tempo e aspettare. Un uomo allora si avvicina, e mi offre dieci cente-simi per aiutarlo a portare una barca al di là del fiume, e poi indietro per caricare una pecora, e cosí vado con lui. Ma quando si sta per portarla alla barca, e l'uomo mi ave-va lasciato a tirare la corda, ed era passato dietro per spin-gerla, quella si mostra troppo forte per me, e si libera con uno strattone, e noi dietro. Non avevamo dei cani, e cosí abbiamo dovuto dargli la caccia per tutto il paese, finché non si è stancata. Non siamo riusciti a riprenderla che quan-do faceva buio. Allora l'abbiamo portata sull'altra sponda, e poi io vado dove che era la zattera. Quando arrivo là vedo che non c'è piú e allora mi dico: «Certo che si sono trovati in qualche pasticcio, e sono dovuti scappare, e mi hanno portato via il mio negro, che è l'unico negro che ho al mondo, e adesso mi trovo in un paese dove non conosco nessuno, e non ho piú in tasca un soldo, né niente, e non so neanche come guadagnarmi la vita», cosí mi sono seduto per terra e mi sono messo a piangere. Questa notte ho dormito nei boschi. Ma che cosa ne è della zattera? E Jim, il mio povero Jim dove è?

— Che sia dannato se lo so. Cioè se so dove è finita la zattera. Quel vecchio idiota aveva fatto un affare, e intascato quaranta dollari, ma quando l'abbiamo incontrato in quella taverna i fannulloni gli avevano fatto scommettere mezzo dollaro per volta, e gli hanno portato via tutto, tranne quello che aveva già speso per il whisky. E quando ieri tardi l'ho condotto a casa, e ho visto che la zattera non c'era piú abbiamo detto: quel piccolo mascalzone ci ha rubato la zattera, e si è liberato di noi, e adesso naviga giú sul fiume.

— Be', potete star sicuro che non voglio perdere il mio negro, l'unico negro che possiedo in questo mondo, la sola cosa che ho.

— Già, non ci abbiamo pensato. La verità è che eravamo giunti a considerarlo il nostro negro. Sí, lo consideravamo proprio il nostro negro, e Dio solo sa tutte le noie che ci ha dato. Cosí che, quando abbiamo visto che la zattera non c'era piú e noi si era senza un soldo, non ci è restato piú nulla da fare se non tentare un altro colpo con il Camelopardo. E io è da allora che ce la do dentro, secco come un corno da polvere. Dove sono quei dieci centesimi? Dammeli un po'.

Io avevo abbastanza soldi, e cosí gli do i dieci centesimi, ma gli dico di spenderli per qualcosa da mangiare, e di darne un poco anche a me, perché erano tutti i soldi che avevo, e dal giorno prima non avevo piú mangiato un boccone. Lui non mi dice niente. Il minuto dopo si volta verso di me e mi dice:

— Credi che quel negro è capace di tradirci? Se mai fa una cosa simile, lo peliamo vivo.

— Ma come mai può tradirvi? Non è forse scappato?

— Ma no! Quel vecchio idiota l'ha venduto, senza neanche darmi un soldo di quello che ha intascato, e adesso tutti i soldi sono finiti.

— L'ha venduto? – dico io, e comincio a piangere. – Ma era il mio negro e quei soldi erano miei. Dove è adesso? Io voglio il mio negro.

– Be', il tuo negro non puoi certo piú averlo, questo è un fatto, e cosí fai meglio a soffiarti il naso. Stammi bene a sentire: ti sentiresti, per caso, il coraggio di tradirci? Che sia dannato se penso di potermi fidare di te. Ebbene, se mai pensassi a tradirci...

Si ferma, e non avevo ancora mai visto il duca con un'aria cosí. Io mi metto a tremare, e dico:

– Non voglio tradire nessuno, e tanto non ho neanche il tempo di tradire qualcuno. Devo andare in giro a cercare il mio negro.

Lui prende un'aria un po' annoiata, e se ne stava fermo con i suoi manifesti che gli svolazzavano sul braccio, intento a pensare, con la fronte corrugata. Infine mi dice:

– Adesso ti dico una cosa. Noi dobbiamo fermarci qui tre giorni. Se tu mi prometti di non dire niente, e che neanche al negro non lasci dire niente, io ti dico dove puoi trovarlo.

Io gli prometto quello che vuole, e lui mi dice:

– Un fattore, chiamato Silas Ph... – e poi si ferma. Vedete, aveva cominciato con l'intenzione di dirmi la verità, ma quando si ferma in quel modo e comincia a pensarci sopra, e a ripensarci, io capisco subito che sta cambiando parere. E cosí è infatti. Non si fidava di me, e voleva esser sicuro che io me ne stavo lontano per tre giorni interi. Cosí poco dopo riprende: – L'uomo che l'ha comperato si chiama Abram Foster, Abram F. Foster, e vive a quaranta miglia nell'interno del paese, sulla strada verso Lafayette.

– Benissimo, – dico io, – posso andarci e tornare in tre giorni. Parto subito questo pomeriggio.

– No, partirai subito adesso, e non stai a perdere tempo, e durante tutto il viaggio che non ti salti in testa di parlare. Ricordati di tenere sempre ben chiusa la trappola, e di camminare in fretta, tanto da non obbligarci a darti delle noie, capito?

Era proprio l'ordine che volevo, ed era quello che avevo manovrato per farmi dare. Volevo essere lasciato libero, per lavorare al mio piano.

– E cosí fila, – conclude, – e al signor Foster puoi contare cosa vuoi. Forse riuscirai persino a fargli credere che Jim è il tuo negro, perché ci sono degli idioti che non chiedono i documenti, o almeno ho sentito dire che quaggiú nel Sud ce ne sono. E poi, quando gli dici che l'avviso che gli abbiamo mostrato e la taglia sono tutte fandonie, forse ti crede, quando gli spieghi quella che è stata la nostra idea nel combinare tutto. E adesso vattene, e digli pure tutto quello che vuoi, ma attento: acqua in bocca, finché non sei laggiú.

Cosí io me ne vado, diretto verso l'interno. Non mi volto neanche una volta; avevo un po' l'impressione che lui mi stava osservando. Ma sapevo benissimo che riuscivo a stancarlo presto. Cosí parto deciso, verso l'interno del paese, e faccio un miglio intero, prima di fermarmi. Poi ritorno indietro, attraverso i boschi, diretto verso la fattoria dei Phelps. Mi dico che era meglio mettermi subito al lavoro senza perdere tempo, perché volevo tappare la bocca di Jim, per dar modo a quei farabutti di battersela. Non volevo avere piú nulla a che fare con della gente cosí. Avevo visto quanto mi bastava di loro, e non volevo sentirne parlare mai piú.

Quando arrivo c'era una gran pace, e tutto aveva un'aria domenicale, e faceva caldo, e c'era sole in ogni dove. I negri erano partiti per i campi, e nell'aria si sentiva quel ronzio d'insetti e mosconi che fa tanto melanconico e triste, come a trovarsi tra le anime dei morti; e se una brezza giunge di lontano e fa tremare le foglie, si diventa anche piú tristi, perché si ha l'impressione che sono gli spiriti che sussurrano, spiriti morti tanti anni fa, e sembra che stanno parlando di voi, e si ha voglia di esser già morti, aver finito tutto, e non pensarci piú.

La fattoria dei Phelps era una di quelle minuscole piantagioni di cotone, che sono tutte su per giú lo stesso. Uno steccato che circonda una distesa di due acri; un cavalcasiepe fatto con tronchi tagliati e piantati in terra, come canne d'organo di varia lunghezza, per poter scavalcare lo steccato, e per comodità delle donne quando salgono a cavallo; alcune chiazze malaticce di prato nel cortile, in genere nudo e lucido come un vecchio cappello che ha perduto il pelo; grossa casa doppia per i padroni, fatta di tronchi appena squadrati, le fessure chiuse con fango o calce, e imbiancate nessuno ricorda piú quando; cucina di tronchi d'albero rotondi, con un ampio passaggio aperto, ma munito di tettoia, che conduce alla casa; affumicatoio dietro la cucina; tre piccole capanne di legno per i negri, in fila, dall'altro lato dell'affumicatoio; una capannuccia tutta sola giú, contro lo steccato di fondo; alcune rimesse ancora piú in giú dall'altro lato; la tramoggia della cenere e la grossa caldaia per preparare il sapone, accanto a una piccola capanna; una panca presso la porta della cucina, con un secchiello d'acqua e metà d'una zucca vuota come mestolo. Un cane addormentato al sole, altri cani addormentati in giro. In un angolo tre alberi per dar ombra, presso lo steccato cespugli di ribes e uvaspina. Fuori dello steccato un orto e un'aiuola di cocomeri. Poi cominciano i campi di cotone e, dopo i campi, i boschi.

Io vado in giro, e salgo il cavalcasiepe, vicino alla tramoggia, e volevo andare in cucina. Avevo fatto pochi passi quando odo il debole ronzio dell'arcolaio, con quel gemito che sale e si spegne, e in quel momento sento proprio che preferivo essere già bell'e morto, perché in tutto il mondo non c'è un altro suono più triste e melanconico.

Faccio qualche altro passo, senza aver pensato a niente di preciso, fidando che la Provvidenza al momento opportuno mi metterà lei le parole giuste in bocca, perché ormai m'ero accorto che la Provvidenza, a lasciarla fare, mi suggeriva sempre le parole giuste.

Ero a mezzo cammino quando prima un cane, e poi un altro si alzano e si avventano contro me, e naturalmente io mi fermo, e li fronteggio e non muovo più un dito. Il pandemonio che facevano! In un quarto di minuto mi trovo a essere una specie di mozzo di ruota, per così dire, con i raggi costituiti da altrettanti cani, una quindicina almeno, tutti in giro attorno a me, con il collo e il muso proteso verso me, che abbaiavano e ululavano, e altri giungevano ancora, che si poteva vederli arrivare, mentre con un salto superavano lo steccato, sbucando da ogni angolo.

Una negra esce di corsa dalla cucina con un matterello in mano, gridando: – A cuccia, a cuccia Tige, a cuccia Spot, via filate! – e mena qualche colpo all'uno e all'altro, e li fa scappare che guaiscono, e allora tutto il resto li segue, e il momento dopo ne ritorna una metà, dimenando la coda e disposti a diventare amici. Proprio vero che un cane da caccia non deve mai far paura a nessuno.

La negra uscita dalla cucina era seguita da una negrettina e da due negretti, che non avevano indosso nulla se non delle camiciole di lino grezzo e restavano appesi alle sottane della madre, e mi guardavano da dietro, timorosi, come al solito. In questo momento da casa esce di corsa una signora sui quarantacinque, cinquant'anni, a testa nuda e con il fuso ancora in mano, e dietro lei avanzano i suoi bambini, che si comportano su per giù come i negretti. Era tutta sorridente, e così eccitata che non riusciva quasi a parlare. Ma finalmente dice:

– Sei arrivato, una buona volta? Perché sei tu, vero?

Io le rispondo: — Sí, signora, — prima ancora di pensare a cosa dico.

Allora lei mi prende, e mi abbraccia stretto, e poi mi stringe tutte e due le mani, e me le scuote e continua a scuoterle, e aveva gli occhi pieni di lacrime, che le correvano giú per le guance, e sembrava che non riusciva ad abbracciarmi e stringermi quanto voleva: — Non hai molto l'aria di tua madre, come mi immaginavo, ma per l'amor di Dio non m'importa niente! e sono cosí felice di vederti! Dio santissimo, mi pare che potrei mangiarti di baci! Bambini, questo è il vostro cugino Tom. Ditegli: come stai?

Ma quelli ritirano la testolina dietro la madre, e si mettono un dito in bocca. Lei intanto, tutta eccitata:

— Lize, in fretta, preparagli una bella colazione calda, subito subito. O forse che hai già fatto colazione sul battello? — Io dico che avevo già fatto colazione sul battello, e allora lei si dirige verso casa conducendomi per mano, e i bambini la seguivano. Quando siamo in casa mi fa sedere sopra una sedia con il fondo a stecche, si siede anche lei sopra un piccolo sgabello basso, davanti a me, e continuava a stringermi le mani, e mi dice:

— Finalmente che posso guardarti quanto ne ho voglia, e il Signore solo sa la voglia che ho sempre avuto di vederti, tutti questi anni, e finalmente sei arrivato! Era da un paio di giorni e anche piú che ti si aspettava. Come mai sei in ritardo? Forse che il battello si è incagliato?

— Sí, signora, il...

— Non dirmi: sí, signora, di': zia Sally. E dove si è incagliato?

Io non sapevo cosa rispondere con precisione, perché non sapevo se il mio battello doveva scendere o risalire il fiume. Ma mi fido del mio istinto, e il mio istinto mi dice che doveva essere un battello che risaliva da qualche posto verso Orleans. Ma quello però non mi aiuta molto, perché non sapevo i nomi delle secche da quelle parti. Dovevo quindi inventare il nome di una secca, o dire che avevo dimenticato il nome di quella dove ci eravamo incagliati, oppure... oppure... Ed ecco che mi spunta una buona idea, che tiro subito fuori.

— Non è stato l'incaglio. Quello ci ha fatto perdere poco tempo. Ma è saltata in aria la testa di uno stantuffo.

— Dio santissimo! forse che qualcuno si è fatto male?

— Nessuno, signora. Ha solo ucciso un negro.

– Be', è stata una bella fortuna, perché qualche volta ci sono dei feriti. Due anni fa a Natale, tuo zio Silas tornava su da New Orleans sul vecchio *Lally Rook*, ed è saltata la testa di uno stantuffo, e ha colpito un uomo, che credo che poi è morto. Era un battista. Tuo zio Silas conosceva una famiglia a Baton Rouge, che conosceva benissimo la sua famiglia. Sí, adesso mi ricordo, è proprio morto. Gli è venuta una specie di cancrena, e hanno dovuto amputarlo, ma neppure quello è riuscito a salvarlo. Sí, si trattava proprio di cancrena. È diventato tutto blu ed è morto, con la speranza di una gloriosa resurrezione. Dicono che era un vero spettacolo, da morto. Tuo zio andava in paese tutti i giorni, perché ti aspettavamo da un momento all'altro. C'è tornato anche stamane, non piú di un'ora fa, e credo che non può tardare molto. Devi averlo incontrato per la strada, vero? Un uomo già di una certa età, con un...

– No, zia Sally, non ho visto nessuno. Il battello ha toccato terra all'alba, e io ho lasciato il mio bagaglio sul pontone, e sono andato in giro a curiosare per il paese, sono fin stato un po' in campagna, per far passare il tempo, e non arrivare qui troppo presto, cosí che sono giunto dall'altra parte.

– Da chi hai lasciato il bagaglio?

– Da nessuno.

– Ma ragazzo mio, allora te lo rubano!

– Non dove l'ho nascosto io. Sono persuaso che non me lo ruba nessuno, – dico io.

– E come mai hai fatto colazione cosí presto, sul battello?

Altro passo difficile, ma me la cavo dicendo:

– Il capitano mi ha visto che ero già in piedi, e allora mi dice che è meglio se mangio qualcosa prima di sbarcare, e cosí mi ha portato nel bar, al tavolo degli ufficiali e mi ha dato tutto quello che volevo.

Mi sentivo cosí a disagio che non potevo neanche prestarle ascolto. Mentre lei parlava, io non facevo che pensare ai bambini, se potevo tirarli in un angolo da soli, e pomparli un poco, tanto da scoprire chi è che ero. Ma non potevo trovare un momento adatto, perché la signora Phelps continuava a tempestarmi di domande. Ben presto mi fa venire i brividi, perché mi dice:

– Ma ecco, è da un'ora che stiamo chiacchierando e non mi hai ancora detto una parola, né della mia sorella, né

degli altri. Ora io sto zitta un poco, e mi riposo, e attacchi
tu e devi dirmi tutto, tutto di tutti, senza dimenticarne
neanche uno, come stanno, cosa fanno, che cosa ti hanno
detto di dirmi, tutto, tutto, senza dimenticare niente.

Be', ci voleva proprio questa: come fare adesso? La
Provvidenza mi aveva aiutato sino allora, poco da dire, ma
adesso? Ero veramente nei guai, e non sapevo come uscir-
ne. Vedo che era completamente inutile cercare di continuare, e che tanto valeva darmi per vinto. Cosí mi dico che
sono giunto a un altro momento, in cui tanto vale rischiare
la verità. E stavo aprendo la bocca per lasciarla scappare
fuori, quando lei mi prende per mano, e mi conduce in
fretta dietro il letto, e mi dice:

– Eccolo che arriva, giú, giú con la testa. Ecco, cosí va
bene, adesso non può vederti. Sta' zitto e resta nascosto,
ché voglio fargli uno scherzo. Voi, bambini, neanche una
parola, capito?

E cosí sprofondo sempre piú nei guai. Ma era inutile
stare a tormentarsi l'anima. Per il momento non c'era niente da fare, se non stare zitto, e cercare d'essere pronto a
incassare i fulmini, quando cominciassero a fioccarmi addosso.

Riesco a vedere un attimo un vecchio signore, nel momento che entra, e poi il letto me lo nasconde. La signora
Phelps si alza, gli va incontro, e dice:

– È arrivato?

– No, – risponde il marito.

– Misericordia! – dice lei, – ma cosa può essergli capitato?

– Non riesco a immaginarlo, – dice il vecchio signore, –
e devo confessarti che anch'io sono molto inquieto.

– Inquieto! – dice lei, – a me mi pare quasi che perdo la
testa. Doveva già essere arrivato da un pezzo, e probabilmente tu non l'hai visto per la strada, ma io so che è arrivato, non so come, ma sento che è proprio arrivato.

– Ma via, Sally, ma come facevo a non incontrarlo per la
strada? Lo sai bene anche tu che lo vedevo certo.

– Povera me, che disgrazia! Cosa dirà mai mia sorella?
Ormai doveva essere arrivato, sono persuasa che non l'hai
visto. Perché...

– Senti, non tormentarmi anche tu, ché ho già tanta paura, per conto mio. Ti assicuro che non riesco a capire come
è che non è ancora arrivato. Ho pensato a tutte le spiegazio-

ni possibili, e devo confessarti che comincio ad avere paura. Ma non c'è da illudersi che è arrivato, perché non poteva arrivare senza che io lo vedessi. Sally, è una cosa terribile, proprio terribile. Deve essere capitato qualcosa al battello.

— Oh, Silas, guarda laggiú, sulla strada. Non arriva qualcuno?

Lui balza alla finestra, a capo del letto, e cosí offre alla
signora Phelps l'occasione che cercava. Si china in fretta ai
piedi del letto, mi dà uno strattone, e io salto fuori, e
quando lui si volta dalla finestra, ecco che se la vede davanti tutta sorridente, felice, raggiante come un palazzo illuminato a festa, con me che gli ero vicino, e avevo un'aria
piuttosto scema, ed ero tutto sudato. Il vecchio signore
guarda, poi guarda ancora, e poi dice:

— Be', chi è?

— E chi credi che può essere?

— Non ne ho la minima idea. Insomma, chi è?

— Ma Tom Sawyer!

Corpo di mille bombe, per poco che non cadevo per
terra. Ma non c'è tempo da perdere: il vecchio mi prende
per la mano, e me la stringe, e continua a stringermela, e
dovevate vedere come quella brava donna intanto ci ballava attorno, e rideva, e piangeva. E poi tutti e due mi sotto-
pongono a un fuoco di fila di domande su Sid, e Mary, e
tutto il resto della tribú.

Ma se quelli sono contenti, la loro contentezza è una
miseria, paragonata alla mia, perché mi sembrava di essere
rinato in quel momento, ed ero cosí felice di sapere infine
chi è che ero. Be', mi stanno alle costole per circa due ore,
e poi, quando avevo le mascelle stanche, che non ce la
facevo piú, e avevo contato sulla mia famiglia, voglio dire
sulla famiglia Sawyer, piú di quello che mai sia capitato
almeno a sei famiglie Sawyer messe insieme, mi metto a
spiegare tutto per filo e per segno di come è saltata in aria
la testa dello stantuffo, presso la foce del White River, e
che c'erano voluti tre giorni per aggiustarlo. Quella l'avevo indovinata, e funzionava benissimo, perché loro non avevano la minima idea di quanti giorni ci vogliono per riparare un guasto cosí, e se dicevo che c'era voluto tre giorni
per riparare un bullone, loro bevevano tutto lo stesso.

Adesso mi trovavo benissimo, da un certo punto di vista; ma da un'altro punto di vista, malissimo. Voglio dire

che recitare la parte di Tom Sawyer era facile, e comodo, e resta facile e comodo finché, dopo un poco, sento un battello che sbuffa giú per il fiume, e allora mi dico: «E se Tom Sawyer si trova proprio su questo battello? E se da un minuto all'altro entra di colpo qui, e urla il mio vero nome, prima che io ho avuto tempo di fargli un gesto perché stia zitto?» Be', dovevo assolutamente evitare una catastrofe del genere, che mi rovina tutto. Devo incontrarlo per la strada, e metterlo in guardia. Cosí dico che avevo una mezza intenzione di tornare in paese a prendere il mio bagaglio. Il vecchio signore voleva accompagnarmi, ma io gli dico che no, che posso guidare il cavallo da solo, e che preferisco, per non dargli troppe noie.

Cosí parto verso il paese sopra un carro, e quando sono a mezzo cammino ne vedo un altro che vien giú, e su questo, come era facile immaginare, chi c'era se non Tom Sawyer? Allora mi fermo, e aspetto che mi arriva alla mia altezza, e poi gli dico: – Alto là! – e lui si ferma accanto a me, poi apre la bocca come un baule, e la lascia spalancata, e cerca di mandar giú la saliva due o tre volte, come qualcuno che ha la gola secca, e poi mi dice:

– Non ti ho mai fatto del male, e tu lo sai. Allora perché sei tornato e vieni proprio da me?

Io gli rispondo:

– Ma io non sono tornato. Non sono mai partito!

Appena sente la mia voce si rinfranca un poco, ma non era ancora completamente sicuro. Infine mi dice:

– Senti, non giocarmi qualche tiro, perché io a te non te lo giocherei certo. Parola di un indiano, che non sei uno spirito?

– Parola di un indiano che non lo sono, – dico io.

– Be'... io... io... Be', naturalmente deve bastarmi, ma non riesco ancora a capire bene. Senti un po', ma non sei stato assassinato?

– Mai stato assassinato in vita mia, è stato tutto un trucco che ho combinato. Su, vieni qui e toccami, se non mi credi ancora.

Lui fa come gli dico, e allora è piú tranquillo, ed era cosí contento di rivedermi, che non sa piú che cosa dire né cosa fare. Vuole sapere subito tutto, perché era una grande avventura, piena di mistero, e la cosa naturalmente lo eccitava molto. Ma io gli dico, lasciamo stare per adesso, e dico al conducente del suo carro di aspettare, e andiamo un po' lontano, e allora gli conto la razza di pasticcio dove mi sono cacciato, e lui cosa pensa che dobbiamo fare? Lui mi dice di dargli tempo di pensarci un momento, e di non disturbarlo, e cosí ci pensa su, e ci ponza un po', e poi dice:

– Benissimo, risolto tutto. Tu prendi il mio baule sul tuo carro, e fingi che è tuo, poi torni indietro, ma vai adagio per far passare un po' di tempo, tanto da arrivare a casa al momento giusto, come se fossi andato fino al paese. Io me ne vado al paese, e poi ritorno, in modo da arrivare un quarto d'ora o mezz'ora dopo te, e tu dapprima devi fingere che non mi conosci.

Io gli dico:

– Benissimo, ma aspetta un momento. C'è ancora un'altra cosa, una cosa che nessuno sa, solo io. E la cosa è che c'è un negro qui, che io cerco di liberare dalla schiavitú, e si chiama Jim, ed è il Jim della vecchia signorina Watson.

Lui dice:

– Come! Ma Jim è...

Si ferma, e si mette a pensare. Io gli dico:

– So benissimo che cosa vuoi dire. So che la trovi una sporca birbonata, ma cosa me ne importa? Io sono cosí, e voglio liberarlo, e voglio che tu stai zitto, e non ne parli con nessuno. Me lo prometti?

I suoi occhi si illuminano, e dice subito:

– Hai tutto il mio appoggio per farlo scappare!

Be', io mi sento come se le ginocchia si piegano, come se mi hanno dato un colpo a tradimento. Era il discorso piú strano che avevo mai sentito, e devo dire che Tom Sawyer mi cade molto nella stima che avevo di lui. Solo che non riuscivo ancora a crederci. Possibile che Tom Sawyer vuole aiutare un negro a scappare?

– Senti, – dico io, – adesso tu scherzi.

– Manco per sogno.

– Be', allora, – dico io, – scherzo o non scherzo, se mai senti parlare di un negro che è scappato, non dimenticare di ricordarti che tu non ne sai niente, e che anche io non ne so niente.

Poi prendiamo il baule, e lo mettiamo sul mio carro, e lui se ne va per conto suo, e io per conto mio. Ma naturalmente io mi dimentico del suo consiglio, che devo andare adagio, perché adesso ero contento e, immerso nei miei pensieri, torno a casa troppo presto, considerata la lunghezza del viaggio. Il vecchio si fa sulla porta, e mi dice:

– Ma è una cosa incredibile! Chi mai poteva pensare che quella cavalla era capace di tanto? Vorrei aver notato l'ora che è partita. E non è neanche sudata, non una goccia di sudore. È un miracolo. Be', ti assicuro che ormai manco per cento dollari la vendo piú una cavalla simile, parola d'onore, e pensare che sino a ieri l'avrei data a chiunque per quindici dollari, persuaso che non valeva un centesimo di piú.

Ed è tutto quello che dice. Era la persona piú innocente e onesta che ho mai incontrato. Ma la cosa non mi stupiva, perché lui non era un semplice piantatore, ma una specie di ministro e nella sua piantagione aveva una chiesetta di tronchi d'albero, che aveva costruita lui stesso, a spese sue, e serviva da chiesa e scuola al tempo stesso, e non si faceva mai dare un soldo per le prediche che faceva, anche se erano buone. Giú nel Sud vi sono tanti altri piantatori che fanno i ministri, e lo fanno nello stesso modo.

Circa mezz'ora dopo arriva il carro con Tom davanti al cavalcasiepe, e zia Sally lo vede attraverso la finestra, perché era lontana appena un cinquanta jarde, e dice:

– Be', è arrivato qualcuno e mi chiedo chi può essere. Credo che dev'essere un forestiero. Jimmy, – che era uno dei bambini, – corri a dire a Lize di mettere un altro coperto per pranzo.

Tutti si avviano di corsa verso la porta d'ingresso, perché naturalmente un forestiero non arriva ogni anno, e cosí, quando spunta, interessa anche piú della febbre gialla. Tom era già entrato e veniva verso casa; il carro se ne tornava per conto suo verso il paese, e noi si era tutti sulla porta d'ingresso. Tom aveva indosso il suo vestito buono, e aveva un pubblico a sua disposizione, e questa era una cosa che gli dava subito alla testa, a Tom Sawyer. In circostanze cosí non era una cosa che gli costava molta fatica darsi delle arie e far la persona importante. Non era certo uno che poteva attraversare quel cortile, modesto come una pecora. No, lui doveva venir avanti lento e importante come un montone. Quando finalmente è davanti a noi solleva il cappello con stile, da persona distinta, come fosse il coperchio di una scatola dove ci sono dentro delle farfalle addormentate, e lui non vuole disturbarle, e poi dice:

– Il signor Archibald Nichols, suppongo?

– No, ragazzo mio, – risponde il vecchio signore, – sono spiacente di dirti che il tuo vetturino ti ha ingannato. La fattoria di Nichols è tre miglia piú in giú. Ma entra, entra lo stesso.

Tom si volta subito a guardare e poi dice: – Troppo tardi, ormai è scomparso.

– Sí, ragazzo mio, se n'è andato, cosí che non ti resta se non venire da noi, e pranzare in nostra compagnia. Poi attacchiamo un cavallo e ti conduciamo noi da Nichols.

– No, no, non posso assolutamente permettere che vi disturbate tanto, nemmeno per idea. Ci andrò a piedi, tanto una passeggiata non mi fa paura.

– Ma noi non ti lasceremo mai andare a piedi. È contrario al nostro senso di ospitalità. Ti prego, entra.

– Anch'io ti prego, – dice zia Sally, – ché proprio non ci disturbi, non ci dài l'ombra di noia. Devi proprio entrare. Per andare laggiú la strada è lunga, polverosa, e non possiamo lasciarti andare a piedi. Ho già persino ordinato di mettere un altro coperto, non appena ti ho visto arrivare, e cosí non devi darci questo dispiacere. Ti prego di entrare, e considerati a casa tua.

Allora Tom si mette a ringraziarli con stile, e si lascia persuadere a entrare, e quando è entrato si mette a dire che lui veniva da Hicksville, nell'Ohio, e che si chiamava William Thompson, e dopo fa un altro inchino.

Be', continua cosí senza mai stancarsi, inventando sul momento delle storie su Hicksville e i suoi abitanti, e io cominciavo a diventare un po' nervoso, e mi chiedevo come tutte queste storie mi potevano aiutare a uscire dai miei guai, e infine, sempre parlando, lui si fa sotto e bacia zia Sally proprio sulla bocca, e poi si risiede sulla sedia, tranquillo e beato, e continua a parlare. Ma lei è già saltata su e si è pulita la bocca col dorso della mano e dice:

– Cucciolo screanzato!

Lui prende un'aria offesa, e dice:

– Sono veramente sorpreso di voi, signora!

– Tu sei sor... Ma cosa pensi che sono io? Ho mezza intenzione di alzarmi e di... Senti un po' cosa ti è saltato in testa di darmi un bacio?

Lui prende allora un'aria tutta umile, e dice:

– Non mi è saltato in testa niente, signora. Non volevo certo offendervi. Credevo... credevo che vi facesse piacere...

– Be', sei proprio scemo dalla nascita! – e poi riprende il fuso, e aveva l'aria come se doveva far degli sforzi per non darglielo secco sulla testa. – Cosa ti ha mai fatto credere che mi facesse piacere?

– Be', non lo so. Solo che... che mi hanno detto... che vi faceva piacere.

– Ah, ti hanno detto che mi faceva piacere? Be', chi te l'ha detto è un altro scemo come te. Mai sentito sciocchezze simili in vita mia. Ma poi chi è che te l'ha detto?

– Ma... tutti, tutti me l'hanno detto, signora.

La poveretta doveva fare dei tremendi sforzi per restare calma, e gli occhi mandavano lampi, e le dita tremavano come se volesse graffiarlo. Infine dice:

– Ma chi è tutti? Fuori i nomi, o ben presto c'è un idiota di meno al mondo.

Lui si alza in piedi, prende un'aria anche piú imbarazzata, e faceva girare in mano il cappello, e infine dice:

– Sono spiacente e proprio non me l'aspettavo. Eppure m'hanno detto... m'hanno detto di farlo. Tutti mi hanno detto: dalle un bacio che gli fa tanto piacere. Tutti, non uno escluso. Ma sono molto spiacente, signora, e non lo farò mai piú, parola d'onore.

– Ah, non lo farai mai piú, vero? Be', sono sicura che non lo fai mai piú.

– Parola d'onore. Non lo faccio piú. Mai piú, finché non me lo chiederete voi di farlo.

– Finché non te lo chiedo io? Be', da quando son nata che non ho mai incontrato un idiota come te. Ti assicuro che, anche se vivi tanto da diventare il Matusalemme dei cretini, non mi capiterà mai di chiedertelo, né a te né a nessuno come te.

– Be', – dice lui, – sono molto sorpreso, e proprio non riesco a capire piú niente. Tutti mi hanno detto che vi faceva piacere, e io credevo proprio che vi faceva piacere, ma... – e qui si ferma, e si guarda in giro lentamente come per trovare in qualche angolo uno sguardo amico, poi si rivolge al vecchio signore e dice: – Ma voi, voi non credete che le faceva piacere se io le davo un bacio, signore?

– Ma come, come... no... mai pensato una cosa simile...

Allora lui si guarda in giro, nello stesso modo, e si volta verso me, e poi mi dice:

– Tom, ma tu non credevi che zia Sally mi spalancava le braccia e mi diceva: Sid Sawyer...

– Dio santissimo! – lo interrompe la signora, saltando in piedi verso di lui, – farabutto d'un farabutto, avere il coraggio di ingannare cosí... – e stava per abbracciarlo, ma lui la allontana e dice:

– No, finché voi non mi chiedete di baciarvi...

Lei allora non perde tempo, e glielo chiede subito, e se lo abbracciava e baciava senza mai stancarsi, e poi lo consegna al vecchio, e lui continua dove lei ha piantato lí. Dopo che si sono calmati un poco, lei dice:

– Be', Dio santissimo questa sí che è una sorpresa. Noi non ti aspettavamo affatto, ma solo Tom. La zia non mi aveva mai scritto che venivi anche tu.

– Infatti doveva venire solo Tom, – dice lui, – ma io mi sono messo a insistere e supplicare, e all'ultimo momento mi ha lasciato partire. Cosí, mentre si viaggiava sul fiume, io e Tom abbiamo pensato che era proprio una bella sorpresa da farvi, se lui veniva qui per primo, e poi io arrivavo piú tardi e facevo finta di essere un forestiero. Ma è stato uno sbaglio, zia Sally. Questo non è un posto dove i forestieri vengono trattati bene.

– Non certo gli impudenti farabutti come te, Sid. Avresti già dovuto ricevere uno schiaffo sulla bocca, e ti assicuro che non sono mai stata cosí irritata in vita mia. Ma adesso non me ne importa piú niente, e sono pronta a essere presa in giro migliaia di volte, per avervi qui tutti e due. Ma a pensare a quella scena, non te lo nego che sono ancora sorpresa adesso... Quando mi hai dato quel bacio...

Si fa pranzo in quel largo passaggio aperto, che si trovava tra la casa e la cucina, e sul tavolo c'era tanto ben di Dio quanto bastava a sfamare almeno sette famiglie, e tutto di prima classe. Non ombra di quella carne fibrosa e flaccida che è rimasta nell'armadio di una cantina umida, tutta la notte, e ha il sapore di una vecchia coscia di cannibale, andato a male. Zio Silas, prima di sedersi a tavola, recita una lunga preghiera, e ne valeva la spesa, e non fa diventare fredde le pietanze, come ho visto invece che capita sovente altrove.

Durante tutto il pomeriggio non si fa che chiacchierare, e io e Tom si è sempre all'erta, ma è tutto inutile, perché nessuno dice la minima parola o fa il minimo accenno al negro scappato, e noi si aveva paura di condurre il discorso su quell'argomento. Ma verso cena uno dei bambini dice:

– Papà, Tom e Sid e io non possiamo andare allo spettacolo?

– No, – dice il vecchio, – penso che non ci sarà spettacolo, e anche se lo fanno voi non potete andarci, perché il negro scappato ha parlato a Burton e a me di quella recita scandalosa, e Burton ha detto che ne vuol informare tutti, e cosí penso che ormai quei mascalzoni sono già stati sbattuti fuori del paese.

Ecco, era capitato e non c'era piú verso di rimediare. Tom e io si doveva dormire nella stessa stanza e nello stesso letto, e cosí, siccome si era stanchi, subito dopo cena auguriamo la buona notte e andiamo a letto. Poi usciamo dalla finestra, scivolando giú per il parafulmine, e via verso il paese. Perché pensavo che nessuno avrebbe informato né il re né il duca; e se non correvo io ad avvertirli in tempo, quelli si trovavano presto in una ben brutta situazione.

Mentre si cammina verso il paese, Tom mi conta di come tutti erano persuasi che io ero stato assassinato, e como poco dopo papà era scomparso, e non si era mai piú fatto vedere, e del chiasso che aveva causato la fuga di Jim. Per conto mio conto a Tom la storia di quei mascalzoni del Camelopardo, e una parte del mio viaggio sulla zattera, quello che potevo, dato il tempo. Giunti in paese, mentre infiliamo la strada principale, dovevano essere su per giú le otto e mezzo, ecco che vediamo una folla di gente che avanza furiosa, tutti con torce accese, e urlavano, gridavano, picchiavano su casseruole, suonavano corni da caccia, e noi dobbiamo farci da un lato per lasciarli passare. E mentre quelli ci passano accanto vedo che avevano il re e il duca a cavallo di una traversa, cioè capivo che dovevano essere il re e il duca, ma cosí incatramati e coperti di piume non avevano piú un aspetto umano, ma sembravano piuttosto due enormi e mostruosi pennacchi. Be', a vederli cosí mi sento male, e provavo quasi pietà per quei poveri miserabili mascalzoni, e mi pare che ogni odio che avevo ancora per quei farabutti era scomparso, ormai. Era uno spettacolo impressionante. È proprio vero che gli uomini possono essere molto crudeli tra loro.

Capiamo che si è arrivati troppo tardi, e che ormai non c'è piú niente da fare, e allora chiediamo ad alcuni passanti come era andata, e quelli ci dicono che tutti erano entrati nella sala con un'aria molto innocente, ed erano rimasti tranquilli senza lasciar capire niente, finché il re non era nel bel mezzo delle sue capriole sul palcoscenico. Allora uno dà il segnale, e tutto il pubblico salta su e acciuffa i furfanti.

Cosí che non ci resta se non tornare a casa, e io non mi sentivo piú allegro come prima, ma piuttosto giú di morale, e abbattuto, e in certo senso anche colpevole, anche se non avevo fatto niente. Ma è sempre cosí: non c'è nessuna differenza se si fa bene o male, la coscienza non ha molto buon senso, e ci tormenta sempre, anche quando si è innocenti. Se mai ho un cane bastardo, che non dimostra piú senso di quanto ne ha la coscienza, vi assicuro che gli do subito il boccone. Prende piú posto dentro un uomo di tutto il resto, la coscienza, e non serve a un bel niente! Anche Tom Sawyer la pensa cosí.

Smettiamo di parlare e si comincia a pensare. Dopo un poco Tom dice:

– Senti un po', Huck, ma sai che siamo dei begli idioti, a non averci pensato prima? Scommetto qualunque cosa che io so dove si trova Jim.

– Sí, e dove?

– In quella capanna giú, presso la tramoggia della cenere. Pensaci un momento. Quando si era a pranzo, non hai visto anche tu un negro che portava da mangiare in quella capanna?

– Sí.

– E per chi credi che lo portava?

– Per qualche cane.

– Anch'io ho pensato cosí. Ma adesso sono sicuro che non era un cane.

– E perché?

– Perché c'era anche un cocomero.

– Già, me ne ricordo anch'io. Be', sono veramente stato stupido a non pensarci prima che un cane non mangia cocomeri. È proprio vero che uno può vedere e non vedere al tempo stesso.

– Be', poi il negro ha aperto e chiuso a chiave il lucchetto, e poi ha portato una chiave allo zio, quando ci siamo alzati da tavola, ed era quella stessa chiave del lucchetto, scommetto. Il cocomero mostra che si tratta di un uomo, la chiave che si tratta di un prigioniero, e non è probabile che ci sono due prigionieri in una piantagione cosí piccola, e dove tutti sono cosí buoni e alla mano. No, no, il prigioniero è proprio Jim. È cosí, e sono contento che l'abbiamo scoperto al modo dei detectives. In nessun'altra maniera non mi interessava. Adesso mettiti a pensare e immagina come far scappare Jim, e anche io penso a qualche piano, e poi si sceglie quello che ci sembra meglio.

Che testa aveva mai quel ragazzo! Avessi una testa cosí, io non la cambierei, manco per diventare duca, o secondo di un battello, o toni in un circo, per niente al mondo la cambio. Intanto mi metto a pensare a un piano che poteva andare bene, ma solo per far qualche cosa, perché so già in partenza in che zucca spunterà il piano giusto. Ben presto Tom mi dice:

– Pronto?

– Sí, – dico io.

– Benissimo allora: fuori il tuo.

– Il mio piano è questo, – dico io. – Possiamo scoprire molto facilmente se è proprio Jim che è chiuso là dentro. Poi domani sera tiriamo su la mia canoa, andiamo a prendere la zattera nascosta vicino all'isola. Poi, la prima notte che non c'è luna, rubiamo la chiave dai pantaloni del vecchio, dopo che lui è andato a dormire, filiamo giú per il fiume sulla zattera con Jim, nascosti di giorno e si viaggia di notte, come abbiamo sempre fatto io e Jim. Non credi che un piano simile può andare?

– Se può andare! Certo che va! È facile come per un gatto arrampicarsi sui tetti. Ma è cosí semplice, che non c'è niente da fare. A cosa mai serve un piano che si può mettere in pratica senza ombra di pericoli? È un piano da lattanti. Chi vuoi che si sogni di parlare di un piano cosí? È emozionante suppergiú come bere un bicchiere d'acqua.

Io non dico niente, perché non mi aspettavo risposta diversa e sapevo benissimo che il suo piano, qualunque che fosse, non si esponeva certo a critiche del genere.

E infatti era cosí. Mi dice qual è il suo piano, e io vedo subito che, in quanto a stile, valeva almeno quindici volte il mio e che riusciva a liberare Jim, come riusciva il mio, ma che inoltre ci faceva correre il rischio di crepare tutti. Cosí che io sono soddisfatto, e dico che ormai possiamo metterci al lavoro. Non sto neppure a dirvi come era quel piano, perché sapevo benissimo che tanto cambiava presto, e continuava a cambiare a mano a mano che si andava avanti, e che sarebbe diventato sempre piú straordinario, ogni volta che cambiava. Ed è stato proprio cosí.

Be', di una cosa almeno ero sicuro, ed è che Tom Sawyer faceva sul serio, e che effettivamente voleva aiutarmi a far evadere il negro. E questo era veramente un po' troppo per me. Ecco un ragazzo rispettabile, ben allevato, con un buon nome da perdere, e gente a casa con un buon nome, e che era intelligente e tutt'altro che scemo, che aveva studiato e non era ignorante, che non era cattivo, ma buono, ebbene eccolo, senza ombra di dignità, senza piú coscienza, pronto a fare un lavoro che lo copriva d'onta, e svergognava la sua famiglia, agli occhi di tutto il mondo. No, avevo un bel pensarci sopra, non riuscivo a capire niente. Era una vergogna, e io sapevo che dovevo farmi coraggio e dirglielo, e cosí mostrarmi suo vero amico, che doveva piantarla lí subito, prima ancora di aver cominciato, e salvarsi finché era in tempo. Ebbene, io comincio a parlargliene, ma lui subito mi fa star zitto e mi dice:

— Credi forse che non so cosa faccio? In genere non ti sembra che so sempre cosa faccio?

— Sí.

— Allora? Non ti ho detto che ti aiuto a far scappare quel negro?

— Sí.

— Dunque?

E questo è tutto quello che lui mi dice, e tutto quello che dico io. Era inutile continuare a parlarne. Perché quando lui decideva di fare una cosa la faceva sempre. Ma io non riuscivo a capacitarmi come mai era disposto a fare una cosa del genere, cosí lascio stare e non mi rompo piú la testa a pensarci su. Se aveva deciso di fare cosí, certo che io non potevo farci nulla.

Quando si arriva alla fattoria, la casa era tutta al buio, cosí che ci avviamo verso la capanna vicino alla tramoggia, per esaminarla. Si traversa il cortile, tanto per vedere cosa facevano i cani. Ma quelli ci conoscevano già e non fanno altro rumore se non quello che fanno sempre i cani di campagna, quando di notte capita qualche cosa. Quando siamo vicino alla capanna, la guardiamo bene davanti e sui fianchi, e sul lato retrostante, che non avevamo ancora visto, troviamo una specie di apertura quadrata, che serviva da finestra, ed era abbastanza alta, e chiusa solo da un'asse piuttosto robusta, che vi era inchiodata sopra. Io dico:

— Ecco quello che fa per noi. Basta che noi togliamo l'asse e la finestra è abbastanza grossa per lasciar passare Jim.

Tom allora dice:

— Sí, è semplice come contare fino a dieci, facile come salare la scuola. Ma spero che possiamo trovare un modo un po' piú complicato di cosí, Huck Finn!

– Be', allora, – dico io, – cosa te ne pare se ci mettiamo a segare un tronco, come ho fatto io quella volta che sono stato assassinato?

– È già un po' meglio, – dice lui. – Avventuroso, piuttosto difficile, e insomma non male, – dice lui. – Ma spero che possiamo trovare un modo che ci vuole almeno il doppio di tempo. Non c'è premura, e adesso continuiamo a esaminare il terreno.

Tra la capanna e lo steccato, dietro la capanna, c'era una costruzione, che scendeva da sotto il tetto ed era fatta di tavole robuste. Lunga come la capanna ma stretta, non piú larga di sei piedi, aveva la porta d'ingresso sul lato sud, ed era chiusa con un lucchetto. Tom allora va a frugare attorno alla caldaia del sapone e torna con l'arnese di ferro con cui si solleva il coperchio. Con questo riesce a far saltare una delle grappe, la catena cade, noi si apre la porta e si entra. Poi ce la chiudiamo alle spalle, si accende un fiammifero e si vede che questo ripostiglio poggia contro la capanna, ma non comunica con essa, che non ha pavimento, e contiene solo delle vecchie vanghe, e zappe e picconi, e un aratro fuori uso. Il fiammifero si spegne e noi si esce fuori, si rimette a posto la grappa, in modo che la porta era di nuovo chiusa come prima. Tom era felice. Mi dice infatti:

– Adesso tutto va bene. Possiamo farlo scappare, scavando un cunicolo, e ci vorrà circa una settimana.

Infine si torna a casa, e io entro per la porta di dietro, che bastava tirare una stringa di pelle per aprirla, perché non chiudevano mai le porte a chiave, ma per Tom Sawyer quel modo di entrare in casa non era abbastanza avventuroso. No, lui doveva tornare arrampicandosi per il filo del parafulmine. Ma dopo che ha provato tre volte e quando era a metà scivolava e cadeva sempre, e l'ultima volta per poco non si spacca la testa, allora dice che magari ci rinunzia. Ma dopo che si è riposato un poco, vuole tentare ancora una volta, per vedere se ha piú fortuna, e questa volta ce la fa.

Il mattino dopo saltiamo su tutti e due all'alba, e si va nelle capanne dei negri, ad accarezzare i cani e per farci amico il negro che portava da mangiare a Jim, se si trattava proprio di Jim. I negri avevano finito colazione e stavano per andare nei campi, e il negro di Jim metteva in un pentolino pane, carne, e altre cose. Mentre i negri stavano già uscendo, ecco che dalla casa arriva la chiave.

Questo negro aveva un'aria buona, e un po' stupida; i capelli lanosi tutti legati in mazzetti con del filo, per tener lontane le streghe. Ci conta subito che le streghe, da un po' di tempo a questa parte, non lo lasciavano piú vivere, e gli facevano vedere le cose piú strane che si può immaginare, e sentire certi rumori, certe parole che lui non ne capiva piú niente, ed era persuaso che, in vita sua, non era mai stato stregato per tanto tempo di fila, come adesso. Si eccita tanto, e la fa cosí lunga a contarci i suoi fastidi, che aveva completamente dimenticato cosa doveva fare. Allora Tom gli dice:

— Per chi prepari da mangiare? Lo porti forse ai cani?

Il negro sorride lento, un sorriso che si allarga sulla faccia, come quando si butta un mattone in uno stagno fangoso, e poi dice:

— Sí, padron Sid, per un cane, ma un cane un po' fuori dell'ordinario. Forse che avete voglia di vederlo?

— Sí.

Io do una gomitata a Tom, e gli sussurro:

— Come, ci vai subito, di primo mattino? Il tuo progetto non era cosí.

— Già, non lo era, ma lo è adesso.

E cosí, che il diavolo se lo porti, ci andiamo tutti e due, ma la cosa a me non mi piaceva molto. Quando siamo dentro, in principio non si riusciva a vedere niente, tanto era buio, ma dentro c'era proprio Jim, e lui ci vedeva, e infatti si mette a urlare:

— Oh ecco Huck, e, Dio santissimo, se quello non è Padron Tom?

Io sapevo che capitava cosí, me l'aspettavo. E non sapevo cosa fare, e anche se lo sapevo non avevo tempo di farlo, perché quel negro salta su e dice:

— Ma come, nel nome di Dio, ma forse che vi conosce, padroni?

Adesso ormai c'eravamo abituati all'oscurità, e si poteva vedere benissimo. Tom allora si volta verso il negro, come sorpreso, e poi gli dice:

— Ma chi è che ci conosce?

— Ma questo negro che è scappato!

— Non credo che ci conosce. Cosa è che ti ha messo quell'idea in testa?

— Cos'è che mi ha messo l'idea in testa? Ma in questo momento non ha parlato, come se vi conosceva?

Tom allora dice, con un'aria anche piú sorpresa:

– Be', è proprio curioso. Chi è che ha parlato? Quando è che ha parlato? E che cosa ha detto? – Poi si volta verso di me, tutto tranquillo, e mi dice: – Hai sentito qualcuno parlare?

Naturalmente c'era solo una risposta da dare, e cosí dico:

– No, non ho sentito nessuno dire niente.

Poi si volta verso Jim, lo guarda come se non l'ha mai visto prima in vita sua, e gli chiede:

– Forse che tu hai parlato?

– No, padrone, – dice Jim; – mai aperto bocca.

– Mai aperto bocca, vero?

– No, padrone, mai aperto bocca.

– Ci hai mai visto prima?

– No, padrone, mai visto prima in vita mia.

Allora Tom si volta verso il negro che aveva un'aria molto spaventata e preoccupata, e gli dice con una grinta severa:

– Ma mi sai dire cos'hai? Cosa è che ti ha fatto credere che qualcuno aveva parlato?

– Sono quelle dannate streghe, padrone, e vi assicuro che vorrei essere morto. Non mi lasciano mai un momento di riposo, e per poco non mi fanno morire, tanto mi spaventano. Per piacere, padrone, non dovete dirlo a nessuno, o il vecchio padron Silas mi dà una bella lavata di testa, perché lui dice che non ci sono le streghe. Vorrei che lui fosse qui adesso, per vedere cosa che dice, adesso. Ci gioco la testa, che questa volta non riesce a spiegare che non ci sono streghe. Ma è sempre cosí, chi è testone resta testone, e non vogliono credere a niente che loro non sanno, e quando trovate qualche cosa che loro non hanno mai visto, ecco che non vogliono crederci.

Tom gli dà una moneta da dieci centesimi, e gli dice che non ne parliamo con nessuno, e poi gli consiglia di comperare dell'altro filo per legarsi i capelli, poi si mette a guardare Jim e dice:

– Mi chiedo se zio Silas ha intenzione di impiccare questo negro. Se io metto le mani su di un negro, cosí ingrato da scappare, io non penso nemmeno a consegnarlo al suo padrone, ma lo impicco pulito, pulito –. E mentre il negro si fa sulla porta per esaminare la moneta e morderla, per vedere s'è buona, lui dice a Jim sottovoce:

– Non far mai vedere che ci conosci. E se di notte senti qualcuno che scava, siamo solo noi, che lavoriamo per farti scappare.

Jim non ha che il tempo di prenderci la mano e stringerla, che il negro è già di ritorno, e allora gli diciamo che magari noi lo accompagnamo qualche volta se la cosa gli fa piacere, e lui dice che è molto contento, soprattutto quando è buio, perché è al buio che le streghe si divertono in modo speciale a tormentarlo, e allora è contento se non è solo, ma c'è qualcuno con lui.

Capitolo trentacinquesimo

Si deve aspettare ancora un'ora circa, prima di far colazione, cosí che si va nei boschi, perché Tom dice che si doveva avere qualche specie di lume, per vedere quando si cominciava a scavare, e una lanterna poteva far troppo chiaro e metterci nei guai. Ciò che ci voleva era un bel mucchio di quel legno putrefatto, che chiamano «fuoco delle volpi» e che manda una specie di luce pallida, quando è al buio. Noi ne raccogliamo una bracciata, e la nascondiamo nei cespugli, e poi ci sediamo per riposare, quando Tom mi dice, piuttosto seccato:

– Che sia maledetto, ma tutto l'affare è cosí facile e scemo che mi fa schifo. Cosí è tremendamente difficile riuscire a combinare qualcosa che sia un po' difficile. Non c'è un carceriere, che dobbiamo drogare perché si addormenti, mentre invece dovrebbe esserci almeno un guardiano. Non c'è neanche un cane da dargli un sonnifero. E guarda Jim! È legato alla caviglia con una catena di dieci piedi, fissata alla gamba del letto. Basta sollevare un poco la lettiera e sfilare la catena e lui è libero. Poi zio Silas si fida di tutti, consegna la chiave a quel negro idiota, e non manda nessuno a sorvegliare il negro. Jim poteva benissimo scappare anche prima da quel buco che serve da finestra, solo che è inutile scappare con una catena di dieci piedi alla gamba. Ti assicuro, Huck, che non ho mai visto prima niente di cosí stupido, che dobbiamo inventarle noi tutte le difficoltà. Be', c'è poco da discutere, dobbiamo fare del nostro meglio col materiale che si è trovato. A ogni modo, una cosa c'è in nostro vantaggio, che c'è piú onore a liberarlo con difficoltà e pericoli, quando la gente che aveva il dovere di organizzare le difficoltà non ci ha manco pensato, e difficoltà e pericoli abbiamo dovuto inventarli tutti noi, con la nostra testa. Per esempio, guarda l'affare della lanter-

na. Quando ci pensi bene, devi semplicemente far finta che
una lanterna è rischiosa. Mentre invece, solo a volerlo, possiamo lavorare tranquilli con un corteo di torce accese.
Adesso che ci penso, dobbiamo trovare la maniera di fab-
bricarci una sega, non appena si mette la mano su qualcosa
di adatto.

— E a cosa ci serve una sega?

— A cosa ci serve! Forse che non dobbiamo segare la
gamba del letto di Jim, per tirarne fuori la catena?

— Ma come, un momento fa tu stesso hai detto che basta sollevare la lettiera e sfilare la catena!

— Be', sei sempre lo stesso, Huck Finn! Tu pensi sempre al modo piú semplice e comodo di fare una cosa! Ma
non hai mai letto nessun libro? Il Barone Trenck, Casano-
va, Benvenuto Cellini, Enrico IV, o altri eroi del genere?
Chi ha mai sentito che un prigioniero lo si libera in questa
maniera da vecchia zia? No, le migliori autorità sostengono che si deve segare in due la gamba del letto, poi lasciare
tutto come se fosse sempre intera, mangiare la segatura in
modo che nessuno la scopra, poi mettere un po' di terra e
di grasso attorno al posto che è stato segato, in modo che
neanche il siniscalco piú acuto se ne può accorgere che è
stato segato e crede che la gamba del letto è sempre intera.
Poi, la notte che si è deciso di scappare, un calcio alla
gamba, e quella va a farsi benedire, e allora tu sfili la catena e sei libero. Non ti resta altro da fare se non fissare la
scala di corda ai merli, scivolar giú, romperti una gamba
nel fossato, perché una scala di corda gli mancano sempre diciannove piedi, capisci? Ecco i tuoi cavalli, i tuoi
fedeli vassalli, che ti prendono, ti buttano di traverso sul-
l'arcione, e via che si va alla nativa Lingua d'un'oca, o Na-
varra, o dove che sia. È una cosa magnifica, Huck. Non
sai quanto darei, per avere un fossato attorno a questo capanno. Se abbiamo tempo, la notte della fuga ne scaviamo
uno.

Allora io osservo: — Ma cosa diavolo ci serve un fossato,
quando lo facciamo scappare da sotto?

Ma lui manco mi sente. Ormai si era dimenticato di me
e di tutto. Teneva il mento poggiato sulla mano, e stava
pensando. Dopo un poco sospira, e scuote la testa, poi
sospira di nuovo e infine mi dice:

— No, no, purtroppo non si può fare. Non è cosí indispensabile che si possa giustificarla, una cosa cosí.

– Cosa è che purtroppo non si può fare? – chiedo io.

– Segare la gamba di Jim, – dice lui.

– Dio santissimo, – dico io, – come? E tu dici purtroppo? Cosa ti salta in mente di segargli una gamba?

– Be', si trova in alcuni dei migliori autori. Non riescono a staccare la catena, e allora si tagliano la mano, o se la segano, e una gamba naturalmente sarebbe anche meglio. Ma lasciamo perdere, è inutile pensarci. Non è indispensabile, e poi Jim non è che un negro e vagliele a far capire certe cose, e che in Europa si fa cosí! No, no, bisogna riunziarci, purtroppo. Ma questo invece possiamo farlo, procurargli una scala di corda. Basta far a pezzi le nostre lenzuola, e fabbricargli una scala di corda non ci costa fatica. Possiamo mandargliela in una torta, in genere si manda sempre cosí. Torte io ne ho mangiate di ben peggio!

– Ma le scemenze che dici, Tom Sawyer, – dico io. – Jim non sa cosa farsene di una scala di corda.

– Dovrà sapere cosa farsene, e le scemenze sei tu che le dici, e fai meglio a confessare che non sai proprio niente. Lui deve usare una scala di corda, perché l'usano tutti, e basta!

– E cosa diavolo mai se ne fa di una scala di corda?

– Cosa se ne fa? Intanto può nasconderla nel letto, no? Fanno tutti cosí, e quindi deve farlo anche lui. Huck, tu proprio non vuoi mai fare le cose come si deve, vuoi sempre fare di testa tua. Ammettiamo che non gli serve; be', allora la lascia nel letto, ed è un indizio. E non credi che avranno bisogno di indizi per ricostruire la fuga? Certo che ne hanno bisogno. E tu non lasceresti niente? Bel modo di fare! Mai sentito una cosa del genere!

– Be', – dico io, – se è il regolamento, e lui deve avere la sua scala, bene, per me mandiamogli la scala, perché io il regolamento lo rispetto. Ma c'è una cosa che voglio dirti, Tom Sawyer, che se ci mettiamo a strappare le lenzuola per fabbricare una scala di corda per Jim, saremo noi che ci troviamo negli impicci con zia Sally, sta' pur sicuro. Ora la cosa che penso io è che una scala, fatta con corteccia di hickory, non costa niente, e non si rovina niente, ed è buona per metterla dentro a una torta, e nasconderla in un pagliericcio, come qualsiasi scala di corda, e in quanto a Jim, lui è ignorante e quindi non gliene importa che razza di...

– Senti, Huck Finn, se io fossi ignorante come te, starei sempre zitto, ecco quello che farei. Chi ha mai sentito di un prigioniero di stato che scappa con una scala di corteccia di hickory? Ridicolo!

– Va bene, va bene, Tom, fa' come vuoi, ma se segui il mio consiglio mi lasci prendere un lenzuolo dalla corda, dove è steso ad asciugare.

Su questo lui è d'accordo, e anzi la mia proposta gli dà un'altra idea, e mi dice:

– Prendi anche una camicia.

– Perché vuoi una camicia, Tom?

– Ne abbiamo bisogno, perché Jim deve scriverci sopra il suo diario.

– Tua nonna deve scriverlo! Sai benissimo che Jim non sa scrivere.

– E cosa importa, se non sa scrivere? Può sempre fare dei segni sulla camicia, se gli facciamo una penna con un vecchio cucchiaio di stagno, o con un pezzo di cerchio di botte.

– Puoi strappare una piuma a un'oca, e gliene fai una molto meglio, e piú in fretta.

– I prigionieri non hanno delle oche che scorrazzano per i torrioni, da porter strappargli le piume, testa di cavolo! Loro le penne se le fanno sempre nel modo piú faticoso e piú difficile, con qualche pezzo di vecchio candeliere di ottone, o arnesi del genere, che capitano sotto mano, e ci vogliono settimane e mesi per limarle, perché devono limarle strofinandole contro il muro. Ma non ci pensano a usare una penna d'oca, manco se ne hanno da vendere. È contro il regolamento.

– Bene allora. E l'inchiostro, con cosa lo facciamo?

– Molti se lo fanno con ruggine e lacrime, ma solo i prigionieri da poco, e le donne. Secondo le migliori autorità si deve usare il proprio sangue, e Jim può benissimo fare cosí, e quando vuole mandare qualche normale messaggio misterioso, per far sapere al mondo dove geme captivo, può scriverlo sul fondo di un piatto di stagno con una forchetta, e poi buttarlo dalla finestra. La Maschera di Ferro faceva sempre cosí, ed è molto di classe, ti assicuro.

– Jim non ha dei piatti di stagno. Gli portano da mangiare in una casseruola.

– Non importa, possiamo darglieli noi.

– Ma c'è qualcuno che saprà leggere i suoi piatti?

– Non ha nessuna importanza, Huck Finn. Quello che lui deve fare è scrivere sopra un piatto e buttarlo fuori.

Non è necessario riuscire a leggerlo. Metà delle volte nessuno riesce a leggere neanche una parola di quello che un prigioniero scrive sui piatti o altrove.

– E allora perché sprecare tanti piatti?

– Scemo! Mica sono i piatti del prigioniero!

– Ma sono sempre i piatti di qualcuno.

– E con questo? Cosa se ne cura un prigioniero di chi sono i piatti?

A questo punto si interrompe, perché udiamo il corno che annunzia che la colazione è pronta e cosí corriamo verso casa.

Nel corso di quella mattinata prendo in prestito un lenzuolo e una camicia bianca, stesi ad asciugare, poi trovo un vecchio sacco e ce li metto dentro, poi torniamo nel bosco e ci mettiamo dentro anche il «fuoco di volpe». Io dicevo che prendevo in prestito le cose, perché papà diceva sempre cosí, ma a Tom l'idea di prendere in prestito non va, lui dice che ruba. Dice che noi si era i rappresentanti di un prigioniero, e che i prigionieri non ci pensano a come si procurano qualcosa, solo che riescano ad averla, e che nessuno manco si sogna di criticarli. Non è un delitto per un prigioniero rubare quello che gli bisogna per scappare, dice Tom, è solo il suo diritto, e siccome noi siamo i rappresentanti di un prigioniero, cosí si ha pieno diritto di rubare tutto quello che ci è utile, per farlo scappare di prigione. Dice che se non eravamo prigionieri, allora era un altro paio di maniche, e che solo un poco di buono si mette a rubare, quando non è un prigioniero. Cosí ci si mette d'accordo che rubiamo tutto quello che troviamo, che ci fa comodo. E invece pianta un chiasso del diavolo, il giorno dopo, quando io vado a rubare un cocomero nell'orto dei negri, e me lo mangio. Mi obbliga ad andare a dare dieci centesimi ai negri, senza però dire perché glieli davo. Tom allora mi spiega che la cosa stava cosí, che si poteva rubare tutto quello che veramente ci bisognava. Be', dico io, io avevo bisogno di quel cocomero. Ma lui mi dice che non è che mi bisognava per poter scappare di prigione, ed era lí che stava la differenza. Mi dice che se invece mi bisognava per nasconderci dentro un coltello per Jim, cosí da poter uccidere il siniscalco, allora tutto andava bene. Dopo di che io mollo la discussione, ma non potevo scoprire i vantaggi che me ne veniva a rappresentare un prigioniero, se dovevo pensare tanto e rompermi la testa con tante fasti-

diose distinzioni, ogni volta che avevo l'occasione di pap-
parmi un cocomero.

Be', come vi dicevo, passiamo il mattino in attesa, finché tutti sono occupati in qualche lavoro, e non c'è piú
nessuno in giro, poi Tom trasporta il sacco nella rimessa,
mentre io faccio da guardia. Dopo un poco esce fuori, e
tutti e due andiamo a sederci sulla catasta di legno, per
discutere. Lui mi dice:

— Tutto è a posto, adesso, tranne gli arnesi, e quelli non
presentano difficoltà.

— Quali arnesi? — chiedo io.

— Ma gli arnesi, diamine!

— Ma gli arnesi per cosa?

— Ma come? Per scavare! Credi forse che dobbiamo scavare il cunicolo, grattando con le unghie?

— Ma quei picconi e badili che ci sono nella rimessa,
forse che non vanno per scavare un buco per far uscire un
negro? — chiedo io.

Lui allora si volta verso di me, e mi guarda con una tale
aria di compassione che mi fa quasi sentire un verme, e poi
dice:

— Huck Finn, ma tu hai mai sentito di un prigioniero,
che aveva a sua disposizione picconi e badili e tutti gli
arnesi moderni, per potersi scavare un bel cunicolo, e scappare? Ora io voglio chiederti una cosa, se proprio hai un
po' di sale in zucca: come si fa a farlo diventare un eroe, in
questo modo? Allora perché non gli diamo la chiave della
prigione, cosí che può uscire tranquillo e beato? Picconi e
badili... ma non sai che neanche a un re li dànno!

— Be', allora, — dico io, — se i picconi e i badili non
vanno, allora cosa dobbiamo usare?

— Un paio di coltelli da tavola.

— E con quelli scavare un buco, che passa sotto quella
rimessa?

— Precisamente.

— Ma senti, Tom, ma è proprio scemo!

— Non importa niente, se è o non è scemo, è la cosa da
fare, e si fa sempre cosí. E io non ho mai sentito di un'altra maniera, e non ne ho mai letto in tutti i libri che parlano di questo genere di affari. Quando si scava, si scava
sempre con un coltello da tavola e bada che si scava non
nella semplice terra battuta, ma nella roccia. Naturalmente
ci impiegano settimane e settimane, e non finiscono mai.

Pensa a quel prigioniero che si trovava in una segreta sotterranea del Castello Diff, nel porto di Marsiglia, e che si è scavato un passaggio in quel modo. Quanto pensi che ci ha messo?

– Cosa vuoi che ne sappia?

– Prova a indovinare.

– Non lo so. Quanto? Un mese e mezzo?

– Trentasette anni! Ma sai dove è uscito? In Cina! È cosí, mio caro, che si fa. Eh, se questa fortezza fosse piantata su della solida roccia!

– Ma Jim non conosce nessuno in Cina.

– E cosa c'entra? Neanche quel prigioniero non conosceva nessuno in Cina. Ma tu ti distrai sempre dietro a delle sciocchezze. Non riesci mai a capire quello che è importante.

– E va bene. Tanto a me non me ne importa dove esce, solo che esca, e anche Jim la pensa cosí, credo. Ma, a ogni modo, c'è una cosa, che Jim ormai è troppo vecchio perché lo facciamo uscire scavando con dei coltelli da tavola. Non dura tanto.

– Deve durare. E poi non credi mica che ci vogliono trentasette anni per fare un buco nella terra battuta!

– Be', quanto ci vuole Tom?

– Eh, non possiamo rischiare di impiegarci il tempo che sarebbe giusto, perché magari non ci vuole molto a zio Silas per ricevere una risposta da New Orleans, e quando lui sa che Jim non è di quella piantagione, la prima cosa che fa è di pubblicare un annunzio, comunicando che ha Jim, o qualcosa del genere. Cosí che non possiamo rischiare di starci il tempo che si deve. Secondo le buone regole penso che si deve scavare almeno un paio d'anni, ma naturalmente non possiamo neanche pensarci. Siccome la situazione è cosí incerta, il mio parere è questo: che ci mettiamo a scavare il piú in fretta che si può, e poi far finta che abbiamo impiegato trentasette anni. Cosí che si può farlo uscire e scappare, al primo allarme. Sí, penso proprio che questo è il modo meglio che c'è.

– Questa è una buona idea, – dico io. – Far finta non costa niente, non dà noia a nessuno, e se proprio ci tieni io sono disposto a far finta che ci abbiamo magari impiegato centocinquant'anni. Una volta che ci ho preso la mano, io non guardo tanto per il sottile. Cosí magari vado in giro e vedo se mi riesce di grattare un paio di coltelli da tavola.

– Grattane tre, – dice lui, – perché con uno si deve fare una sega.

– Tom, se la mia proposta non è troppo contro il regolamento e i Sacramenti, – dico io, – c'è una vecchia lama di sega tutta arrugginita, laggiú, che spunta da sotto il tetto, dietro l'affumicatoio.

Lui mi guarda, con un'espressione stanca e scoraggiata, e poi mi dice:

– È come lavar la testa a un asino, con te, Huck. Fila a grattare i coltelli, e grattane tre –. E io ho dovuto grattarne tre.

Capitolo trentaseiesimo

Quella sera non appena si pensa che tutti sono addormentati, si scivola giú per il parafulmine, e andiamo a chiuderci nella rimessa, tiriamo fuori il nostro sacco di «fuoco delle volpi», e ci mettiamo a lavorare. Dapprima si libera il pavimento per circa quattro o cinque piedi, verso il centro del trave di fondo. Tom dice che cosí ci troviamo proprio dietro il letto di Jim, e noi ci mettiamo a scavare, in modo che, quando si sarà finito, nessuno se ne può accorgere che c'è un buco, perché il copriletto di Jim pende fin quasi a terra, e uno deve sollevarlo e guardare sotto il letto per accorgersi che c'è il buco. Cosí ci mettiamo a scavare e ce la diamo tutta, fin verso mezzanotte. A quell'ora si era stanchi morti, avevamo le mani piene di vesciche e non si aveva combinato molto. Alla fine dico:

– Per fare questo lavoro, in questa maniera, caro Tom Sawyer, non ci vogliono trentasette anni. Ce ne vogliono almeno trentotto.

Lui non risponde niente, ma sospira e ben presto pianta lí di scavare e poi, per un po' di tempo, vedo che sta pensando. Infine dice:

– No, non va proprio, Huck, cosí non va. Per un prigioniero va benissimo, perché lui ha a disposizione tutti gli anni che vuole, e non ha mai fretta, e poi un prigioniero non può scavare che pochi minuti ogni giorno, quando cambiano di sentinella, e cosí non si fa venire le vesciche alle mani e continua, un anno dopo l'altro, e lavora bene, come si deve. Ma noi non abbiamo tempo da perdere, dobbiamo spicciarci, è inutile farci delle illusioni. Se lavoriamo un'altra notte in questa maniera poi dobbiamo stare a letto una settimana intera, per far riposare le mani, perché prima di allora manco un temperino possiamo piú impugnare.

– Be', allora come si fa, Tom?

– Te lo dico io. Non è giusto, non è morale, e non mi piace se si viene a saperlo, ma c'è solo un'unica maniera per sbrigare questo lavoro. Dobbiamo scavare con i picconi, e far finta che sono coltelli.

– Adesso sí che ne hai detta una giusta! – faccio io; – diventi sempre piú furbo, ogni momento che passa, Tom Sawyer, – faccio. – I picconi sono quello che fa per noi, morale o non morale, e in quanto a me, della morale... mai saputo cosa farmene, te l'assicuro. Quando mi vien voglia di rubare un negro, o un cocomero, o un libro di religione, non ci penso a come lo rubo, solo che ci riesco. Quello che m'interessa è il mio negro, o il cocomero, o il libro di religione, e se è il piccone che devo usare per avere cosa voglio, è con quel piccone che mi procuro negro, cocomero, o libro, e non me ne importa un fico secco di quello che ne pensano le autorità.

– Be', – dice lui, – in questo caso c'è una scusa per lavorare col piccone, e far finta che usiamo i coltelli. Se non fosse cosí, mai che accetto una cosa simile, e non lascerei a nessuno di andare contro le regole, perché quello che è giusto è giusto, quello che è male è male, e nessuno ha il diritto di far male quando non è un ignorante e conosce il suo dovere. Tu magari puoi essere scusato, a tirar fuori Jim con il piccone, anche senza far finta di usare un coltello, perché tu, già, le regole non sai neanche cosa sono, ma per me è diverso, perché io so come si deve fare. Dammi un coltello.

Aveva il suo accanto, ma gli do il mio, ma lui lo sbatte per terra e poi ripete:

– Dammi un coltello.

Io non so piú cosa fare, ma poi mi viene un'idea, e vado a rovistare fra i vecchi arnesi, prendo un piccone e glielo porgo, e lui lo prende e si mette a manovrarlo senza dire una parola.

Lui era cosí, sempre pieno di principî e ideali.

Be', io poi prendo una pala e cosí lavoriamo di piccone e di pala, e il lavoro fila che è un amore. Ce la diamo tutta per circa mezz'ora, che era il massimo che si poteva, ma, dopo mezz'ora, almeno s'era ottenuto qualche risultato. Quando sono di sopra guardo dalla finestra e vedo che Tom cercava di fare del suo meglio col parafulmine, ma aveva le mani cosí sbucciate che proprio non gli riusciva. Infine lui dice:

– È inutile, è impossibile. Cosa mi dici di fare? Non sai pensare a niente?

– Sí, – dico io, – ma ho paura che è contro il regolamento. Sali per la scala e fatti credere che è il parafulmine. E lui fa cosí.

Il giorno dopo Tom ruba un cucchiaio di peltro e un candeliere di ottone per fabbricare qualche penna per Jim, e sei candele di sego; e io vado in giro per le capanne dei negri, finché non trovo il momento giusto e riesco a grattare tre piatti di stagno. Ma Tom dice che non bastavano. Io gli faccio osservare che, a ogni modo, nessuno poteva trovare i piatti che Jim doveva buttar via, perché cadevano tra la camomilla e lo stramonio, che cresceva sotto la finestra, cosí che potevamo andare a raccoglierli e riportarli a Jim, che poteva usarli un'altra volta. Tom si lascia convincere, poi mi dice:

– Adesso la cosa da risolvere è come fare a mandare queste cose a Jim.

– Possiamo portargliele noi stessi, – dico io, – non appena abbiamo finito il buco.

Ma lui mi guarda con disprezzo e dice, come al solito, che nessuno ha mai sentito di una proposta cosí idiota, e poi si mette a pensarci su. Dopo un poco mi informa che ormai ha trovato due o tre maniere, ma che per adesso non si tratta ancora di decidere quella da adottare. Dovevamo prima informare Jim.

Quella sera si scende giú dal parafulmine poco dopo le dieci, prendiamo una delle candele, tendiamo l'orecchio quando siamo sotto la finestra, e sentiamo che Jim russa tranquillo; cosí che ci mettiamo al lavoro, e lui manco si sveglia. Allora ce la diamo tutta con piccone e pala, e in circa due ore e mezzo il lavoro è finito. Poi ci infiliamo nel buco e si esce sotto il letto di Jim, e si è nella sua capanna, e andiamo in giro a tastoni nel buio, finché non si trova la candela. L'accendiamo, e ci fermiamo un poco a contemplare Jim, che aveva una bell'aria riposata e tranquilla. Allora lo svegliamo dolcemente, poco alla volta. Lui è cosí felice di vederci che per poco non si metteva a piangere, e ci chiamava con i nomi piú affettuosi che sapeva, e voleva farsi portare un tagliolo a freddo, per segare subito la catena che gli legava la gamba e potersene andare immediatamente. Ma Tom gli dimostra che cosí non va bene, e si siede accanto a lui, e lo informa di tutti i nostri piani, e di come potevamo cambiarli in un minuto, al primo segno di pericolo. Gli diciamo anche che non doveva aver paura perché, in un modo o nell'altro, lo facevamo certo scappare. Allora Jim dice che cosí andava, e ci sediamo tutti e tre, e ci mettiamo a ricordare i tempi di una volta, e Tom allora gli fa molte domande, e quando Jim gli dice che zio Silas viene quasi ogni giorno a pregare con lui, e anche zia Sally veniva per assicurarsi che stava bene e non gli mancava niente, e che insomma tutti e due erano buoni e gentili con lui, che di piú non si poteva neanche immaginare, Tom dice:

– Adesso so come devo fare. Alcune delle cose, che ne hai bisogno, te le mandiamo per mezzo loro.

Io dico: – Che non ti salti in mente di fare una cosa simile. È la cosa piú stupida che puoi pensare, – ma lui non mi fa neanche attenzione e tira avanti. Faceva sempre cosí, una volta che aveva deciso qualcosa.

Cosí spiega a Jim di come gli voleva mandare una scala di corda in una torta, e altre cose voluminose per mezzo di Nat, il negro che gli portava da mangiare, e lui doveva sempre stare attento, e non farsi mai vedere stupito, e fare in modo che Nat non se ne accorgesse, quando trovava qualche cosa. Le cose piú piccole, invece, volevamo metterle nelle tasche della giacca dello zio, e lui doveva rubarle; altre poi dovevamo legarle ai lacci del grembiule della zia, o gliele infilavamo nella tasca del grembiule, tutte le volte che si poteva. Infine gli diciamo di che cosa si tratta e a che cosa dovevano servire e gli spieghiamo anche come deve fare per tenere un diario sulla camicia, scrivendolo col suo sangue. Insomma, Tom gli spiega tutto. Jim non riusciva a capire perché doveva fare tutte queste diavolerie, ma teneva presente che noi eravamo bianchi e che i bianchi sanno tante piú cose dei negri, e cosí resta tranquillo, e promette di fare come voleva Tom.

Jim aveva parecchie pipe fatte con pannocchie di granturco, e del tabacco, cosí che ci mettiamo a fumare tutti insieme e passiamo una splendida serata. Poi ci infiliamo nella tana, e torniamo a casa per andare a letto, con delle mani che facevano pietà, tanto erano malandate. Tom era molto allegro. Dice che era la cosa piú divertente che aveva mai fatto da quando era nato, la piú intellettovale, e dice anche che solo che scoprisse come, voleva continuare quel gioco tutta la vita, e magari potevamo lasciare Jim ai nostri figli che lo facessero uscire loro, perché era sicuro che anche Jim si doveva divertire un mondo, non appena riusciva a capire il gioco. Mi dice che in questo modo la fuga poteva durare anche ottant'anni, e che cosí batteva tutti i primati. E naturalmente, tutti quelli che ci avevano preso parte diventavano famosi.

Il mattino dopo andiamo presso la catasta di legno e tagliamo il candeliere di ottone in piccoli pezzi maneggevoli, e Tom se li caccia in tasca con il cucchiaio di stagno. Poi andiamo nella capanna dei negri e, mentre io attiravo l'attenzione di Nat, Tom infila un pezzo di candeliere nel bel mezzo di un pane di granturco che si trovava nella casseruola destinata a Jim, e poi ce ne andiamo con Nat per vedere come funziona la cosa, e vi assicuro che funziona in modo magnifico, che quando Jim dà un morso a quella pagnotta, per poco non si faceva saltare tutti i denti, che niente poteva funzionare meglio. Perfino Tom dice cosí. Jim per conto suo non dice niente, ma solo che doveva essere un pezzo di pietra o qualcosa del genere, che si trova sovente nel pane, ma dopo d'allora non osava piú mordere niente, se prima non l'aveva tastato bene piantandoci la forchetta in due o tre posti diversi.

Mentre si è tutti in quella penombra della cabina, ecco improvvisamente ci troviamo tra le gambe un paio di cani, spuntati da sotto il letto di Jim. La prima coppia è seguita da altri, e un bel momento contiamo undici cani, e la cabina era cosí piena che quasi non si poteva respirare. Nel nome del demonio, avevamo dimenticato di chiudere la porta della rimessa. Ma il negro Nat urla una volta: – Le streghe! – e cade per terra fra i cani, e comincia a gemere e lamentarsi, come in punto di morte. Tom spalanca la porta, butta lontano un pezzo della carne di Jim, e i cani si precipitano tutti fuori. Poi, in due secondi esce e torna e chiude la porta, e io capisco che aveva chiuso anche la porta della rimessa. Infine si mette a confortare il negro, e lo consolava, e cercava di fargli coraggio, e gli chiede se si era immaginato di vedere di nuovo qualche cosa. Quello allora si alza in piedi, si guarda in giro con occhi stralunati, e dice:

– Padron Sid, voi dite magari che sono un cretino, ma se non è vero che mi è proprio sembrato di vedere un milione di cani, o diavoli, o di non so che cosa, voglio morire sul momento, in questo punto preciso. Li ho visti, li ho proprio visti. Padron Sid, li ho sentiti, li ho toccati, mi venivano addosso da ogni parte. Che il diavolo le maledica, ma se posso abbrancare una di quelle streghe, una sola volta, solo una volta, è tutto quello che chiedo. Ma piú che tutto, se mi lasciassero stare, che non chiedo mai piú altro!

Tom dice:

— Be', ecco quello che io credo. Perché pensi che le streghe vengono qui, quando porti da mangiare a questo negro? È perché hanno fame, ecco perché. Tu dovresti portargli una torta per le streghe, è cosí che devi fare.

— Ma per l'amor di Dio, padron Sid, come mi metto a preparare una torta per le streghe? Io non so come prepararla. Non ho mai sentito prima parlare di una torta del genere.

— Be', vedo che devo preparartela io, allora.

— Me la preparate proprio, caro? Proprio sul serio? Ma io bacio la terra dove camminate, se me la preparate.

— Va bene. Siccome si tratta di te, te la preparo io, dato che sei stato buono, e ci hai mostrato questo negro che è scappato. Ma devi fare molta, ma molta attenzione. Quando noi ci lavoriamo, tu devi voltare la schiena, e qualunque cosa si mette nel tegame, devi far finta che non hai visto niente. E anche non devi guardare, quando Jim svuoterà la casseruola, perché se guardi può capitarti qualcosa, non so neanche io bene che cosa, ma tremendo! E soprattutto che non ti salti in mente di toccare le cose per le streghe.

— Toccarle, padron Sid? Ma come vi può venire in mente una simile idea? Non le tocco con l'unghia del dito, neanche per dieci centomila milioni di dollari, che non le tocco!

Cosí tutto era in ordine. Possiamo perciò andarcene, e poi si va a frugare tra i rifiuti che c'erano nel cortile di dietro, dove buttavano scarpe vecchie, stracci, bottiglie rotte, scatole di latta e, dopo aver cercato un poco, troviamo una vecchia catinella di latta, e allora turiamo i buchi meglio che si può, per cuocerci dentro la torta, e ce la portiamo giú in cantina e la riempiamo di farina, poi si va a colazione e troviamo un paio di chiodi lunghi, che Tom dice era proprio ciò che ci voleva per un prigioniero per incidere il suo nome e il racconto delle sue pene sui muri della segreta. Cosí ne infiliamo uno nella tasca del grembiule di zia Sally, che era appeso a una sedia, e l'altro lo infiliamo sotto il nastro del cappello di zio Silas, che si trovava sullo scrittoio, perché avevamo sentito dai bambini che i due vecchi dovevano andare quel mattino a trovare il negro. Poi andiamo a colazione e Tom infila il cucchiaio di stagno nella tasca della giacca di zio Silas. Siccome zia Sally non era ancora scesa, cosí la dobbiamo aspettare un po'.

Quando finalmente arriva aveva un diavolo per capello, e non poteva quasi aspettare che fosse recitata la preghiera. Poi si mette a versare il caffè con una mano, e usa l'altra per picchiare con il ditale la zucca del bambino che gli è piú vicino, e dice:

– Ho cercato a destra, ho cercato a sinistra, ho cercato dappertutto e non capisco piú niente. Dov'è l'altra tua camicia?

Plof! Mi sento il cuore che si spiaccica giú tra polmoni, fegato, intestini e le altre cose che ci sono dentro, e un pezzo di crosta di pan di granturco, che già si era infilata per andar giú, s'incontra nel suo viaggio con un colpo di tosse che veniva su, e che lo sbatte traverso il tavolo e gli fa colpire un bambino in un occhio, che lui si torce tutto come un lombrico infilato in un amo, e gli fa lanciare un raglio che sembrava un grido di guerra, mentre Tom diventa tutto rosso attorno ai manichi della zucca, tanto che per un quarto di minuto succede un parapiglia infernale, e io ero pronto a vendere baracca e burattini a metà prezzo, solo che trovavo un acquirente. Ma dopo tutto ritorna calmo. Era stata solo la sorpresa, che ci aveva ridotti cosí.

Zio Silas dice:

– È una cosa ben strana, che io non capisco e non riesco a spiegarmela. Ricordo benissimo che me la sono tolta, perché...

– Già, perché addosso non ne hai che una. Ah! che razza d'uomo sei mai! So benissimo che te la sei tolta, e lo so molto meglio di quanto non può saperlo quella tua memoria cosí svanita, perché ieri era stesa sulla corda ad asciugare, e io stessa l'ho vista con i miei occhi. Ma adesso è scomparsa. Questa è la situazione, e se vuoi cambiarti camicia devi infilarne una di flanella rossa, finché non ho avuto il tempo di cucirtene un'altra. E sarà la terza che ti ho cucito in due anni. Proprio che a tenerti fornito di camicie uno non ha mai un momento di requie, e come poi riesci a farle sparire è una cosa che non sono mai riuscita a capire. Uno può pensare che, alla tua età, dovresti aver imparato a tenere da conto le tue camicie!

– Lo so benissimo, Sally, e cerco sempre di fare del mio meglio. Ma penso che non è tutta e solo colpa mia, perché tu sai benissimo che io non le vedo neppure, e non ho mai niente a che fare con le mie camicie, se non quando le ho indosso, e non credo di aver mai perduta una camicia che avevo addosso.

– Be', non è certo colpa tua, se non ne hai ancora perdute quando le hai indosso, Silas... perché son sicura che hai fatto del tuo meglio. Ma la camicia non è la sola cosa che è sparita. È sparito anche un cucchiaio, e non è ancor tutto. Ce n'erano dieci, e adesso ce ne sono solo piú nove. La camicia credo che l'ha mangiata il vitello, ma non può aver mangiato anche il cucchiaio.

– Be', che altro è sparito ancora, Sally?

– Sei candele, ecco cosa è sparito ancora. Magari i topi sono riusciti a mangiare le candele, e credo che sono proprio stati loro. Io per me sono stupita che non hanno ancora divorato tutta la casa, a vedere come dici sempre che vai a chiudere i buchi, e poi non lo fai mai e se non fossero stupidi ti dormirebbero in testa, Silas, che tu manco te ne accorgi! Ma neanche i topi hanno potuto portare via il cucchiaio, di quello ne sono sicura!

– Be', Sally, la colpa è in parte mia, lo ammetto. Sono stato un po' trascurato, ma ti assicuro che prima di domani tutti i buchi sono chiusi.

– Al tuo posto non mi scalderei tanto. Basta se li chiudi per l'anno prossimo. Matilda Angelina Araminta Phelps!

Tok! il ditale cozza sulla zucca di Matilda Angelina Araminta, che estrae subito le zampette dalla zuccheriera, senza farselo dire due volte. Proprio in quel momento la negra si fa sulla soglia della stanza e dice:

– Padrona, manca un lenzuolo!

– Manca un lenzuolo! Be', questa poi...

– Vado a chiuderli oggi i buchi! – dice zio Silas, con un'aria bastonata.

– Oh, piantala! Credi che anche il lenzuolo l'hanno preso i topi? E dove mai è finito, Lize?

– Nel nome di Dio che non lo so, padrona. Era steso ad asciugare ieri, e adesso è sparito, e non c'è piú!

– Ma questa è la fine del mondo. Da quando son nata che non ho mai visto niente di simile! Una camicia, un lenzuolo, un cucchiaio, sei can...

– Padrona, – entra a dire in quel momento una mulatta, – manca un candeliere di ottone!

– Via di qui vagabonda, o ti tiro una padella sulla zucca.

Stava per scoppiare. Io comincio a pensare come potevo scappare, e avevo mezza intenzione di andare nei boschi, finché il tempo non si fosse un po' ristabilito. Lei continuava a tempestare, e combina una rivoluzione da sola. Tutti gli altri mogi e tranquilli. A un tratto zio Silas, con un'aria un po' scema, tira fuori il cucchiaio di tasca. La zia si ferma di colpo, con la bocca ancora spalancata e le mani su. Io per me già che preferivo trovarmi a Giosafatte, o anche peggio. Ma non per molto, perché lei subito dice:

– Proprio come me l'aspettavo. Cosí che l'avevi in tasca tu, e probabilmente hai anche tutto il resto. Come ha fatto a finire lí?

– Ti giuro che non lo so, Sally, – dice lui, in tono di scusa, – o lo sai che te lo direi subito. Prima di colazione stavo studiando il testo, Atti degli Apostoli, diciassette, e con ogni probabilità l'ho infilato in tasca senza accorgermene, con l'intenzione di infilarci la Bibbia, e deve essere cosí perché la Bibbia non c'è. Ma aspetta che vado a vedere, e se la Bibbia è ancora dove era, allora so che non l'ho messa, e cosí è chiaro che ho messo giú la Bibbia e ho preso il cucchiaio e...

— Basta, per l'amor di Dio, basta... non farmi impazzire! Adesso filate tutti, dal primo all'ultimo, e che nessuno mi venga vicino, finché non mi sono calmata un poco!

Io l'avevo già capito, anche se lei non me lo diceva, e cosí mi alzo e via a gambe. Mentre si attraversa il salotto il vecchio prende il cappello, e il chiodo cade per terra, e lui si limita a tirarlo su e a rimetterlo sulla mensola del caminetto, senza dire una parola. Poi esce. Tom vede che fa cosí, allora si ricorda del cucchiaio e dice:

— Be', è inutile cercar di mandare delle cose per mezzo di lui, perché uno non può fidarsi di un uomo cosí —. Poi dice: — Ma certo che ci ha aiutato, con quella trovata del cucchiaio, anche senza saperlo, e cosí noi dobbiamo aiutarlo senza che lui lo sappia e andare a turargli tutte le tane dei topi.

In cantina di tane di topi ce n'era a non piú finire, tanto che si deve lavorare un'ora intera, ma vi assicuro che, alla fine, il lavoro era stato fatto alla perfezione, e tutto era in ordine. Proprio allora sentiamo dei passi che scendono le scale; noi si spegne la candela e ci nascondiamo. Ed ecco, poco dopo entra il vecchio con una candela in una mano e qualcosa nell'altra per turare i buchi, e aveva quella sua aria svanita di sempre. Va in giro, si guarda intorno, passa in rivista tutte le tane, e naturalmente le trova tutte turate. Allora resta fermo cinque minuti, a staccare le scolature della candela, e intanto pensava. Poi si volta lento verso la scala, con un'aria anche piú allocchita, e dice:

— Be', che possa morire se mi ricordo di quando ho fatto questo lavoro! Adesso potrei fargli vedere che ai topi ho provveduto. Ma lasciamo perdere. Tanto credo che non serve a niente.

E cosí, sempre borbottando, torna sopra e noi possiamo uscire. Non era un uomo, ma un angelo, e lo è ancora.

Tom era molto irritato, e non sapeva come fare per il cucchiaio, e infine dice che si deve averlo a ogni costo, cosí che ci pensa su. Quando ha pensato bene mi dice come si doveva fare. Andiamo a piazzarci vicino al cestino dei cucchiai, finché vediamo venire zia Sally, e allora Tom si met-

te a contare i cucchiai e a metterli da una parte e io ne
infilo uno nella manica, e Tom dice:

– Ma, zia Sally, i cucchiai sono solo nove.

Lei dice:

– Andate, andate a giocare e non datemi noia. Io lo so
quanti ce ne sono, ché li ho contati io.

– Be', io li ho contati due volte, zia, e non ce ne sono
che nove.

Lei ci guarda irritata, ma naturalmente viene a contare
– chi non veniva?

– Ma è vero, è vero, non ce ne sono che nove! – dice lei.
– Ma chi diavolo è mai... che il diavolo se lo porti... che
ruba le cose? Voglio contare un'altra volta.

Allora io tiro fuori quello che avevo nascosto, e quando
ha finito lei dice:

– Maledizione, adesso sono di nuovo dieci! – e aveva
un'aria irritata e annoiata. Ma Tom gli dice:

– Ma no, zia, non credo che sono dieci.

– Ma, cetriolo, non hai visto quando li contavo?

– Lo so, ma...

– Be', li conto di nuovo.

Allora io ne prendo uno, e cosí i cucchiai son nove come
prima. Be', dovevate vederla! Tremava tutta dalla rabbia.
Cosí che, conta e riconta, in ultimo era tanto confusa che
qualche volta contava anche il cestino con i cucchiai, e cosí
tre volte il numero viene giusto e tre volte sbagliato. Allora afferra il cestino, lo sbatte lontano e colpisce il gatto,
che vola via e scompare. Poi dice di battercela e di lasciarla tranquilla, che se ci facciamo vedere prima di pranzo, ci
pela vivi. In questo modo riusciamo ad avere il famoso
cucchiaio, e lo infiliamo nella tasca del suo grembiule, proprio mentre ci ordinava di battercela e, prima di mezzogiorno, Jim lo trova insieme con il chiodo. Noi si era soddisfatti, e Tom dice che non importa se era stato un po' complicato, perché adesso lei non ce la faceva piú a contare i cucchiai giusti due volte di fila, manco per salvarsi l'anima ci
riusciva, e non credeva di averli contati giusti anche se li
contava giusti, e aggiunge che dopo essersi rotta la testa a
forza di contarli e ricontarli per tre giorni, poi la piantava
per sempre, e avrebbe pelato vivo il primo che gli diceva
di contare di nuovo i cucchiai.

Quella notte rimettiamo il lenzuolo sulla corda e andiamo a rubarne uno nell'armadio, e cosí continuiamo a rimet-

terlo sulla corda e poi a rubarlo per un paio di giorni, finché ormai non sapeva piú con precisione quante lenzuola aveva, e dice che non gliene importava niente, e non si voleva certo rovinare i pochi giorni che gli restavano per quelle lenzuola, e non li contava piú, manco per salvarsi l'anima, che possa morire se li contava ancora.

Cosí che adesso tutto era a posto, camicia, lenzuolo, cucchiaio e candele, con l'aiuto del vitello, e dei topi e dei conti che non tornavano. In quanto al candeliere quello importava meno, e poco alla volta nessuno ci pensa piú.

Ma la torta, quella sí che è un affare serio! Il lavoro che ci è costata! La si prepara nel bosco, e la cuociamo là, e infine si riesce a prepararla, e anche in modo abbastanza soddisfacente. Ma non è stato il lavoro di un giorno solo. Abbiamo dovuto usare tre catinelle di farina, prima d'aver finito, e ci siamo bruciati un po' dappertutto, e avevamo gli occhi rovinati dal fumo, perché noi non si voleva altro se non la crosta superiore, e non ce la facevamo a ottenere una crosta solida, perché cedeva sempre nel mezzo. Ma naturalmente dopo tante prove infine si trova la maniera buona, che è di far cuocere anche la scala dentro la torta. Cosí che la seconda notte la si passa con Jim e stracciamo il lenzuolo in tanti piccoli pezzi intrecciandoli fra loro, e prima del mattino si era preparata una magnifica corda, che poteva servire benissimo a impiccare chi si voleva. Noi naturalmente si fa finta che per fabbricarla c'erano voluti nove mesi.

Nel pomeriggio la portiamo nel bosco, ma non c'era verso di farla entrare nella torta. Siccome per farla avevamo impiegato un intero lenzuolo, ci troviamo con tanta corda che bastava a preparare quaranta torte, chi le avesse volute, e ne restava ancora in abbondanza per farne zuppe e salsicce o cosa si voleva. Insomma, ce n'era tanta che bastava da sola a preparare tutto un pranzo.

Ma noi non sapevamo che farcene. Tutto ciò che ci occorreva era quello che entrava nella torta, cosí che il resto lo si butta via. Naturalmente la torta non la facciamo cuocere nella catinella, che si aveva paura della stagnatura, che poteva fondere. Per fortuna zio Silas aveva un magnifico scaldaletto di ottone, che ci teneva moltissimo, perché apparteneva a uno dei suoi antenati, e aveva un lungo manico di legno ed era venuto dall'Inghilterra con Guglielmo il Conquistatore sul *Mayflower* o uno di quei primi piroscafi che

sono venuti in America, e lo teneva nel solaio, con dei
vecchi vasi e altre cose che erano molto preziose, non perché servivano a qualche cosa perché non servivano proprio
a niente, ma perché erano dei derelitti, voi capite, e cosí
noi lo prendiamo di nascosto, lo portiamo giú, e le prime
torte non vengono bene, perché non si sapeva ancora, ma
poi l'ultima era un capolavoro. Si prende lo scaldaletto, lo
si fodera tutto di pasta, e lo mettiamo sulla brace, poi ci
mettiamo dentro la scala di lenzuolo, poi si fa sopra una
specie di tetto di pasta, si chiude il coperchio, copriamo
anche il coperchio di braci e si resta a cinque passi di distanza, tenendo lo scaldaletto per il lungo manico, tranquilli e
comodi, e dopo quindici minuti quello ci scodella una torta, che era una consolazione guardarla. Ma se qualcuno la
mangiava, doveva procurarsi due caratelli di stuzzicadenti,
perché se quella scala di corda non gli restava tra i denti,
io non so piú quello che mi dico, e il mal di pancia poi...
non parliamone neanche!

Quando si mette la torta per le streghe nella casseruola
di Jim, Nat si volta dall'altra parte, cosí che sotto il mangiare possiamo nascondere tre piatti di stagno, in modo che
Jim riesce ad avere tutto quello che aveva bisogno, e non
appena si trova solo apre la torta, e nasconde la scala nel
suo saccone, poi graffia qualche segno sopra un piatto di
stagno e lo sbatte fuori della finestra.

Fabbricare le penne è un lavoro che non vi dico. Cosí fabbricare la sega, ma Jim diceva che il piú duro di tutto era poi incidere l'iscrizione. L'iscrizione è quella che il prigioniero deve graffiare sul muro. Ma non c'era verso di scapolarsela, perché Tom diceva che bisognava inciderla, che lui non sapeva neanche di un solo prigioniero di stato che, prima di scappare, non ha inciso la sua brava iscrizione insieme alla sua arme.

– Pensa a Lady Jane Grey, – dice Tom, – pensa a Gilford Dudley, al vecchio Northumberland! Sí, Huck, sí, è un lavoro difficile, e con questo? Come si fa a farne a meno? Jim deve assolutamente incidere l'iscrizione e la sua arme. È una cosa che fanno tutti.

Jim osserva: – Ma, padron Tom, io non ho nessuna arma, l'unica cosa che ho è questa vecchia camicia, e voi sapete che devo usarla per scriverci sopra il diario.

– Non mi capisci, Jim! Un'arme non è un'arma.

– A ogni modo, – osservo io, – arme o arma, Jim ha ragione, perché è sicuro che lui non ce l'ha!

– Lo so benissimo, – dice Tom, – ma ne avrà una prima che scappa di prigione, perché lui deve scappare secondo tutte le regole, e non permetto che si trascuri niente.

Cosí mentre io e Jim si suda a limare le penne su di un pezzo di mattone, Jim limava un pezzo di ottone, io un pezzo di cucchiaio, Tom si mette a spremersi per inventare l'arme di Jim. Dopo un poco dice che ne ha trovate tante, e tutte cosí belle, che non sa decidersi quella che è meglio, ma che ce n'è una che con ogni probabilità sceglie invece delle altre. E dice: – Lo scudo recherà banda oro in quarto destro, con croce di Sant'Andrea in amaranto nelle fasce, cane dormiente come emblema e, sotto il piede, catena merlata, simbolo di schiavitú; gallone verde in sommo trinciato e tre linee infiorate in campo azzurro; punte del centro rampanti su gallone dentato. Cresta: negro che fugge con fardello sulle spalle, in alamari; caprioli cremisi per supporto. Motto: *Maggiore fretta, minore atto*. L'ho trovato in un libro e vuol dire che quanto piú fai in fretta, tanto meno combini.

– Corpo di mille diavoli, – dico io, – ma il resto cosa vuol dire?

– Non c'è tempo per spiegarti tutto, – risponde lui. – Adesso dobbiamo darcela tutta e finire il lavoro.

– Be', a ogni modo, – dico io, – spiegamene almeno un po'. Cos'è, per esempio, una catena merlata?

– Be', è una catena... è, diavolo, è una catena merlata! Non c'è nessun bisogno che tu lo sai cosa è. Gli insegno poi io come si fa a farla, quando sarà tempo.

– E va bene, Tom, – dico io, – ma credevo che potevi magari spiegarmene un poco. Cosa è un centro rampante?

– Non lo so, ma lui deve averlo. Tutti i nobili ce l'hanno.

Lui era sempre cosí. Quando non gli faceva comodo spiegare una cosa, non c'era verso. Potevate pomparlo una settimana intera che non si otteneva niente.

Sistemata la faccenda dell'arme o stemma, allora si mette a finire il resto del lavoro, cioè le frasi disperate, perché Jim doveva graffiarne una sul muro, come facevano tutti. Lui ne pensa diverse e se le scrive su di un pezzo di carta e poi ce le legge:

> Qui s'infranse il cuore di un misero captivo.
>
> Qui un povero prigioniero, deserto dal mondo e dagli amici, consunse tra gli affanni la sua vita.
>
> Qui un cuore derelitto si spezzò, e uno spirito afflitto alfin spirò, dopo trentasett'anni di solitaria cattività.
>
> Qui senza casa e senza piú amici, dopo trentasett'anni di amara prigionia, perí un nobile straniero, figlio naturale di Luigi XIV.

Mentre che leggeva gli tremava la voce a Tom, e per poco non si lasciava vincere dall'emozione. Ma quando le ha lette tutte, non sapeva decidersi a scegliere quella che Jim doveva scrivere sul muro, perché erano tutte cosí belle, e infine decide che gliele fa scrivere tutte. Jim dice che ci voleva almeno un anno per scrivere tante cose sulle tavole di legno con un chiodo, e che poi lui non sapeva scrivere, ma Tom gli dice che gli scriveva tutto in stampatello, in modo che lui non doveva far altro se non copiare le righe. Ma poco dopo dice:

– Adesso che ci penso le tavole di legno non servono, perché nelle segrete dei castelli non ci sono muri di legno, e l'incisione si deve scriverla sopra una pietra. Adesso ti portiamo una pietra.

Jim protesta che la pietra è peggio ancora delle assi, e dice che ci voleva tanto tempo per scrivere tutto su una pietra, che lui non poteva più uscire. Ma Tom dice che mi lasciava aiutarlo. Poi guarda cosa avevamo fatto, per vedere come andava la fabbricazione delle penne. Era un lavoro barboso, difficile, lento, certo non la cura più adatta per far guarire le mie povere mani, e sembrava che non si combinava molto. Allora Tom dice:

– So io cosa dobbiamo fare. Siccome dobbiamo avere una pietra per l'arme e le frasi disperate, così possiamo prendere due piccioni con una fava. Giù presso il mulino c'è una magnifica mola. Noi la portiamo qui, e mentre incidiamo le cose sopra, possiamo limare le penne e anche la sega.

Non era un'idea da poco, e anche la mola non era una mola da poco, ma decidiamo di tentarle. Non era ancora mezzanotte, così si va al mulino lasciando Jim al lavoro. Prendiamo la macina, e cominciamo a farla rotolare verso casa, ma era un lavoro che ci sfiancava. Per quanti sforzi che si faceva non c'era verso di non lasciarla cascare da una parte o dall'altra, e ogni volta per poco non ci schiacciava sotto. Tom dice che certo accoppa uno di noi due, prima che abbiamo finito. La portiamo a mezza strada, ma ormai si era così stanchi che non ce la facevamo più, e per poco non si annegava nel sudore. Vediamo che è inutile, e non ci resta altro da fare se non chiedere l'aiuto anche di Jim. Così solleviamo il letto, sfiliamo la catena dalla gamba del letto, gliela arrotoliamo attorno al collo, e sgusciamo tutti e tre attraverso il passaggio segreto e si viene giù, e Jim e io ci occupiamo della mola e la facciamo muovere che era uno scherzo. Tom sovrintendeva il lavoro. Quando sovrintendeva Tom poteva dare dei punti a tutti. Sapeva come si deve fare quasi tutto.

Il passaggio segreto era abbastanza grosso, ma non bastava ancora per infilarci dentro la mola. Così Jim afferra il piccone e in pochi colpi l'allarga quanto occorreva. Allora Tom segna tutte le cose con un chiodo, e ordina a Jim di mettersi a lavorare usando il chiodo come scalpello, e un bullone di ferro trovato nella rimessa come martello, e gli dice di continuare a lavorare finché dura la candela, e che poi può andare a letto, nascondere la pietra sotto il saccone, e dormirci sopra. Poi lo aiutiamo a rimettere a posto la catena, dopo di che anche noi siam pronti per il meritato riposo. Quanto a Tom gli viene in testa un'altra idea:

– Hai dei ragni qui, Jim?

– No, certo che no, grazie a Dio, padron Tom.

– Be', allora te ne portiamo qualcuno noi.

– Ma che Dio vi benedica, caro, ma io non ne voglio. Io ho paura dei ragni. Preferisco quasi un serpente a sonagli in camera, che non dei ragni.

Tom ci pensa sopra un momento o due, poi dice:

– Ottima idea. E penso che è già stato fatto. Deve essere stato fatto, perché è un'idea ragionevole. Anzi è una splendida, una magnifica idea. Dove potresti tenerlo?

– Tenere che cosa, padron Tom?

– Ma come? Un serpente a sonagli!

– Ma, Dio santissimo e onnipotente, padron Tom! Se mai un serpente a sonagli ha la bella idea di venir qui, ma io do tante zuccate contro quella parete che salto fuori.

– Ma no, Jim, dopo un po' di tempo non ne hai piú paura. Puoi addomesticarlo!

– Addomesticarlo, un serpente a sonagli?

– Ma sí, è facilissimo. Ogni bestia si mostra riconoscente, se viene trattata bene, e accarezzata, e non si sogna neppure di far del male a chi l'accarezza. Qualsiasi libro te lo dice. Prova almeno, non ti chiedo poi molto, prova due o tre giorni. Sono sicuro che bastano, che riesci ad ammansirlo tanto, che comincia a volerti bene, e dormire con te, che non vuole piú starti lontano neanche un minuto, e pensa al piacere che proverai poi tu, quando lui si attorciglia attorno al tuo collo, e ti mette la testa in bocca.

– Per piacere, padron Tom, non parlate cosí! Solo a pensarci mi vengono i brividi! State sicuro che quello è proprio felice di potermi mettere la testa in bocca. Ma vi assicuro che devono passare degli anni, prima che io lo lascio. E soprattutto non ho nessuna voglia di lasciarlo dormire con me.

– Jim, non fare tanto lo stupido. Un prigioniero deve avere qualche specie di animale da addomesticare, e se nessuno s'è mai provato con un serpente a sonagli, pensa che diventerai piú famoso perché sei stato il primo a provare, che per qualunque altra cosa che pensi di fare.

– Ma, padron Tom, io non voglio diventare famoso. Il serpente viene qui e mi stacca il mento con un morso, e allora cosa serve diventare famoso? Signornò, signornò che non voglio sentirne parlare di cose simili!

– Ma, corpo di mille diavoli, non puoi almeno provare! Tutto quello che ti chiedo è provare, e se proprio non funziona, allora puoi smettere.

– Sí, ma se il serpente mi morde mentre provo, allora sono funzionato io. Padron Tom, io sono disposto a provare quasi qualunque cosa che non è proprio troppo matta, ma se voi e Huck mi portate un serpente qui da addomesticare, io me la batto, questo è sicuro.

– Be', piantiamola lí, via, dato che sei un tale zuccone. Ti possiamo portare qualche biscia, e tu gli leghi qualche bottone alla coda e cosí fai finta che è un serpente a sonagli, e penso che dobbiamo accontentarcene.

– Ma io non posso sopportarle, padron Tom. Che sia dannato se non posso vivere benissimo anche senza bisce, ve l'assicuro. Non me lo sognavo neanche, prima, che fare il prigioniero era cosí difficile e pericoloso.

– Lo è sempre, mio caro, quando si fa secondo le regole. Almeno, hai dei topi?

– No, padrone, manco uno.

– Be', te li portiamo noi.

– Ma, padron Tom, ma io non voglio saperne di topi. Sono gli animali piú dannati che ci sono per dare fastidio, corrono sopra, morsicano i piedi, quando si cerca di dormire. Non conosco altri animali che siano piú noiosi. No, signore, portatemi qualche biscia, se non posso farne a meno, ma non portatemi dei topi, perché proprio non ne voglio sapere, quasi.

– Caro Jim, i topi devi averli, perché li hanno tutti. Cosí non stare a rompere le scatole, perché non c'è ombra di prigioniero che è stato senza i suoi topi. Non c'è un solo esempio in tutta la storia. Li addomesticano, li accarezzano, gli insegnano dei trucchi, li abituano a diventare domestici come le mosche. Ma però per addomesticarli devi suonare. Hai qualche cosa da suonare?

– Non ho niente se non un grosso pettine e un pezzo di carta, e uno scacciapensieri, ma penso che loro non se ne fanno niente di uno scacciapensieri.

– No, no, per loro va benissimo. Loro non badano al tipo di musica che si suona, e uno scacciapensieri va piú che bene per dei topi. Tutti gli animali amano la musica, e quando sono in prigione ne vanno addirittura pazzi. Specialmente della musica triste, e con uno scacciapensieri non puoi suonare altro. Loro s'interessano subito, escono dalla tana, e vengono a vedere cosa è mai che ti rende triste. Vedrai come va bene, te lo garantisco! Prima di addormentarti ti siedi sul letto la sera, oppure presto al mattino, e attacchi. Suona, per esempio, *L'ultimo anello s'è infranto* e vedrai che non c'è niente che attira i topi meglio di quello. Quando hai suonato per circa due minuti vedrai come i topi, e i serpenti, e i ragni e tutti gli animali cominciano a rattristarsi per te, e ti vengono vicino. E poi tutti di colpo ti saltano addosso e tutti assieme vi divertirete un mondo.

– Sí, quelli certo che si divertono, padron Tom, ma non pensate al povero Jim? Che sia maledetto se riesco a capire perché si deve fare cosí, ma se proprio si deve, va bene, pazienza! Penso che è meglio fare come vogliono gli animali, purché siano tranquilli.

Tom si ferma per pensarci ancora, e studiare se non mancava piú niente e dopo un poco dice:

– Oh, ecco che quasi me ne dimenticavo! Credi che puoi far crescere un fiore qua dentro?

– Non lo so, ma forse sí, padron Tom. Ma è piuttosto buio, e cosa me ne faccio di un fiore? E farne crescere uno sarà una bella seccatura.

– Be', puoi provare. Altri prigionieri l'hanno fatto.

– Qui ci potrebbe crescere una di quelle piante di guaragnasco, che sembrano code di gatto, padron Tom, ma non credo che ne vale la pena.

– Niente affatto, va benissimo. Te ne portiamo una piantina e tu la interri in un angolo e la fai crescere. E non chiamarla guaragnasco, chiamala *Picciola*[1], che è cosí che si chiama, quando cresce in una prigione. E naturalmente devi annaffiarla con le tue lacrime.

– Ma io ho tutta l'acqua che ci vuole, padron Tom.

– Quella non serve. Devi annaffiarla con le lacrime, perché si fa sempre cosí.

---

[1] È il nome dato a un fiore che consola un nobile prigioniero, secondo viene narrato nel romanzo *Picciola* di M. X. BONIFACE (1836).

– Ma, padron Tom, sono persuaso che posso farla venir su bene con dell'acqua, nel tempo che ci vuole per farne spuntare una foglia, con delle lacrime.

– La cosa non ha nessuna importanza. Devi innaffiarla con le lacrime.

– Be', mi muore di certo, padrone, è tutto quello che posso dirvi, mi muore di certo, perché io non riesco quasi mai a piangere.

E Tom si trova nuovamente in secca, ma ci pensa su e poi dichiara che Jim dovrà mettersi a piangere a forza di cipolle. Gli promette che andrà nella capanna dei negri, e ne mette una di nascosto, il mattino dopo, nella caffettiera di Jim. Jim allora risponde che quasi preferiva che nel suo caffè ci mettesse del tabacco, e trova tanto da dirci sopra, e si lamenta tanto della fatica e delle noie che certo gli dava far crescere quel fiore, e suonare lo scacciapensieri ai topi, e mettersi a carezzare serpenti e ragni e altri animali del genere, senza contare che doveva affilare la penna, e incidere le iscrizioni, e scrivere il giornale, tutte cose che gli davano tanto fastidio ed erano una tale responsabilità, che fare il prigioniero era quasi piú difficile di tutto quello che aveva fatto fino allora. Allora Tom per poco non perde la pazienza, e gli dice che lui aveva la possibilità di farsi un nome e diventare famoso piú che non ne aveva avuto nessun altro prigioniero al mondo, e invece non sembrava apprezzare come si deve una tale fortuna, che era proprio sprecata con lui. Cosí Jim dice che gli rincresce tanto, e promette che farà il meglio che sa, e poi Tom e io si va a letto.

Il mattino dopo si va in paese a comprare una trappola per i topi, la portiamo giú in cantina, si apre la piú promettente tana che era stata chiusa, e in circa un'ora avevamo già raccolto una quindicina di animali, e i piú begli esemplari che era possibile trovare. Allora prendiamo la trappola e la mettiamo al sicuro sotto il letto di zia Sally. Ma mentre si era a caccia di ragni, il piccolo Thomas Franklin Benjamin Jefferson Alexander Phelps trova i topi, apre lo sportello per vedere se quelli hanno il coraggio di uscire, e quelli non se lo fanno dire due volte. Proprio in quel momento zia Sally entra in camera da letto, e quando noi si ritorna la troviamo in piedi sul letto, che piantava un chiasso dell'accidenti, mentre i topi facevano del loro meglio per renderle la vita interessante. Allora lei ci prende tutti e due, e ci spolvera a dovere con una bacchetta, e noi si deve sprecare altre due ore per riprenderne un'altra quindicina, che vada al diavolo quello stupido di un cucciolo che aveva rovinato tutto, e i nuovi che si prendono non erano i meglio; i primi quindici erano proprio la crema. Non avevo mai visto dei topi piú promettenti di quei quindici!

Poi si mette insieme un magnifico campionario di ragni assortiti, insetti, rane, bruchi e altre bestioline del genere, e avevamo voglia di prendere anche un nido di calabroni, ma poi si lascia perdere. La famiglia era in casa, e noi non ce ne andiamo subito, anzi restiamo quanto si può, con l'idea di stancarli, o che loro ci stancano noi, e quelli, infatti, ci riescono. Allora si prende un po' di unguento, e ce lo freghiamo su tutti i posti, e si è di nuovo in gamba come prima, solo che sedersi era un po' difficile. Poi si va a caccia di serpi, e riusciamo a cogliere circa due dozzine di bisce e serpentelli, e le cacciamo in un sacchetto che portiamo in camera nostra. Giunge l'ora di cena, e dopo un gior-

no cosí movimentato, vi assicuro che non era l'appetito
che ci mancava. Ma quando si sale in camera manco piú
l'ombra di un serpente: non s'era chiuso bene il sacchetto
e quelli tanto avevano fatto che erano riusciti a sgusciar
fuori, e non erano rimasti ad aspettarci. Ma la cosa non
c'importa molto, perché tanto erano ancora in casa, cosí
che potevamo riprenderli facilmente. Vi assicuro che, per
un certo tempo, nessuno, in quella casa, ha il coraggio di
lamentarsi che mancano serpenti: di tanto in tanto si potevano vedere scivolare giú dai travi e altri posti fuori mano,
e generalmente venivano a cascare sul piatto, o si infilava-
no giú per la schiena, e insomma finivano proprio dove
facevano meno piacere. Be', erano delle bisce carine, tutte
striate, e neanche in un milione se ne trovava una che poteva far male, ma zia Sally a queste cose non badava, lei
detestava i serpenti, di qualunque razza, non li poteva sopportare, non importa come glieli presentavi, e ogni volta
che qualcuno gli cascava addosso, qualunque cosa stesse
facendo in quel momento, piantava tutto lí e se la dava
a gambe levate. Mai visto una donna cosí. E si metteva a
strillare, manco l'avessero spellata viva. Era fatica sprecata cercare di fargliene prendere uno con un paio di molle.
Se poi, quando andava a letto, ne trovava uno in letto scappava come un fulmine, e piantava un tale finimondo che
sembrava che tutta la casa era in fiamme. Insomma, dà
tanta noia al suo povero vecchio, che lui a un certo punto
dice che quasi si augurava che non fossero mai stati creati i
serpenti. Be', anche dopo che l'ultimo era ormai uscito di
casa da circa una settimana, zia Sally non si era ancora
completamente rimessa, tutt'altro, e quando stava seduta
a pensare a qualche cosa, bastava carezzarle il collo con
una piuma, che dava uno zompo che per poco non sfonda-
va il soffitto. Era una cosa proprio curiosa, ma Tom mi
dice che tutte le donne, piú o meno, sono cosí, dice che
sono fatte cosí, per qualche motivo.

Noi si riceveva una spolverata, ogni volta che uno dei
nostri serpenti le dava fastidio, e ci diceva sempre che quelle frustate erano un niente, paragonate a quelle che voleva
darci, se gli riempivamo ancora la casa di serpi. Non che a
me importavano le frustate, perché non mi facevano quasi
niente, ma mi seccavano tutti i fastidi che ci dava metterne
insieme un altro sacchetto. Ma a forza di fare, riusciamo a
raccogliere tutto, e si doveva vedere quanto era allegra e

gioconda la capanna di Jim, quando tutte le bestie uscivano dalle loro tane per sentire la musica e andargli sopra a consolarlo. Jim non voleva bene ai ragni, e i ragni non volevano bene a Jim, e cosí lo tenevano sempre d'occhio, e gli rendevano la vita piuttosto difficile. E poi diceva che tra i topi, e i serpenti, e la mola, ormai non aveva quasi piú posto per dormire, e quando finalmente si stendeva non poteva chiudere occhio, perché c'era sempre tanta animazione, e questa animazione non si calmava mai, perché quelle bestie non andavano mai a dormire alla stessa ora, ma a turni diversi, cosí che quando i serpenti dormivano, era la volta dei topi di andare a prender aria, e quando i topi andavano a dormire sgusciavano fuori i serpenti, e cosí che lui aveva sempre una razza di bestie sotto, e un'altra che gli faceva il circo sopra la pancia, e se poi si alzava per cercarsi un posto piú tranquillo, i ragni spiavano il momento buono per dargli fastidio. Lui diceva che, se mai riusciva a scappare questa volta, manco a pagarlo a peso d'oro che tornava a fare il prigioniero!

Alla fine di tre settimane tutto è ormai quasi a posto. La camicia gli era stata mandata in una torta, e ogni volta che un topo lo mordeva, lui si alzava e scriveva qualcosa nel giornale, mentre l'inchiostro era fresco; le penne erano state affilate, le iscrizioni e il resto tutto inciso sulla mola; la gamba del letto era stata segata in due e avevamo mangiato la segatura, che ci aveva dato un terribile mal di pancia. Avevamo quasi paura di morire, ma invece non siamo morti. Certo, però, che era la segatura piú indigesta che ho mai trovato, e anche Tom era dello stesso parere. Ma, come vi ho detto, ormai avevamo fatto tutto, finalmente, e proprio si era piuttosto stanchi, ma piú stanco di tutti era Jim. Il vecchio aveva scritto un paio di volte alla piantagione sotto Orleans, per avvertirli di venirsi a prendere il negro che era scappato, ma non aveva ricevuto nessuna risposta, per la semplice ragione che quella piantagione non esisteva. Cosí che infine decide che voleva far mettere un avviso su Jim nei giornali di St Louis e New Orleans, e quando parla dei giornali di St Louis io mi sento venir freddo. Non avevamo piú tempo da perdere. Allora Tom dice che adesso è il momento delle lettere inanonime.

— E cosa sono le lettere inanonime? — faccio io.

— È per avvertire la gente che sta per capitare qualche cosa. A volte si fa in un modo, a volte in un altro, ma c'è sempre qualcuno che fa la spia, e che informa il governatore del Castello. Quando Luigi XVI stava per uscire dalle Tollerie, una servetta lo ha tradito. È una maniera molto buona, ma anche le lettere inanonime vanno benissimo. Noi dobbiamo usare le due maniere. E poi capita quasi sempre che la madre del prigioniero scambia i vestiti con lui, e lei resta dentro, mentre lui scappa con i vestiti della madre. Anche noi dobbiamo fare cosí.

– Ma senti, Tom, perché mai dobbiamo avvertire noi che sta per capitare qualche cosa? Devono accorgersene loro da soli, sono loro che devono stare attenti!

– Lo so benissimo, ma di questa gente come fidarsi? Pensa a come hanno fatto fin dal principio, che ci hanno lasciato fare tutto da noi, proprio tutto. Sono cosí tranquilli, cosí stupidi, che non si accorgono di niente. Cosí che, se non li avvertiamo noi, non c'è nessuno né niente che viene a ostacolare i nostri piani e, dopo tante fatiche e noie, questa fuga è un fiasco completo, una cosa che non se ne può parlare, che non conta niente.

– Be', io per me, Tom, è proprio come mi piace.

– Fai pena, – dice lui, con un'aria di disprezzo. Cosí che io gli dico:

– Ma però non mi lamento di niente. Cosa va bene per te va bene anche per me. Ma per la servetta, come si fa?

– La farai tu. Verso mezzanotte entri di nascosto e rubi il vestito di quella mulatta.

– Ma Tom, pensa al chiasso che se ne fa il giorno dopo, perché con ogni probabilità lei non ha che quel vestito solo.

– Lo so, ma non ne hai bisogno che per un quarto d'ora, per portare la lettera inanonima e infilarla sotto la porta d'ingresso.

– Benissimo, allora faccio cosí, ma a me mi sembra che posso portarla lo stesso, anche vestito come sono.

– Sí, ma allora non puoi sembrare una servetta, non ti pare?

– Certo che no. Ma tanto non c'è nessuno per vedere come sembro.

– Quello non importa. La cosa importante è fare il nostro dovere, senza pensare se c'è qualcuno che ci vede oppure no. Sei proprio senza principî?

– Bene, bene, non dico niente e faccio la servetta. Ma chi fa la madre di Jim?

– La faccio io. Gratto un vestito a zia Sally.

– Bene, ma allora devi restare nella capanna, quando io e Jim ce la battiamo.

– Sí, ma non per molto. Riempio i vestiti di Jim di paglia e li lascio sul letto, che facciano la parte di sua madre travestita, e Jim mi toglie di dosso il vestito di zia Sally e se lo infila lui e tutti evadiamo insieme. Quando un prigioniero di lusso scappa, non si chiama fuga ma evasione. Si dice sempre evasione, quando è un re che scappa. O anche se è un figlio di un re, e non importa se è figlio naturale o innaturale.

Cosí Tom scrive la lettera inanonima e io, di notte, gratto il vestito della mulatta e lo infilo, e poi infilo la lettera sotto la porta d'ingresso, come mi aveva detto di fare Tom. La lettera diceva:

Attenti. Pericolo in vista. Restate sempre all'erta.

UN AMICO IGNOTO

La notte dopo infiliamo sotto la porta d'ingresso un disegno che Tom aveva fatto col sangue, di un teschio con le tibie incrociate; e la notte dopo ancora un altro di una bara, sotto la porta di dietro. Non avevo mai visto una famiglia spaventata cosí. Credo che non potevano spaventarsi di piú, se la casa era piena di spiriti dietro ogni porta, sotto i letti, o che volavano per l'aria. Quando una porta sbatteva zia Sally dava uno zompo e gridava: – Ohi! –, se qualcosa cadeva un altro zompo e un altro: – Ohi! –, se per caso uno la toccava quando lei non se l'aspettava succedeva lo stesso. Ormai non ce la faceva piú a guardarsi in nessuna direzione e a stare tranquilla, perché aveva sempre paura che c'era qualcosa alle spalle, cosí che non faceva che voltarsi in giro come una trottola, e gridare: – Ohi! – e prima che aveva finito il giro girava di nuovo e diceva lo stesso, e aveva paura di andare a letto ma non osava stare su. Cosí che Tom era molto soddisfatto di come si mettevano le cose, e diceva che non aveva mai visto un piano che funzionava cosí bene. Diceva che era una prova che avevamo fatto tutto proprio perbene.

Cosí che dice: e adesso l'ultimo colpo! Cosí, il mattino dopo, allo spuntare dell'alba, si prepara un'altra lettera, e non si sapeva bene come fare, perché avevamo sentito a cena che volevano mettere un negro a fare da guardia da-

vanti alle due porte, per tutta la notte. Tom allora scende
per il parafulmine per spiare in giro, e il negro alla porta
di dietro era addormentato, cosí che lui gli infila la lettera
nel collo e poi torna su. Questa lettera diceva:

Non traditemi perché desidero esservi amico. Vi è una
banda di spaventosi assassini, che sono giunti dal Territorio
Indiano e hanno intenzione di rubarvi stanotte il vostro negro, che è fuggito, e hanno cercato di spaventarvi quanto potevano, per farvi stare in casa, che non li disturbate nel loro
lavoro. Io sono un membro della banda, ma mi è tornata la
religione e desidero andarmene dalla banda e condurre una
vita onesta, e cosí sono disposto a tradire i loro infernali disegni. Giungeranno di nascosto dal nord, lungo lo steccato, a
mezzanotte precisa, con una chiave falsa, e si recheranno alla
capanna del negro per portarlo via. Io sono destinato a far da
palo e a suonare un corno di latta se vedo qualche pericolo.
E invece farò *be-be* come una pecora, non appena essi sono
entrati, e non suono affatto. Allora, mentre quelli stanno to-
gliendogli le catene, voi potete avanzare e chiuderli tutti
dentro, e ucciderli a vostro agio. Non fate in altro modo se
non come che vi dico io, perché altrimenti quelli hanno qualche sospetto e piantano un pandemonio mai piú visto. Io
non desidero altra ricompensa se non di sapere che mi sono
comportato come dovevo.

UN AMICO SCONOSCIUTO

Dopo colazione ci sentiamo abbastanza soddisfatti, e cosí si prende la mia canoa e si va sul fiume a pescare; c'eravamo portato qualcosa per uno spuntino, e ci divertiamo un
mondo, poi si va a vedere la zattera, che era in ordine, e si
torna a casa tardi per cena. Erano tutti cosí spaventati e
stralunati che non capivano piú niente, e ci obbligano ad
andare a letto il momento preciso che finiamo cena, senza
dirci di che cosa si tratta, e non dicono una parola della
nuova lettera, ma non era necessario, perché noi ne sapevamo quanto loro, e non appena siamo a metà scala, e la zia
ci ha voltato la schiena, noi si fila nella dispensa, e mettiamo insieme qualcosa da mangiare, che ce ne sia con abbondanza, e portiamo tutto in camera nostra, andiamo a letto,
e poi saltiamo giú verso le undici e mezzo, e Tom infila il
vestito di zia Sally che aveva grattato, e già cominciava a
far su le provviste, quando dice:
– Dov'è il burro?
– Ne ho messo un bel pezzo, – dico io, – sopra un pane
di granturco.
– Be', devi averlo lasciato dove l'hai messo, perché qui
certo non c'è.
– Possiamo farne senza, – dico io.
– Ma possiamo anche usarlo, – dice lui. – Corri giú in
cantina a prenderlo. Poi scivola per il parafulmine e rag-
giungimi. Io vado a riempire di paglia i vestiti di Jim, per
farli sembrare sua madre travestita ed esser poi pronti a
fare *be-be* come una pecora, e battermela non appena arrivi.
Cosí lui esce dalla finestra e io scendo in cantina. Il
pezzo di burro, grosso come un pugno, era dove l'avevo
lasciato, cosí prendo anche la fetta di pane, spengo la candela e filo di sopra piano piano, e arrivo sino al pianterreno

senza far rumore, quando, proprio allora, mi imbatto in zia Sally con una candela, in modo che infilo tutto nel cappello, calco il cappello sulla testa, e lei mi vede e mi dice:

— Sei stato giú in cantina?

— Sí, zia.

— Cosa sei andato a fare?

— Niente.

— Niente?

— No, zia.

— Be', che idea hai avuto di andare giú in cantina, cosí tardi?

— Non lo so.

— Ah, non lo sai! Non rispondermi cosí, Tom, perché voglio sapere cosa sei andato a fare laggiú.

— Non ho fatto niente, ma proprio niente, zia Sally, ti assicuro che non ho fatto proprio niente.

Dopo di che pensavo che lei mi lasciava andare, e di solito faceva sempre cosí, ma penso che ormai era sottosopra per tutte le diavolerie che capitavano, e preoccupata anche di sciocchezze che non erano del tutto chiare, cosí che mi dice, con un tono di voce molto deciso:

— Be', fila in salotto, e restaci finché non torno io. Hai certo fatto qualcosa che non dovevi, e ti assicuro che lo scopro, prima che ho finito con te.

Poi se ne va, e io apro la porta ed entro nel salotto. Dio santissimo, la folla che c'era! Almeno quindici contadini, e tutti armati del suo bravo fucile. Io mi sento quasi male, e mi avvicino in fretta a una sedia, e mi lascio cader giú. Tutti seduti in giro, alcuni dicevano qualche parola sottovoce, ed erano nervosi e agitati, ma cercavano di darsi l'aria di non esserlo, ma io capivo benissimo che lo erano, perché non facevano che togliersi il cappello e rimetterselo in testa, e grattarsi la zucca, e cambiar sedia, e giocherellare con i bottoni della giacca. Per conto mio non mi sentivo troppo tranquillo, ma certo che non avevo nessuna intenzione di togliermi il cappello.

Non vedevo l'ora che zia Sally tornasse, a sbrigare la mia faccenda, e magari darmi una frustata, se proprio ne aveva voglia, in modo da potermene andare e avvertire Tom che avevamo esagerato un poco, e che ci eravamo cacciati nel mezzo di un vespaio irritato, tanto da piantar subito lí di combinare altre sciocchezze, e battercela col nostro

Jim, prima che questi farabutti perdano la pazienza e ci diano quello che ci meritiamo.

Finalmente ritorna, e comincia a farmi delle domande, ma naturalmente io non potevo rispondere a tono, e non sapevo con precisione cosa fare, poiché quei tali erano ormai cosí eccitati, e alcuni volevano partire subito e attendere i masnadieri, e dicevano che ormai mancavano solo piú pochi minuti a mezzanotte, mentre altri cercavano di farli stare tranquilli, in attesa del *be-be* della pecora. Intanto la zia continuava a tormentarmi con una domanda dopo l'altra, e io tremavo tutto ed ero pronto a sprofondarmi sotto terra, tanto avevo paura, e la stanza sembrava diventare sempre piú calda, e il burro comincia a fondere e corrermi giú per il collo e dietro le orecchie, e poco dopo, quando uno di quelli dice: — Io per me credo che è meglio entrare nella capanna, prima che quelli arrivano, in modo da poterli acciuffare appena entrano, — io per poco non cado per terra, e in quel momento un rivolo di burro fuso mi corre giú, nel bel mezzo della fronte. Zia Sally lo vede, diventa bianca come un lenzuolo, e grida:

— Per l'amor di Dio, ma cosa ha mai questo ragazzo? Deve avere una febbre cerebrale, che gli fa colare il cervello dai pori.

Allora tutti vengono a vedere, e lei mi strappa di testa il cappello, e ne esce il pane e ciò che restava del burro. Allora lei mi abbraccia, e mi stringe forte, e dice:

— Lo spavento che mi hai dato! E come sono contenta e ringrazio il Cielo che non si tratta di altro! Perché attraversiamo un momento sfortunato, e le disgrazie non vengono mai sole, e quando vedo quel rivolo sulla fronte ero sicura che ormai ti avevo perduto, perché dal colore e dall'aspetto che aveva ho capito che doveva essere il tuo cervello, se... Ma per l'amor di Dio, che ti è saltato di non dirmi subito per qual motivo eri sceso giú in cantina, come se me ne importa! E adesso fila a letto, e non farti piú vedere, fino a domani mattina!

In un secondo sono su in camera, e il secondo dopo giú per il parafulmine, e filo rapido al buio verso la rimessa. Ero cosí eccitato che quasi non mi veniva di parlare, ma riesco infine a dire a Tom, il piú in fretta che posso, che ormai dobbiamo battercela, non un minuto da perdere, che la casa è piena di uomini armati di fucile.

Dovevate vedere come gli brillano gli occhi, a Tom. Poi dice:

– Ma è vero, ma è proprio vero? Ma non ti pare magnifico? Ma, caro Huck, se dovessi rifare tutto, ti do la mia parola che ne faccio venire duecento! se solo posso rinviare fino a...

– In fretta, in fretta! – dico io. – Dov'è Jim?

– Accanto a te, se stendi la mano puoi toccarlo. È ormai vestito, e tutto è pronto. Adesso filiamo fuori, e io mi metto a belare.

Ma in quel preciso istante sentiamo il passo degli uomini che vengono verso la porta, e sentiamo che cercano di aprire il chiavistello. Poi uno dice:

– Te l'avevo detto che si veniva troppo presto. Non sono ancora arrivati, perché la porta è serrata. Adesso io chiudo alcuni di voi nella capanna, e voi li attendete al buio, e li uccidete subito, appena quelli entrano. Voialtri piazzatevi qua e là per il cortile, e state attenti se li sentite arrivare.

Quelli infatti entrano, ma non potevano vederci al buio, e per poco non ci montano sui piedi mentre noi ci infiliamo di furia sotto il letto. Infine siam tutti sotto, ci si imbuca nel condotto, in fretta ma senza far rumore: prima Jim, poi io, ultimo Tom, secondo gli ordini di Tom. Quando si è nella rimessa sentiamo dei passi vicini, proprio fuori. Allora in punta di piedi si va fino alla porta, e Tom ci ordina di star fermi, e guarda attraverso una fessura, ma non riesce a veder niente, tanto è buio. Sempre sussurrando ci dice che aspetta solo che il rumore dei passi sia un po' lontano, e quando ci fa un segno Jim deve sgusciar fuori per primo, e lui esce per ultimo. Cosí accosta l'orecchio alla fessura, e ascolta, e ascolta, mentre i passi continuano a farsi sentire in giro, senza mai allontanarsi. Infine ci fa un segno, e noi si esce fuori, e si cammina tutti curvi, senza quasi respirare, senza fare il piú piccolo rumore e si va cauti verso lo steccato, in fila indiana, e giungiamo allo steccato senza nessun guaio, e io e Jim riusciamo a scavalcarlo, ma i calzoni di Tom si impigliano in una scheggia della sbarra superiore, e allora lui sente dei passi che si avvicinano, e cosí deve dare uno strattone per liberarsi, e la scheggia si spezza e se ne ode il rumore. Non appena lui è per terra accanto a noi, e già ce la battiamo, qualcuno grida:

– Chi va là? Rispondete subito o sparo.

Noi naturalmente muti, e ce la diamo a gambe, e via come saette. Allora si odono passi di corsa, una serie di spari, e le pallottole ci fischiano tutte in giro. Ce le sentiamo fischiare proprio vicine. Poi li udiamo urlare:

– Sono qui, sono qui! Sono diretti verso il fiume! Sotto, ragazzi, e sguinzagliate i cani.

E ci vengono dietro di tutta carriera. Potevamo sentirli facilmente perché portavano gli stivali e urlavano, mentre invece noi si era scalzi e non si urlava certo. Si era sul sentiero che conduce alla segheria, e quando quelli ci giungono vicino, si scantona in un cespuglio e li lasciamo passare davanti, e poi riprendiamo a camminare dietro di loro. Avevano chiuso tutti i cani per non spaventare i ladri, ma qualcuno era già andato a liberarli, e quelli giungono in massa, e facevano un pandemonio come neanche un milione. Ma erano i nostri cani, cosí che noi restiamo fermi finché quelli non ci sono vicino, e quando quelli si accorgono che non si tratta che di noi, e niente di piú interessante, ci dicono: tanti saluti, e si rimettono a correre, urlando e abbaiando. Allora riprendiamo a tutto vapore, e si corre dietro tutti, finché quasi non si era al mulino, allora si piega attraverso i cespugli, verso dove era legata la mia canoa, e ci saltiamo dentro e ce la diamo tutta, per portarci nel mezzo del fiume, ma non si faceva piú rumore di quello che era strettamente necessario. Infine ci dirigiamo, tranquilli e beati, verso l'isola dove era nascosta la mia zattera, e potevamo sentirli che urlavano e abbaiavano su e giú per la riva, finché non si è cosí lontani che i suoni diventano fiochi, e infine si spengono. Quando finalmente si può saltare sulla zattera, io dico:

– E adesso, vecchio Jim, sei di nuovo libero, e ci scommetto quello che vuoi che non sarai mai piú schiavo.

– Certo che è stato uno splendido lavoro, Huck. Le idee che avete avuto... da sbalordire! E come avete fatto tutto! Non c'è nessuno che può immaginare un altro piano, piú pasticciato e magnifico e straordinario di quello che avete pensato voi.

Noi eravamo felici come pasque, ma il piú felice di tutti era Tom, perché aveva ricevuto una pallottola in un polpaccio.

Quando io e Jim lo sappiamo, non ci sentiamo piú cosí in gamba come prima. La ferita gli faceva molto male, e perdeva sangue, cosí che lo portiamo sotto il casotto e fac-

ciamo a pezzi una camicia del duca per fabbricare delle
bende, ma lui dice:

– A me gli stracci, ché so bendarmi da solo. E adesso
non fermatevi, non restate qui, con l'evasione che è riuscita cosí bene! Maneggiate i remi, e staccate! Ragazzi, è venuto tutto in modo magnifico; come non si poteva meglio.
Solo che davano l'incarico a noi di far evadere Luigi XVI,
e nessuno poteva piú scrivere nella sua vita: «Figlio di san
Luigi, ascendi al cielo!» No, miei cari, ché lo si portava
oltre il confine, ecco cosa si faceva, e si combinava tutto in
modo perfetto, liscio come olio. Ai remi, ragazzi, ai remi!

Invece io e Jim ci consultiamo, ci mettiamo a pensare.
E dopo aver pensato un momento, io dico:

– Forza, parla tu, Jim.

Lui dice:

– Be', questo è come mi pare a me, Huck. Se era lui che
era stato liberato, e uno dei ragazzi che l'hanno liberato
restava ferito, forse che ci diceva: «Avanti, pensate a salvarmi, e chi se ne cura di un dottore per questo disgraziato?» Forse che padron Tom Sawyer parla cosí? Certo che
no! E allora forse che deve Jim? Signornò, padroni. Io non
mi muovo da questo posto senza un dottore, manco se devo aspettare quarant'anni.

Io l'avevo sempre saputo che Jim era bianco dentro, ed
ero sicuro che parlava cosí, in modo che adesso tutto è in
regola, e dico a Tom che vado a cercargli un dottore. Lui
pianta un finimondo, ma io e Jim eravamo decisi, e non ci
si muove. Lui allora dice che, anche se deve muoversi stri-
sciando, se ne occupa lui e stacca da solo la zattera, ma noi
non glielo permettiamo. Allora lui ci dice cosa ne pensa di
noi, ma anche cosí non serve a niente.

Infine quando vede che io preparo la canoa, mi fa:

– Be', se sei proprio deciso ad andare, ti dico io come
devi fare, non appena arrivi dal dottore. Chiudi la porta,
legagli un fazzoletto sugli occhi, stretto bene, obbligalo a
giurare di star muto come una tomba, mettigli in mano
una borsa d'oro, e poi prendilo e fallo camminare per strade secondarie e traverse, fagli fare un lungo giro al buio,
poi portalo qui in una canoa, dopo un altro lungo giro
attraverso le isole, ma prima tastalo e portagli via il gesso,
e non restituirglielo finché non l'hai ricondotto al villaggio, o altrimenti lui fa un segno su questa zattera, in modo
che possono rintracciarla. Si fa sempre cosí.

Allora io gli dico che anch'io farò cosí, e me ne vado.
Jim doveva nascondersi nei boschi, quando vedeva giungere il dottore, e restarci finché quello non se n'era andato.

Il dottore era un vecchio, molto gentile e affabile, quando gli parlo. Gli conto su che io e mio fratello si era andati a caccia sull'Isola Spagnola, il giorno prima, nel pomeriggio, e che c'eravamo accampati sopra una piccola zattera che avevamo trovato, e che verso mezzanotte mio fratello, mentre sognava, doveva aver dato un calcio al fucile, perché era parito un colpo, che l'aveva ferito alla gamba, e adesso lo pregavo di venire sull'isola, e mettere tutto in ordine, senza parlarne con nessuno, senza che nessuno ne sappia niente, perché si voleva tornare a casa quella sera stessa, e sorprendere i nostri parenti.

– E chi sono? – chiede lui.

– I Phelps, giú vicino al fiume.

– Oh, – dice lui. E dopo un momento chiede: – Come hai detto che si è ferito?

– Ha fatto un sogno, – dico io, – e ha fatto partire un colpo.

– Sogno curioso, – fa lui.

Cosí accende una lanterna, e prende le sue borse, e partiamo tutti e due, ma quando vede la canoa comincia ad avere dei dubbi. Dice che può andare bene per uno, ma che non aveva l'aria di poter portare due persone. Io gli dico:

– Non dovete aver paura, signore, ché ci ha portato tutti e tre, senza ombra di pericolo.

– Come tre?

– Ma sí, io, e Sid e... e... e i fucili... ecco perché ho detto tre.

– Oh, – fa lui.

Allora posa il piede sulla falchetta, e la prova un poco, e scuote la testa, e dice che preferiva guardarsi in giro, se non ne trovava una piú grossa. Ma erano tutte incatenate,

e la catena fissata con un lucchetto. Cosí che lui sale sulla
mia canoa, ma mi ordina di attendere il suo ritorno, o potevo cercare piú in là, o meglio ancora andare a casa, e prepa-
rarli per la sorpresa, se proprio ci tenevo. Ma io gli dico
che non ci tenevo troppo, cosí che gli spiego dove può
trovare la zattera, e lui parte.

Ben presto però mi viene un'idea. Mi dico infatti: supponiamo che non riesce a mettere in ordine la gamba in quattro e quattr'otto, supponiamo che ci vogliono tre o quattro
giorni. Allora cosa si fa? Si resta qui tranquilli, ad aspettare che lui va a spiattellare tutto in giro? Manco per sogno, e so benissimo come si deve fare. Io l'aspetto qui, e
quando ritorna e dice che deve venire un'altra volta a curar-
lo, ci vado anch'io sulla zattera, anche se devo andarci a
nuoto, e poi lo prendiamo e lo leghiamo, e lo teniamo con
noi, e si va giú per il fiume, e quando Tom è ben guarito,
allora gli diamo quello che si merita, o almeno tutto quello
che abbiamo, e lo lasciamo sbarcare.

Cosí che mi nascondo in una catasta di legname per dormire un poco, e quando riapro gli occhi il sole era già alto
su in cielo. Salto in piedi, corro alla casa del dottore, ma mi
dicono che era partito la notte prima e non era ancora tornato. Be', penso io, ha tutta l'aria di andar piuttosto male
per Tom, ed è meglio che vado subito all'isola. Cosí che
corro via, svolto l'angolo, e per poco non pianto la testa
proprio nella pancia di zio Silas. Lui mi dice:

— Ehi, Tom, dove siete stati durante tutto questo tempo, giovani farabutti?

— Non sono stato in nessun posto, — dico io, — solo che
abbiamo inseguito anche noi il negro scappato, io e Sid.

— Va bene, ma dove siete andati? — dice lui. — La zia è
cosí in ansia!

— Non è il caso, — dico io, — perché stiamo benissimo.
Siamo corsi dietro agli uomini e ai cani, ma quelli correvano piú di noi, in modo che ne abbiamo perduto le tracce.
Ma ci è sembrato di udire delle voci sul fiume, allora siamo
saltati sopra una canoa, e attraversato il fiume; ma non
siamo riusciti a trovare niente. Allora ci siamo messi a risalire il fiume lungo la riva, e ci siamo addormentati, e abbiamo dormito fino quasi a un'ora fa, e allora siamo venuti
qui per sentire le novità, e Sid è andato alla posta, per
raccogliere qualche notizia, e io invece andavo a cercare
qualcosa da mangiare, e poi torniamo tutti e due a casa.

Allora andiamo tutti e due all'ufficio postale per incontrare Sid, ma, come sospettavo, Sid non c'era. Poi il vecchio ritira una lettera che c'era per lui alla posta, e aspettiamo ancora un poco, ma Sid non si fa vivo. Allora il vecchio mi dice di andare con lui, che Sid poteva tornare a casa a piedi o con la canoa, quando la piantava di fare lo stupido in giro, perché noi si tornava in vettura. Non riesco in nessun modo a convincerlo di lasciarmi stare ad attendere Sid, dice che è assolutamente inutile, e che dovevo andare con lui per far vedere a zia Sally che non c'era capitato niente.

Quando si giunge a casa zia Sally è cosí felice di vedermi che si mette a ridere e a piangere al tempo stesso, e mi abbraccia, e poi mi dà una di quelle sue passate che proprio non le sentivo neanche, e poi dice che voleva fare lo stesso con Sid, appena torna a casa.

La casa era piena zeppa di piantatori e delle loro mogli, che si erano fermati per pranzo, e facevano un tale fracasso, come non avevo mai sentito peggio. Ma chi batte tutti era la signora Hotchkiss, che menava la lingua, senza un momento di requie!

Dice:

– Be', sorella Phelps, ho guardato dappertutto in quella capanna, e sono persuasa che a quel povero negro gli manca piú di una vite! L'ho anche detto alla sorella Damrell, non è vero sorella Damrell che ve l'ho detto? Gli manca piú di una vite, dico io, proprio cosí, le precise parole che ho detto. E le ripeto qui, che tutti potete ascoltarmi: è matto quello, dico io, e tutto lo prova, vi assicuro. Guardate quella mola vi dico, e chi osa sostenere che una persona che ha la mente che gira giusto si sogna mai di scarabocchiare delle frasi cosí sceme su una mola, come che gli si è spezzato il cuore ed è diventato povero e cattivo, e poi è stato chiuso a penare per trentasette anni, e che è figlio naturale di Luigi come-si-chiama, e altre sciocchezze del genere! No, no, è matto, matto da legare, vi dico, ed è quello che ho detto subito, ed è quello che dico adesso, ed è quello che dirò sempre: quel negro è matto, peggio di Nanbucosondonor!

– E quella scala di stracci, sorella Hotchkiss, – dice la vecchia signora Damrell. – Chi può sapere cosa mai voleva farsene...

– Le stesse parole che dicevo io, non piú tardi di questo

preciso minuto, a sorella Utterback, e lei stessa non può dirvi diverso. Sí, dice lei, guardate quella scala di stracci, sí, dico io, guardatela, guardatela, dico io, cosa mai diavolo voleva farsene, sí, dice lei, sorella Hotchkiss, e poi...

— Ma come diavolo mai ha fatto a portare dentro quella mola? E chi è che ha scavato quel passaggio? E chi...

— Proprio quello che dicevo io, fratello Penrod! Proprio come dicevo io, e vi prego, passatemi quella scodella di melassa, per favore, proprio come dicevo a sorella Dunlap, in questo preciso minuto, ma come ha fatto a portare dentro quella mola, dico io, e senza aiuto, badate, senza nessun aiuto, è questo che non riesco a capire. No, non ci credo, dico io, senza aiuto, deve essere stato aiutato, dico io, e deve essere stato aiutato piú che non immaginiamo nemmeno, dico io. Deve essere stato aiutato almeno da una dozzina di persone quel negro, e, dico io, io sono disposta a scuoiare tutti i negri di questo posto, ma alla fine vengo a scoprire chi è che l'ha aiutato, e poi ancora, dico io...

— Una dozzina, dite voi... Ma quaranta non bastavano, a fare tutto quello che hanno fatto. Guardate quella sega fatta con un coltello, e tutte le altre cose, e il tempo che c'è voluto per fare tutto, pensate a quella gamba del letto che è stata segata, e che sei uomini almeno hanno dovuto lavorarci una settimana intera, pensate a quel negro fatto di paglia e steso sul letto, pensate a...

— Potete ben dirlo, fratello Hightower! Proprio quello che dicevo io a fratello Phelps in persona. Cosa che ne pensate, sorella Hotchkiss? mi dice lui. Cosa ne penso di che cosa, fratello Phelps? dico io. Cosa ne pensate di quella gamba del letto segata in quella maniera? Cosa che ne penso? dico io. Ci gioco la testa che non si è segata da sola, che qualcuno deve averla segata, dico io, è la mia precisa opinione, da prendere o rifiutare, e può darsi che non vale niente, dico io, ma cosí come è, è la mia precisa opinione, e se qualcuno ne ha una meglio da offrire, avanti, dico io, che la dica, dico io, e questo è tutto. Dico a sorella Dunlap, dico io...

— Sí, corpo di mille bombe, deve essere stata sempre piena di negri quella capanna, ogni notte, quattro settimane di fila, per arrivare a fare un lavoro cosí, sorella Phelps. Guardate quella camicia, ogni pollice coperto di qualche linguaggio africano segreto, e tutto scritto col sangue. Deve esserci stata una squadra intera, che ci ha lavorato, e tutto il tempo. Do volentieri due dollari a chi me lo sa leggere, e in quanto ai negri che l'hanno scritto, vi assicuro che, se dipendesse da me, li sferzo finché...

– Gente che l'ha aiutato, fratello Marples! Be', credo che anche voi ci credereste, foste vissuto in questa casa in questi ultimi tempi. Ci rubavano tutto quello che capitava sotto mano, e noi che si stava sempre in guardia, tutto il tempo, tenete presente. Hanno rubata la camicia da sulla corda, dove era stesa ad asciugare, e in quanto al lenzuolo che ne hanno fatta la scala, non posso dirvi quante volte me l'hanno rubato, e poi farina, candele, candelieri, cucchiai, il vecchio scaldaletto, e mille altre cose che adesso non mi ricordo manco piú, e il mio vestito nuovo di cotonina, mentre io e Silas e Sid e Tom si faceva sempre la guardia, giorno e notte, come vi dicevo, e non uno che sia mai riuscito a scorgere neanche un pelo di quella gente, o a sentire il minimo rumore, un sospiro. E all'ultimo momento, che è che non è, quelli ci sgusciano di sotto il naso, e ce la fanno, non solo a noi ma anche ai banditi del Territorio indiano, e riescono a scappare con quel negro, sani e salvi, con sedici uomini e ventidue cani alle calcagna, che non li lasciano un minuto. Vi assicuro che proprio non ho mai sentito niente di simile. Vi assicuro che gli spiriti non potevano far meglio, né mostrarsi piú in gamba. E sono persuasa che deve trattarsi di spiriti, perché voi tutti conoscete i nostri cani, che non ce n'è di meglio; ebbene quei cani non sono mai riusciti a scoprire una traccia sola, manco una volta. Be' spiegatemela un po' una cosa cosí, se vi riesce, spiegatemela vi dico...

– Be', quello batte...

– Nel nome di Dio, mai e poi mai che...

– Che il Signore mi assista, ma non mi piaceva certo...

– Non solo ladri, ma anche...

– Per l'amor di Dio, io avrei avuto paura a vivere in una...

– Paura? Ma io avevo tanta paura, che quasi non avevo il coraggio di andare a letto o di alzarmi, o riposare, o sedere, sorella Ridgeway. Erano capaci di rubare... Be', per l'amore di Dio, nessuno può immaginare che razza di paura ho avuto ieri sera, quando stava per battere mezzanotte. Che Dio sia benedetto, se non avevo paura che mi rubavano qualcuno della famiglia. Ero ridotta in un tale stato, che non riuscivo piú a connettere. Adesso, di giorno, può anche sembrare stupido, ma in quel momento mi dico: ecco quei due poveri ragazzi, che dormono di sopra in quella stanza lontana, e vi assicuro che avevo tanta paura che sono andata di sopra a chiuderli dentro a chiave! Lo confesso, li ho chiusi a chiave. Ma chi non lo faceva? Perché, sapete, quando uno si spaventa in quel modo, e ha sempre paura, sempre peggio, ogni momento che passa, uno non riesce piú a capire bene cosa deve fare, e si mette a fare le piú grosse sciocchezze che sa immaginare, e poco alla volta ecco che ti metti a pensare: supponi che sei uno di quei ragazzi, e ti trovi lassú, e la porta non è chiusa, allora... – E qui si ferma di colpo, come per pensare a qualche cosa; poi volta lentamente la testa in giro, e i suoi occhi si posano su di me, e quando si posano su di me, io mi alzo e vado un po' in giro.

Mi dico infatti che riesco meglio a spiegare come è che la mattina dopo noi non si era in camera nostra, se mi metto tranquillo in un angolo, e ci penso sopra un poco. E faccio cosí. Ma non osavo andare troppo lontano, perché lei certo mi chiamava indietro. Piú tardi nel pomeriggio tutta la gente se ne va e allora mi presento e gli dico che tutto il chiasso e gli spari avevano svegliato me e Sid, e che ci accorgiamo che la porta è chiusa a chiave e che anche noi si voleva avere la nostra parte di quel divertimento, e cosí siamo scivolati giú per il parafulmine, e tutti e due ci siamo fatti un po' male, in modo che non si aveva la minima intenzione di riprovare, per risalire. Poi contínuo e conto anche a lei quello che avevo contato prima a zio Silas, e allora lei dice che ci perdona, e che forse magari non avevamo neanche tutti i torti, perché è solo naturale che facciano cosí i ragazzi, che sono tutti degli scavezzacolli, almeno per quanto lei può capirne, e siccome nessuno si era fatto del male, cosí pensava che forse il meglio che poteva fare era di ringraziare il Cielo che eravamo vivi, e in buona salute e sempre vicino a lei, invece di tormentarsi l'anima per una cosa che era ormai acqua passata. Cosí che mi dà un bacio, e mi accarezza sulla testa, e poi resta un poco pensierosa, ma subito dopo salta su e dice:

– Ma, per l'amor di Dio, è quasi notte ormai, e Sid non è ancora tornato! Cosa può essere capitato a quel ragazzo?

Colgo la palla al balzo e gli dico:

– Faccio una corsa in paese, e lo conduco a casa, – dico.

– Manco per sogno, – fa lei. – Tu resti fermo dove ti trovi, ché mi basta perderne uno alla volta. Se non è tornato all'ora di cena, ci va lo zio in paese.

Be', naturalmente neanche per cena c'era, cosí che subito dopo lo zio va in paese.

Torna verso le dieci, ed era un po' preoccupato, perché non aveva trovato traccia di Tom. Zia Sally era molto inquieta, ma lui gli dice che non doveva, perché i ragazzi sono fatti cosí, dice lui, e magari domani mattina te lo vedi tornare a casa, sano e salvo. Cosí che lei deve starsene tranquilla, ma dice che resta su ancora un poco, ad aspettarlo, e lascia la luce accesa, in modo che possa trovare la casa anche di notte.

Quando salgo per andare a letto, lei mi viene dietro, e porta la candela, e mi rimbocca le coperte, ed era cosí affettuosa, cosí, come dire, materna che io mi sentivo proprio un mascalzone, e quasi non ce la facevo a guardarla negli occhi. Lei si siede accanto al letto, e mi parla, e mi dice che magnifico ragazzo che era Sid, e sembrava che non si stancava mai di parlare di lui, e continuava a chiedermi se credevo che aveva potuto perdersi, o magari ferirsi, magari era annegato, e in quel preciso istante era in qualche posto che soffriva, o era morto, e lei non c'era vicina per confortarlo, assisterlo. E si mette a piangere in silenzio, e allora io gli dico che Sid sta bene, e che certo torna a casa il mattino dopo. Quando gli dico cosí, lei mi stringe le mani, e mi dà un bacio, e mi dice di dirlo ancora, di continuare a dirlo, che gli fa tanto bene sentirlo, che ha tanta paura. Poi, quando sta per andar via, mi guarda negli occhi per un po' di tempo, ma dolce, buona, e poi mi dice:

– Non chiudo la porta a chiave, Tom, e c'è la finestra aperta e il parafulmine, ma tu sarai buono, vero? Tu non scappi, vero? Tu non scappi, perché mi vuoi bene.

Dio solo sa la voglia che avevo di andarmene, per aver notizie di Tom, e che avevo proprio intenzione di battermela. Ma dopo quelle parole, manco per tutto l'oro del mondo che mi muovo!

Ma non facevo che pensare a lei, e non facevo che pensare a Tom, cosicché non dormo bene. Due volte scendo giú per il parafulmine e mi avvicino alla finestra del salotto, e la vedevo seduta accanto alla candela, davanti alla finestra, con gli occhi fissi sulla strada, pieni di lacrime, e come volevo poter fare qualcosa per lei, ma potevo solo giurare che non facevo piú niente che gli dia dei dispiaceri. La terza volta che mi sveglio era l'alba, e io scivolo giú, e lei era sempre là, la candela quasi tutta consumata, e aveva appoggiato la testa coi suoi capelli grigi sulle mani, e si era addormentata.

Prima di colazione il vecchio ritorna in paese, ma non trova manco l'ombra di Tom. Allora tutti e due siedono a tavola, perduti nei loro pensieri, senza dirsi nulla, e con un'aria cosí triste, e il caffè diventava freddo, ma non ce la facevano a mandare giú un boccone. Dopo un poco il vecchio dice:

— Te l'ho data la lettera?

— Quale lettera?

— Quella che ho ritirato ieri alla posta.

— No, non me l'hai data.

— Be', devo essermene dimenticato.

Allora si fruga nelle tasche, e poi va a cercare dove l'aveva messa, la trova e gliela dà. Lei dice:

— Oh, viene da St Petersburg. È una lettera di mia sorella.

Io capisco che un'altra passeggiatina non mi fa certo male, ma non riuscivo a muovermi. Ma prima ancora di aprirla, lei la lascia cadere, e salta su di corsa, perché aveva visto qualcosa. Anche io l'avevo visto. Arrivava Tom Sawyer, portato sopra un materasso, e dietro venivano il vecchio dottore, Jim, con il vestito di cotonina della zia, e le mani legate dietro la schiena, e poi un codazzo di gente. Io nascondo la lettera dietro la prima cosa che mi capita sottomano, e corro fuori. Lei si è già buttata su Tom, e piangeva, e diceva:

— È morto, è morto, lo sento che è morto!

Allora Tom volta un poco la testa, e dice qualche parola, che si capisce che non era in sé, e lei alza le mani al cielo e grida:

— È vivo, è vivo, che il Cielo sia lodato! È vivo, e tanto mi basta! — e gli dà un bacio, poi corre in casa per preparare il letto, e dava ordini a destra e a sinistra, ai negri, a quanti gli capitavano vicino, e sparava le parole veloce, come non l'avevo mai vista prima.

Io seguo gli uomini, per vedere cosa facevano a Jim, e il vecchio dottore e zio Silas entrano in casa, dietro a Tom. Gli uomini erano molto irritati, e alcuni volevano impiccare Jim, per dare un buon esempio a tutti gli altri negri del paese, perché non gli salti il ticchio di scappare, come aveva fatto Jim, e dare tanta noia, e spaventare tutta la famiglia, che quasi crepavano dalla paura. Ma altri dicono che no, non bisognava, non era una cosa giusta, perché non erano loro i padroni del negro, e magari il proprietario saltava poi su e gli faceva pagare quel negro come nuovo. Questo li calma un poco, perché la gente che è sempre pronta a impiccare un negro che ne ha combinata qualcuna, è poi sempre quella che non ne vuol sentire di pagarlo, passata la festa.

A Jim gliene dicono di tutti i colori, e gli mollano anche qualche pacca, ma Jim muto come un pesce, e non lascia mai capire che lui mi conosceva, e quelli allora lo portano nella sua vecchia capanna, gli fanno infilare i suoi vestiti, lo incatenano di nuovo, e questa volta non piú alla gamba del letto, ma a un grosso anello incastrato nel trave di base, e poi gli legano mani e gambe, e gli dicono che poteva ringraziare se gli davano acqua e pane, finché non giungeva il suo padrone, o lo vendevano all'asta, se il suo padrone non si faceva vivo; poi chiudono il passaggio sotterraneo e dicono che un paio di contadini, con i fucili, devono montare la guardia accanto alla cabina ogni notte, e tenere un bulldog legato alla porta tutto il giorno, e quando hanno quasi finito, e stavano per andarsene, dopo una specie di addio generale di insulti e di minacce, ecco arriva il vecchio dottore, per vedere cosa avevano fatto, e dice:

– Non trattatelo piú male dello stretto necessario, perché non è un cattivo negro. Appena visto il ragazzo, ho subito capito che non potevo estrarre la pallottola senza l'aiuto di qualcuno, e che non era in grado di essere trasportato, e io non potevo lasciarlo solo e andare in cerca di aiuto. Peggiorava a vista d'occhio, e dopo un poco comincia a farneticare, e non mi lasciava piú andargli vicino. Diceva che se marcavo la zattera col gesso, lui mi uccideva, e tante altre sciocchezze del genere, e io capisco che ormai non potevo piú farne niente, cosí mi dico che dovevo in un modo o nell'altro avere qualcuno per aiutarmi, e il minuto che dico cosí questo negro spunta da qualche parte, e dice che è pronto ad aiutarmi, e mi ha infatti aiutato molto bene. Naturalmente ho capito che era un negro scappato, come lo è infatti, e io dovevo restare là tutto il resto del giorno e tutta la notte. Vi assicuro che mi trovavo negli impicci. In paese avevo un paio di ammalati con la terzana, e naturalmente volevo andare a visitarli, ma non osavo, perché questo negro poteva scappare, e allora la colpa la davano poi tutta a me, eppure manco una barca che si avvicina tanto da potergli dare una voce. Cosí che sono dovuto restare fino all'alba di stamane, e non ho mai visto un negro meglio di lui come infermiere, o piú attento, eppure rischiava la libertà a fare cosí, ed era stanco morto, e potevo accorgermi benissimo che, negli ultimi tempi, aveva avuto molto da lavorare. Ebbene, io lo apprezzo un negro cosí, e vi assicuro, signori, che vale un migliaio di dollari, e per di piú merita di essere trattato bene. Grazie a lui a me non mi mancava niente, e il ragazzo era curato come a casa, e magari anche meglio, per via che era cosí tranquillo, ma io ero là, con quei due sulle braccia, e son dovuto restare fino all'alba di stamane. Finalmente ho potuto dare una voce ad alcuni uomini in barca, e la fortuna mi ha assistito, perché in quel momento il negro era seduto accanto al saccone, la testa poggiata sulle ginocchia, che dormiva come un ciocco, cosí che ho fatto un segno a quelli, senza far chiasso, e quelli si sono avvicinati, e l'hanno legato prima che lui se ne accorge, e non ci ha dato il minimo fastidio. E siccome anche il ragazzo dormiva, ma di un sonno leggero e agitato, allora abbiamo fasciato i remi, attaccato la zattera, e l'abbiamo rimorchiata quatti quatti, e il negro mai che abbia tentato di scappare, o anche solo detto una parola. Non è un cattivo negro, amici, questa è la mia opinione.

Qualcuno allora dice:

– Be', ci fa proprio piacere sentirlo, dottore, vi siamo obbligati.

Allora anche gli altri si calmano un poco, e io ero molto riconoscente a quel vecchio dottore, per quello che aveva detto di Jim, ed ero anche contento di vedere che la pensava come me, perché avevo sempre trovato che Jim aveva buon cuore, ed era bravo, dal primo momento che l'avevo visto. Allora tutti sono d'accordo che Jim si è comportato molto bene, e che merita qualche ricompensa, e cosí tutti promettono con calore che non lo insulteranno piú.

Poi vengono e lo chiudono dentro. Io speravo che gli toglievano qualche catena, che erano cosí pesanti, e che oltre al pane e all'acqua gli davano da mangiare anche un po' di carne e verdura, ma quelli non ci pensano neppure, e io mi dico che, per il momento, è meglio lasciar stare, ma anche mi dico che facevo in modo che zia Sally veniva a sapere quello che aveva detto il dottore, non appena superate le secche che avevo davanti, voglio dire appena riuscivo a spiegare come avevo fatto a dimenticare di dirgli che Sid si era ferito, quando avevo raccontato che lui e io avevamo passato quella dannata notte sulla canoa, a dar la caccia al negro.

Ma la spiegazione non era urgente, perché zia Sally restava nella camera del malato giorno e notte, e ogni volta che vedevo zio Silas, che girava stralunato per la casa, facevo in tempo a battermela.

Il mattino dopo sento dire che Tom stava assai meglio, e che zia Sally era andata a riposare un poco. Cosí riesco a entrare nella stanza del malato, e se lo trovo sveglio mi dico che magari si poteva combinare insieme una qualche storia a uso della famiglia. Ma lui dormiva, e dormiva cosí calmo, ed era pallido e non aveva piú quella faccia accesa, come quando l'avevano portato a casa. Cosí mi siedo accanto al letto, per aspettare che si sveglia, e dopo circa mezz'ora zia Sally entra silenziosa in camera e io mi dico: be', qui ci siamo! Lei mi fa segno di star zitto, si siede accanto a me, e comincia a parlar piano piano, e dice che adesso potevamo stare tranquilli, perché tutti i sintomi erano di prima classe, e che era da un pezzo che non dormiva cosí tranquillo, e ogni ora che passava prendeva un'aria meglio, e piú riposata, e c'era tutto da scommettere che quando si svegliava, era ormai tornato in senno.

Cosí gli restiamo tranquilli accanto, e dopo un po' di tempo lui si muove un poco, apre gli occhi con uno sguardo naturale, si guarda attorno e dice:

– Ehi, ma come va che sono a casa? Perché? Dov'è la zattera?

– È tutto in ordine, – dico io.

– E Jim?

– Anche lui, – dico io. Non mi veniva di dirlo con molta convinzione, ma lui non se ne accorge e continua:

— Magnifico, splendido! Adesso siamo tutti sani e salvi. Hai già contato tutto alla zia?

Io stavo già per rispondere di sí, ma lei mi interrompe e dice:

— Tutto di cosa, Sid?

— Ma di come abbiamo condotto l'affare.

— Ma quale affare?

— L'affare, che diamine! Non ce n'è che uno, di come io e Tom siamo riusciti a liberare il negro che era scappato.

— Dio santissimo, il negro scappato... Ma di cosa parla questo ragazzo? Dio buono? Ma farnetica di nuovo!

— Ma neanche per sogno, capisco benissimo cosa dico, e so di cosa parlo. L'abbiamo liberato noi, io e Tom, il negro! Abbiamo deciso di farlo e ci siamo riusciti. E l'abbiamo fatto anche con molto stile.

Ormai aveva attaccato, e lei non l'interrompe piú ma se ne resta seduta a guardarlo, con gli occhi sempre piú spalancati, mentre lui continua a contare tutto e io capisco che è ormai inutile cercare di intervenire. — Ti assicuro zia, che abbiamo dovuto lavorare molto, lavorare per settimane, ogni ora, ogni notte, mentre voi stavate tranquilli a dormire. E abbiamo dovuto rubare le candele, il lenzuolo, la camicia, il tuo vestito, i cucchiai, i piatti di stagno, i coltelli, lo scaldaletto, la mola, la farina e tante, tante altre cose, e non puoi neppure immaginarti che razza di lavoro è stato costruire le seghe e le penne, e fare l'iscrizione, e tutto il resto, come non puoi neppure sognarti quanto ci siamo divertiti. Poi abbiamo dovuto fare i disegni delle bare e delle altre cose, e scrivere le lettere inanonime dei banditi, e filare su e giú per il parafulmine, e scavare il passaggio sotto la capanna, e costruire la scala di corda, e fargliela avere cotta in una torta, e mandargli i cucchiai e le altre cose nella tasca del tuo grembiule...

— Misericordia!

— ... E poi riempirgli la capanna di topi e bisce e altri animali, che gli facciano compagnia. E tu poi sul piú bello, fai fermare tanto Tom, col burro nel cappello, che per poco non ci rovinavi tutto, perché gli uomini sono arrivati prima che noi s'era potuto entrare nella capanna, e abbiamo dovuto fare tutto con la massima fretta, e quelli ci hanno sentito e ci hanno sparato, e io ho ricevuto la mia parte, ma poi siamo usciti dal sentiero e li abbiamo lasciati passare, e quando i cani sono giunti, non ci hanno neanche

guardato, ma sono corsi dove c'era piú fracasso e allora noi
siamo entrati nella canoa, saltati sulla zattera, e tutto era a
posto, e Jim era libero, e abbiamo fatto tutto da soli, e non
ti pare magnifico, zia?

– Be', da quando che son nata che non ho mai sentito
una storia simile! E cosí siete stati voi, farabutti e manigoldi che non siete altro, che mi avete dato tante noie, che per
poco non si diventava tutti matti, e mi avete spaventata tanto, che qualche volta avevo paura che mi veniva un colpo!
Ho proprio una gran voglia di farvela pagare, una volta per
tutte, e in questo preciso momento. Pensare che io stavo
qui, una notte dopo l'altra... Be', aspetta solo di guarire,
pezzo di mascalzone, e poi vedrai come ti concio quel posto, e a tutti e due...

Ma Tom era cosí soddisfatto, cosí contento, che non riusciva a star zitto, e continuava a parlare, mentre lei si irritava e si infuriava sempre di piú, e tutti e due ce la davano
tutta, e sembravano due gatti che soffiavano l'uno contro
l'altro. Infine lei dice:

– Be', cerca di godere adesso il piú che puoi cosa hai
combinato, perché se vi sorprendo ancora a fare gli stupidi
con lui...

– Far gli stupidi con chi? – chiede Tom con aria spaventata e sorpresa.

– E con chi? Col negro scappato, naturalmente. Con chi
credi?

Tom mi lancia uno sguardo severo, e mi dice:

– Ma Tom, ma non mi hai detto proprio adesso che era
riuscito a scappare? Allora non c'è riuscito?

– Lui? – dice zia Sally, – il negro vuoi dire? Certo che
no, e l'hanno riportato sano e salvo, ed è di nuovo nella
sua capanna a pane e acqua, carico di catene, finché non
giunge il suo padrone o non viene venduto.

Allora Tom salta a sedere sul letto, con gli occhi che
mandavano fiamme, le narici che si aprivano e chiudevano
come le branchie di un pesce e urla:

– Non hanno nessun diritto di tenerlo incatenato! Fila,
non perdere un momento, e liberalo subito. Non è affatto
uno schiavo, è libero come qualunque creatura che cammina su questa terra!

– Ma cosa ha mai questo ragazzo?

– Ho che ho ragione, zia Sally, e che se qualcuno non va
subito a liberarlo, ci vado io. È da quando siamo nati che

lo conosco, e anche Tom lo conosce. La vecchia signorina
Watson è morta due mesi fa, ed era tanto pentita di aver
avuto l'idea di venderlo, e l'ha detto e nel suo testamento
l'ha dichiarato libero.

– E allora perché diavolo mai hai voluto liberarlo, se
era già libero?

– Be', questa è una domanda coi fiocchi, una domanda
degna di una donna! Quello che si voleva era l'avventura,
e io ero pronto a tuffarmi sino al collo nel sangue per...
Dio santissimo... ZIA POLLY!

Posso morire in questo momento se zia Polly non stava
proprio sulla soglia, con quella sua aria tranquilla e soddisfatta, come un angelo che si è appena pappata una bella
torta.

Zia Sally salta su, e per poco non le staccava la testa,
tanto l'abbraccia forte, e poi si mette a piangere, e io allora
trovo che il posto che è meglio per me è sotto il letto,
perché le cose diventano un po' troppo calde. Quando mi
sporgo per dare un'occhiata, ecco zia Polly si libera dall'ab-
braccio, e si mette a guardare Tom al di sopra dei suoi
occhiali, come per stritolarlo vivo, voi capite. Poi dice:

– Sí, sí, fai meglio a voltar la testa dall'altra parte, che
anche io farei cosí se fossi in te, Tom!

– Dio santissimo, – dice zia Sally, – ma è cosí cambiato?
Questo non è Tom, questo è Sid. Tom... Tom... dove mai
s'è cacciato Tom? Era qui un momento fa.

– Vuoi dire dove è Huck Finn, che era qui un momento
fa. Pensi forse che ho allevato durante tutti questi anni
un farabutto della forza di Tom, e che non so piú riconoscerlo quando lo vedo? Sarebbe un bel caso! Esci da sotto
il letto, Huck Finn.

Cosí che io esco, ma non è che mi sentivo proprio in
gamba.

Zia Sally non ce la faceva piú a raccapezzarsi in tutto
quel guazzabuglio, e zio Silas, quando entra in camera anche lui e gli contano tutto, aveva un'aria anche piú straluna-
ta di sua moglie. Sembrava quasi ubriaco, e per tutto il
resto del giorno resta cosí, e quella sera fa una predica che
tutti dicono che era una meraviglia, nessuno che ne ha capito un'acca. Poi zia Polly si mette a contare di me, chi ero e
cosa facevo, e poi io devo contare la mia parte, come mai
mi trovavo in tanti guai quando la signora Phelps mi aveva scambiato per Tom Sawyer (ma lei m'interrompe e di-

ce: – Va' là, va' là, continua a chiamarmi zia Sally, perché ormai ci sono abituata, e non devi chiamarmi diverso –) beh, che quando zia Sally mi aveva scambiato per Tom Saw-yer, io non potevo farci niente, e poi sapevo che a lui non gliene importava niente, ma anzi sarebbe stato piú che con-tento, perché era un mistero, e poteva farne un'avventura, e divertirsi un mondo. E cosí infatti era capitato, e lui aveva preteso di essere Sid, e aveva fatto di tutto per aiutarmi.

Zia Polly dice che Tom aveva detto il vero, quando ave-va detto che la vecchia signorina Watson nel suo testamen-to aveva notificato che liberava Jim, ed ecco, Tom Sawyer aveva combinato tutti quei pasticci per liberare un negro già libero, e io finalmente riuscivo a capire come mai una persona, che aveva ricevuto la sua educazione, si era decisa a darmi una mano a rubare un negro.

Be', poi zia Polly dice che quando zia Sally aveva scritto che erano arrivati Tom e Sid sani e salvi, lei si era detto:

«E ci siamo! Dovevo aspettarmela una cosa simile, a lasciarlo andare cosí lontano, senza nessuno che lo tiene d'occhio. Cosí che adesso devo muovermi, e fare un viag-gio di piú di mille miglia per scoprire cosa mai mi sta combi-nando questa volta quel farabutto, dato che non riesco a ricevere nessuna risposta da laggiú».

– Ma invece sono io, che non ho piú ricevuto niente da te, – dice zia Sally.

– Non riesco a capire, perché ti ho scritto ben due vol-te per chiederti cosa volevi dire, che c'era qui anche Sid.

– Io non le ho mai ricevute, cara.

Zia Polly si volta adagio, con uno sguardo severo, poi dice:

– Tom, tu...

– E be', adesso? – dice lui impertinente.

– Non parlarmi cosí, razza di farabutto, e fuori quelle lettere.

– Quali lettere?

– Quelle lettere. Ti assicuro che se ti metto le mani ad-dosso...

– Sono tutte nel baule. Ecco, adesso sarai contenta. E sono precise come quando le ho ritirate alla posta. Non le ho aperte, non le ho manco toccate. Ma capivo che poteva-no combinare dei pasticci, e pensavo che, se non avevi tan-ta fretta, io...

– Be', non c'è dubbio, che pelarti vivo è ancora farti puco. Poi te ne ho scritto ancora una, per dirti che stavo per arrivare, ma penso che lui...

– No, quella è giunta ieri, ma non l'ho ancora letta. Quella però ce l'ho.

Avrei voluto scommettere due dollari che non ce l'aveva piú, ma penso che era meglio star zitto. E cosí, acqua in bocca.

La prima volta che riesco a trovarmi solo con Tom gli chiedo che idee aveva, al tempo dell'evasione: cosa voleva fare, se l'evasione gli veniva bene, e lui riusciva a liberare un negro che era già libero? E lui mi dice che aveva subito pensato che se riuscivamo a tirare fuori Jim, si scendeva tutti per il fiume sulla zattera, e cosí si aveva un finimondo di avventure, sino alla foce del fiume, poi gli dicevamo che era già libero e lo si riportava a casa su di un battello, facendolo star bene e pagandolo per il tempo che gli avevamo fatto perdere. Poi si scriveva a casa, per far venire tutti i negri a riceverlo, poi lo si accompagnava in giro per il paese, con una fiaccolata e preceduto da una banda, e cosí lui diventava un eroe, e anche noi si aveva la nostra parte di gloria. Ma io penso che anche cosí come era andata, andava abbastanza bene.

Jim lo facciamo liberare subito, e quando zia Polly, e zio Silas, e zia Sally, vengono a sapere di come aveva aiutato il dottore a curare Tom, tutti gli fanno un mucchio di feste, gli fanno dei regali, gli dànno da mangiare tutto quello che voleva, e che se la prendesse comoda senza mai lavorare. Allora noi lo facciamo venire nella stanza del malato, e si parla di tutto e poi Tom gli regala quaranta dollari, perché era stato cosí gentile quando faceva il prigioniero, e aveva fatto tutto bene, e Jim è tanto contento che per poco non impazziva, e poi sbotta:

– Eh, Huck, cos'è che vi avevo detto? Cos'è che vi avevo detto là, sull'isola di Jackson? Non ve l'avevo detto che ho lo stomaco peloso, e che quello è un buon segno, e non vi avevo detto che ero già stato ricco una volta, e che lo diventavo di nuovo, e adesso è vero, adesso sono ricco. E adesso non venite piú a contarmi delle storie, i segni sono segni, e ricordatevi bene che ve lo dico io, e io lo sapevo

che diventavo di nuovo ricco, sicuro come sono sicuro di
stare qui in questo momento.

Poi Tom si mette lui a parlare, e parla per molto tempo,
e poi dice: scappiamo tutti e tre, una di queste notti, ci
comperiamo l'equipaggiamento che ci vuole e si combina
qualche straordinaria avventura nel Territorio indiano, per
un paio di settimane, o anche piú. E io gli dico che per me
va bene, che accetto subito, ma che non ho denari per com-
perarmi l'equipaggiamento, e penso che da casa non posso piú ricevere soldi, perché è probabile che papà è tornato
in paese, ed è riuscito a portare via i miei soldi al giudice
Thatcher, e che a quest'ora si è certo bevuto tutto.

— Niente affatto, — dice Tom, — ci sono ancora tutti i
tuoi soldi, seimila dollari e piú, e tuo padre non si è mai
piú visto da allora. Almeno, finché sono partito io, non era
tornato.

Jim allora con una voce solenne:

— Non torna piú, Huck.

Io chiedo:

— E perché, Jim?

— Non importa perché, Huck, ma non torna piú.

Ma io non mi accontento di quella risposta, e lui allora
deve spiegare:

— Vi ricordate di quella casa che galleggiava sul fiume, e
dentro c'era il cadavere di un uomo, tutto coperto di stracci, e io ci sono entrato, e ho guardato, e poi non vi ho
lasciato guardare? Be', i vostri soldi ormai sono al sicuro,
perché quel morto era lui.

Tom ormai è quasi guarito, e porta la pallottola al collo,
appesa alla catena dell'orologio, e guarda sempre che ora
è, e cosí non c'è piú niente altro da scrivere, e vi assicuro
che ne sono proprio contento, perché se sapevo mai che
gatta da pelare è fare un libro, manco mi sognavo di comin-
ciarne uno, e adesso pianto lí. Ma magari è meglio che
parto per il Territorio indiano prima degli altri, perché zia
Sally dice che vuole adottarmi e incivilizzarmi, e questa è
una cosa che proprio non mi va. L'ho già provata una
volta.

Sinceramente vostro   HUCK FINN

L'episodio della zattera

(Capitolo xvi)

Scritto originariamente per il romanzo, questo episodio venne inserito nel xvi capitolo di *Vita sul Mississippi*, il libro di ricordi che Twain portò a termine nel corso della lunga e laboriosa stesura delle *Avventure di Huckleberry Finn*.

Quando preparò la copia per la stampa del romanzo l'autore reinserí l'episodio nella sua collocazione originale ma fu costretto a sopprimerlo una seconda volta per ragioni di spazio. È indubbio comunque che le pagine in questione sono parte integrante delle *Avventure* e valgono soprattutto per il rodomontesco duello verbale tra i due membri della ciurma.

Ma, voi capite, un ragazzo mica sa aspettare, quando ci tiene a sapere qualche cosa. Se ne discute un poco, e infine Jim dice che ormai fa cosí buio che non corro piú nessun rischio, se nuoto sino alla grossa zattera, e mi arrampico sopra per sentire cosa dicono: piú che probabile che parlano di Cairo, perché certo contano di scendere a terra a far baldoria o, a ogni modo, mandano qualche barca a riva, a comprare whisky e carne fresca, o qualcosa del genere. Jim era molto in gamba, considerato che era un negro, e tutte le volte che ce n'era bisogno, sapeva quasi sempre suggerire qualche progetto che funziona.

Mi alzo in piedi, butto via quei quattro stracci, e via, un bel tuffo, e mi dirigo deciso verso la lanterna dello zatterone. Ce la do tutta, e quando l'ho quasi raggiunto rallento un poco, e continuo a nuotare lento e cauto. Ma tutto era in ordine, e nessuno ai remi timonieri. Cosí costeggio la zattera finché non mi trovo quasi all'altezza del fuoco acceso nel mezzo. Allora mi isso a bordo, striscio pian piano e vado a nascondermi tra dei fastelli di assi, a sopravvento del fuoco. C'erano tredici uomini, il turno di guardia evidentemente e, vi assicuro, tutti l'aria di musi duri. Avevano nel mezzo una brocca e delle tazze di latta e quella povera brocca mai che la lasciavano in pace un momento. Uno stava cantando, o meglio ragliava, e non una canzone molto bella, voglio dire che in un salotto pochi l'apprezzavano. Cantava nel naso, e poggiava a lungo sull'ultima parola di ogni verso. Quando ha finito tutti sbottano in una specie di urlo come indiani; poi si attacca un'altra canzone, che comincia:

> Da quelle parti viveva una bella,
>   ch'era la bella della città,
> che amava molto il suo caro marito,
>   ma anche un altr'uomo, in verità!
> Tra-la-là e tra-la-la-lera,
>   tra-la-la-lera, tra-la-la-là...
> che amava molto il suo caro marito,
>   ma anche un altr'uomo, in verità!

E cosí avanti, per altre quattordici strofe. Era piuttosto noioso, tanto che quando sta per attaccare una nuova strofa uno dice che era quella la canzone che aveva fatto morire di noia la vecchia vacca, e un altro gli dice: be', risparmiaci, via! E un terzo gli dice che fa meglio se va a fare due passi. Tutti si mettono a sfotterlo, finché lui non gli salta la mosca al naso e zompa su e comincia a insultare tutti, e dice che lui si sentiva da solo di rovinare tutti i ladri che c'era da quelle parti. Tutti fanno per saltargli addosso, ma l'uomo piú grosso schizza su lui e dice:

– Tutti fermi al vostro posto, signori! Lasciatemelo a me, ché è proprio la bistecca che fa per il mio stomaco!

Poi salta in aria tre volte, e ogni volta fa battere i tacchi insieme. Butta lontano la giacca di antilope, tutta ornata di frange, e poi dice: – Fermi, finché non ho finito di masticarmelo intero! – e poi butta per terra il cappello, tutto svolazzante di nastri, e dice: – Fermi, finché non ha finito di soffrire!

Un altro salto in aria, un nuovo cozzo di tacchi, poi urla:

– Viva! Urrà! Io sono il vecchio, l'autentico ammazzasette, mascelle di acciaio, giunture di ottone, pancia di rame... io sono l'ammazzasette, nato nel selvaggio Arkansas! Guardatemi, io sono quello che chiamano Morte Improvvisa, Miseria Generale! Me mi ha concepito l'uragano, mi ha partorito il terremoto, sono fratellastro del colera, e per parte di madre parente stretto del vaiolo! Guardatemi! Quando sono in gamba, a colazione mi pappo diciannove alligatori vivi, e mi scolo una botticella di whisky; quando ho un peso sullo stomaco, un cestino di serpenti a sonagli e un cadavere. Io spezzo le rocce eterne con un colpo d'occhio, e quando parlo faccio star zitto il tuono! Viva e urrà! Indietro tutti, e fatemi largo, perché io trabocco io, io straripo! Io pasteggio a sangue, e i lamenti dei moribondi sono la musica che preferisco. Guardatemi un momento, signori, e poi zitti e trattenete il fiato, perché sono sul punto di scatenarmi.

E mentre faceva questo bel discorso, dimena la testa e fa la faccia feroce, e sembrava che si gonfiasse, nel piccolo cerchio dei compagni, e intanto si rimboccava le maniche e di tratto in tratto si rizzava, si mollava dei gran pugni sullo stomaco, e continuava a urlare: – Guardatemi, signori! – Quando ha finito, un altro zompo, un triplice cozzo di tacchi, e poi sbotta in un urlo che è come un ruggito: – Ecco il piú feroce figlio di gatto selvatico, che sia mai nato!

Allora l'uomo che aveva cominciato la zuffa si schiaccia il vecchio cappello di feltro sull'occhio destro, avanza tutto curvo con la schiena a gobba, il posteriore puntato a babordo, fa mulinare i pugni davanti a sé, e in questa posizione va tre volte in giro nel cerchio degli spettatori, gonfiandosi e ansimando forte. Poi si rizza, spicca un salto, picchia tre volte i tacchi prima di ricascare per terra (e tutti lo applaudono per questa prodezza), e poi si mette a urlare:

– Viva e urrà! Giú la fronte e gambe, ché il regno delle calamità sta per arrivare! Tenetemi giú, fermo per terra, perché mi sento gonfiare le vene. Viva! Io sono il figlio del peccato, e attenti a quando mi scateno. Presto, occhiali da sole per tutti, qui! Che non vi salti in mente di guardarmi a occhio nudo, signori! Quando sono in vena di scherzare mi faccio una rete con i meridiani delle longitudini e i paralleli delle latitudini e drago l'Oceano Atlantico a pesca di balene! Mi gratto la testa coi fulmini, e mi addormento al brontolio dei tuoni! Quando ho freddo faccio bollire il Golfo del Messico e ci faccio un bagno dentro; quando ho caldo mi faccio fresco con una bufera equinoziale; quando ho sete prendo una nube e me la succhio come una spugna, quando giro per la terra e ho fame, mi segue la carestia! Urrà! Giú la fronte, e gambe! Quando stendo la mano sulla faccia del sole faccio venir notte; quando mordo un pezzo di luna anticipo le stagioni, quando mi scuoto faccio crollar le montagne! Se volete guardarmi, guardatemi attraverso del cuoio, mai a occhio nudo! Io sono l'uomo dal cuore di pietra e le budella d'acciaio inossidabile. Il massacro dei paesi è il mio passatempo, quando mi riposo; la distruzione delle nazioni l'occupazione seria della mia vita! Lo sterminato deserto dell'America è mia proprietà privata, e i miei morti io li seppellisco tutti in terra mia! – Un balzo, picchia tre volte i tacchi prima di ricadere (e tutti di nuovo lo applaudono) e, quando finalmente è per terra, urla: – Viva! Giú la fronte e gambe, che il beniamino della calamità sta per giungere!

Allora l'altro riprende a gonfiarsi e a urlare, il primo voglio dire, quello che chiamavano Bob; poi riprende il Beniamino della Calamità, e le sballa piú grosse di prima; poi tutti e due si mettono a sballarle assieme, gonfiandosi e girandosi attorno e menando dei gran cazzotti in aria, sotto il naso dell'avversario, e intanto urlavano come pellirosse. Poi Bob si mette a insultare il Beniamino, e il Beniamino di rimando a insultare Bob; Bob rincara la dose, e il Beniamino risponde per le rime, con le parole piú tremende che ho mai sentito. Poi Bob sbatte per terra il cappello del Beniamino, e il Beniamino lo raccatta e molla un calcio al cappello tutto svolazzante di nastri di Bob, e te lo sbatte a circa sei piedi di distanza. Bob lo tira su, e dice che non fa niente, che la cosa non può finire cosí, perché lui è un uomo che non dimentica e non perdona, e cosí il Beniamino fa meglio a stare attento, perché giunge il momento della paga, vero come è vero che lui è in vita, quando dovrà pagare tutto col meglio sangue che ha nelle vene. Il Beniamino gli risponde che nessuno al mondo si augura tanto che spunti presto quell'ora, quanto se l'augura lui, e che intanto avverte onestamente Bob di non osare di farsi mai piú vedere, perché non smetterà prima d'aver fatto un bagno nel suo sangue, perché lui è cosí, anche se per il momento lo risparmia, per via della famiglia, se mai ne ha una.

E tutti e due si allontanano in opposte direzioni, borbottando e scuotendo la testa, ed elencando minutamente tutto quello che intendono fare, quando un piccolotto con le basette nere salta su e dice:

– Ehi! voi due, bel paio di vigliacconi con un cuore di gallina, venite qui, o ve le mollo sode a tutti e due!

E fa come dice. Li prende tutti e due, e te li sbatte a

destra e a sinistra, li piglia a calci nel sedere e li spiaccica in terra piú presto che loro non riuscivano ad alzarsi. Non erano passati due minuti che quelli già guaivano come cuccioli, mentre i compagni urlavano e si sganasciavano dalle risate, e sottolineavano ogni colpo battendo le mani, e gridavano: – Forza, Ammazza-Cristiani! – Rispondigli per le rime, Beniamino della Calamità – Viva il piccolo Davy! – Be', per un po' di tempo c'è tanto casino che non si capiva un accidente. Bob e il Beniamino avevano il naso rosso e gli occhi neri, quando quello ha finito. Il piccolo Davy li obbliga tutti e due a dichiarare che sono dei vigliacchi, cosí schifosi che non hanno il diritto di mangiare in compagnia di un cane né di bere in compagnia di un negro, e poi Bob e il Beniamino si stringono la mano con molta solennità, e dichiarano che si erano sempre rispettati, e che erano piú che disposti a tirare un frego sul passato. Poi vanno a lavarsi la faccia nel fiume, e proprio in quel momento si sente un ordine di tenersi pronti per una traversata, e alcuni vanno a prua a impugnare i remi, gli altri a poppa, a maneggiare i timonieri.

Io me ne resto fermo, e aspetto un quindici minuti, e mi faccio una pipata con la pipa che uno di quelli aveva dimenticato a portata di mano, e quando hanno finito la traversata, e sono tornati a sedersi, e hanno bevuto, riprendono a chiacchierare e a cantare. Poi uno tira fuori un vecchio violino e lo fa miagolare, un altro picchia per segnare il tempo, e il resto attaccano una specie di rigodone, come lo ballano su queste vecchie zattere e barconi. Ma non continuano molto che sono già stanchi, cosí che dopo un po' di tempo, prima uno e poi l'altro, sono di nuovo seduti attorno alla brocca.

Cantano: «Oh, che bel mestiere, navigare in zattera», tutti in coro, fortissimo, e poi si mettono a parlare delle diverse razze di maiali e delle loro varie abitudini, e poi delle donne e delle loro varie abitudini, e poi della meglio maniera di spegnere un incendio appiccato a una casa, e poi di cosa si deve fare degli indiani, e poi di cosa deve fare un re, e di quanto guadagna, e poi di come si deve fare per far azzuffare i gatti, e poi di cosa fare quando un uomo ha le convulsioni, e poi della differenza tra i fiumi d'acqua limpida e quelli d'acqua fangosa. Quello che tutti chiamavano Ed dice che l'acqua fangosa del Mississippi fa molto piú bene a bere che non l'acqua limpida dell'Ohio, e dice

che se si prende una pinta di questa acqua gialla del Mississippi e la si lascia tranquilla, al fondo della bottiglia si
forma un mezzo pollice, o tre quarti di pollice di fango,
secondo le condizioni del fiume, e che allora quell'acqua
non vale niente piú dell'acqua dell'Ohio, mentre invece si
deve sempre agitarla bene, e quando il fiume è in magra
allora bisogna prendere un po' di fango e metterlo nella
bottiglia, per rendere un po' piú spessa l'acqua, come deve
essere per far bene.

Il Beniamino della Calamità dice che nel fango c'è un
potere nutritizio, e che un uomo che beve acqua del Mississippi può farsi crescere del granturco nella pancia, solo che
voglia.

– Guardate i cimiteri, e si capisce subito la differenza.
In un cimitero di Cincinnati gli alberi che crescono non
valgono un centesimo, ma in un cimitero di St Louis raggiungono gli ottocento piedi d'altezza. E la differenza dipende tutta dall'acqua che hanno bevuto la gente che vi è
sepolta. Un cadavere di Cincinnati non ingrassa certo la
terra.

Poi parlano di come l'acqua dell'Ohio non è contenta di
mescolarsi con l'acqua del Mississippi, e Ed dice che se si
guarda il Mississippi quando è in piena, mentre l'Ohio è in
magra, allora si può vedere come una fascia di acqua limpida, lungo la riva orientale del Mississippi, per cento miglia
e anche piú, e il minuto che uno s'allontana un quarto di
miglio dalla riva e attraversa quella linea, l'acqua è tutta
spessa e giàlla per il resto del fiume. Poi discutono di come
si deve fare perché il tabacco non muffisca, e poi si mettono a parlare di spiriti, e contano molte storie di cose capita-
te agli altri. Ma Ed dice:

– Perché non raccontate qualcosa che avete visto voi,
coi vostri occhi? Allora lasciate parlare a me. Cinque anni
fa mi trovavo sopra una zattera grossa come questa e proprio da queste parti, e c'era una bella luna. Ero di guardia,
e maneggiavo il remo di tribordo, a prua, e uno dei miei
compagni era un tale chiamato Dick Allbright. Si avvicina
dove stavo seduto io a prua, e sbadiglia, e si stirava tutto,
poi si curva verso l'orlo della zattera e si lava la faccia nel
fiume, poi si alza e si siede accanto a me, e tira fuori la
pipa, e l'aveva appena accesa quando guarda su e dice:

«Senti, guarda un po'», dice lui, «non è il posto di Buck
Miller, laggiú nel gomito?»

«Sí», dico io, «ma perché?» Lui posa la pipa, e poggia la testa sulla mano e poi dice:

«Credevo che era già passato». Io dico:

«Anch'io lo credevo, quando ho finito il mio turno», ci alternavamo a turni di sei ore, «ma i ragazzi mi hanno detto che la zattera non sembrava quasi muovere durante l'ultima ora», dico io, «anche se adesso fila bene», dico io. Lui allora ha una specie di gemito e dice:

«Ho già visto altre zattere fare cosí, da queste parti», dice lui. «Mi pare che la corrente si è quasi spenta, a monte di quel gomito, durante gli ultimi due anni», fa lui.

– Be', poi si alza in piedi due o tre volte, e si guarda in giro sul fiume, e lontano. Allora anch'io mi metto a guardare, perché uno fa sempre quello che vede fare da un altro, anche se si tratta di una cosa senza senso. Ben presto vedo qualcosa di nero che galleggia sull'acqua, lontano a tribordo, e sembrava venirci dietro. Vedo che anche lui lo guardava, e allora gli dico:

«Cos'è», e lui mi risponde, come irritato:

«Cosa vuoi che sia? È un vecchio barile vuoto».

«Un barile vuoto!» faccio io. «Ma senti, un cannocchiale fa ridere in confronto dei tuoi occhi. Come fai a sapere che è un barile vuoto?» Lui dice:

«Be', non lo so, e forse magari non è un barile vuoto, ma ho pensato che lo era», dice lui.

«Già», dico io, «può essere e può anche essere qualunque altra cosa, perché nessuno può capire, a una tale distanza», faccio io.

– Non avevamo niente da fare, e cosí continuiamo a tenerlo d'occhio. Dopo un poco io faccio:

«Ma senti, Dick Allbright, mi sembra che quella cosa si avvicina, mi sembra».

– Lui non dice niente, ma quella cosa si avvicina sempre, e io allora penso che poteva magari essere un cane, stanco morto. Be', poi c'è una traversata, e quella cosa attraversa un punto illuminato dai raggi della luna e, Dio santissimo, era proprio un barile. Allora io:

«Dick Allbright, cosa ti ha fatto pensare che era un barile, quando era lontano piú di mezzo miglio?» dico io. E lui:

«Non so». Io allora:

«Dimmelo, Dick Allbright», e lui:

«Be', perché sapevo che era un barile, l'ho già visto prima, e tanti altri anche l'hanno visto, e dicono che è un barile stregato».

– Allora chiamo gli altri del turno, e tutti vengono e si fermano accanto a noi, e io gli conto a tutti quello che Dick mi aveva detto. Ormai il barile galleggiava proprio alla nostra altezza, e non cercava di superarci. Era a circa venti piedi di distanza. Qualcuno propone di issarlo a bordo, ma gli altri invece non ne volevano sapere. Dick Allbright dice che le zattere dove si erano interessati a quel barile erano tutte finite male. Il capo del turno dice che lui non ci credeva, e dice che pensava che il barile ci aveva raggiunti perché si trovava spinto da una corrente un po' piú forte della nostra. E dice anche che poi magari ci passava davanti e se ne andava per i fatti suoi.

– Poi ci si mette a parlar d'altro, e cantiamo anche una canzone, si attacca un ballo e poi ci riposiamo un poco, e il capo del turno dice di cantare un'altra canzone, ma ormai il cielo si copriva e il barile ci seguiva sempre alla stessa precisa altezza, e la seconda canzone non sembra che ci rimonta il morale, cosí che manco la finiscono, e non c'era piú nessuno che era allegro, ma tutti piuttosto giú di corda, e per un minuto manco uno che azzarda mezza parola. Poi tutti cercano di parlare insieme, e uno conta una barzelletta, ma non serve a niente, ché nessuno ride, manco quello che l'ha contata riesce a ridere, cosa che non capita sovente. Restiamo tutti seduti, tristi e col muso lungo, e si guardava sempre il barile, e si era inquieti senza manco sapere bene perché. Be', miei cari, diventa sempre piú scuro, e tutto come fermo, poi il vento comincia a urlare, ed ecco i fulmini a schizzare per il cielo, e il tuono che brontola. Poco dopo scoppia un violento temporale, e nel bel mezzo uno degli uomini che correva verso poppa inciampa, cade, e si sloga una caviglia, cosí che deve mettersi a letto. Allora i ragazzi si mettono a scuotere la testa, e ogni volta che un fulmine guizzava si poteva vedere quel barile tutto illuminato dalla baluginante luce bluastra. Non lo perdiamo mai di vista, ci seguiva sempre. Ma passa la notte, spunta l'alba, e del barile manco piú l'ombra. A giorno fatto non si riesce piú a scoprirlo da nessuna parte, e certo nessuno lo rimpiangeva.

– Ma la notte dopo, verso le nove e mezzo, mentre si cantava e si era tutti allegri, ecco che quello spunta di nuovo, e prende il suo solito posto a tribordo. Allora tutta l'allegria si spegne di colpo, e tutti diventano seri e cupi, nessuno che parli, e non si riesce piú a far fare niente a nessuno, ché tutti stavano seduti, tristi e immobili, a guardare il barile. Di nuovo il cielo si rannuvola, e quando si cambia di turno quelli che avevano terminato, invece di andare a dormire, restano sopra coperta. La bufera urla e ruggisce tutta la notte, e nel bel mezzo un altro uomo inciampa e si sloga la caviglia, e anche lui è messo fuori combattimento. Il barile scompare verso il mattino, e nessuno se n'accorge di quando scompare.

– Il giorno dopo tutti sono piuttosto calmi e giú di corda. E non come si è calmi quando non si beve, tutt'altro. Tutti silenziosi, ma tutti trincavano piú del solito, e non in compagnia, ma uno alla volta. Se ne andavano a berne un sorso, ognuno per conto suo, quasi di nascosto.

– Si fa notte, il turno di guardia che smonta non si ritira, ma nessuno cantava, nessuno parlava, i ragazzi non si allontanano, ma restano tutti raccolti insieme a prua, e per due buone ore fermi là, assolutamente tranquilli, guardando fisso in una direzione, e di tanto in tanto si sentiva un sospiro. Poi ecco di nuovo il barile, che riprende il suo solito posto e ci segue tutta la notte, e non uno che va a dormire. Dopo mezzanotte scoppia il solito temporale, e c'era un buio d'inferno, e la pioggia cadeva come diluviasse, e grandina anche, e il tuono urlava e muggiva e riempiva tutto il cielo di un rumore tremendo, soffia un vento d'uragano, i lampi mandano dappertutto grandi falde di luce e mostrano l'intera zattera, chiara come di giorno, e il fiume mussava, tutto bianco come latte, per quanto si poteva vedere, per miglia e miglia, e quel barile che continua a covarci, e non ci molla mai. Il capo ordina al turno di guardia di andare ai remi timonieri per una traversata, ma non uno che osa muovere: non ci tenevano a slogarsi una caviglia, dicono, nemmeno carponi andrebbero a poppa. Be', proprio in quell'istante il cielo si spacca con un rombo tremendo, e il fulmine ammazza due uomini della guardia di poppa, e ne ferisce altri due. E sapete cosa gli fa? Gli sloga una caviglia.

– Il barile scompare nella tenebra, tra un lampo e l'altro, verso l'alba. Be', quel mattino nessuno manda giú un boccone a colazione. Dopo di che gli uomini oziano in giro, in gruppi di due o tre, e parlavano tra loro sottovoce. Ma non uno che si avvicina a Dick Allbright. Tutti ne stavano lontani, e se lui si avvicina a dove c'era due che parlavano, quelli zitti di colpo, e si allontanavano in direzione opposta. E non uno che lo accetta come compagno ai remi. Il capo fa tirare su tutte le scialuppe accanto alla sua tenda, e non lascia portare a riva i due morti, a seppellirli, perché pensava che chi tocca terra non torna certo piú sulla zattera, e aveva perfettamente ragione.

– Dopo che scende la notte era ormai piú che evidente che sarebbe capitato qualcosa, se quel barile si mostra un'altra volta, tanto tutti brontolavano e avevano paura. Molti volevano uccidere Dick Allbright, perché aveva visto il barile in altri viaggi, e la cosa aveva un'aria sospetta. Altri invece volevano sbarcarlo. Altri ancora dicevano: sbarchiamo tutti, se quel barile spunta ancora.

– Cosí, parlando e brontolando, si erano tutti raggruppati insieme a prua, a spiare la comparsa del barile, quando, che è che non è, ecco che quello spunta di nuovo. E si avvicina lento e sicuro, e poi riprende il suo solito posto. Si poteva sentire cadere uno spillo. Allora il capo salta su e dice:

«Ragazzi, non fate gli stupidi, non fate i bambini! Io non voglio che questo barile ci segua come un cagnolino giú fino a Orleans, e anche voi non lo volete. Be', qual è la maniera piú sicura per liberarsene? Bruciarlo, ecco cosa si deve fare. Adesso io lo prendo e lo isso a bordo», dice lui. E prima che qualcuno può dire mezza parola, lui è già in acqua.

– Nuota sin che raggiunge il barile, e quando ritorna e cerca di issarlo sulla zattera tutti gli uomini si tirano da una parte. Ma il vecchio riesce a issarlo lo stesso, e poi ci mena un colpo sopra che lo spacca, e dentro ci trova un bambino. Sí, signori, un bambino completamente nudo, ed era il bambino di Dick Allbright, e lui lo confessa senza fare troppe storie.

«Sí», dice lui, curvandosi sul barile, «sí, è il mio povero tesoro Charles William Allbright deceduto», dice lui, perché sapeva girare le parole che bisognava sentirlo, e parlare da festa, quando si metteva, e te le spiattellava calde calde sotto il naso, ogni volta che voleva. Sí, dice che lui viveva a monte di quel gomito, e una notte soffoca il bambino che piangeva, ma senza avere l'intenzione proprio di ucciderlo, il che probabilmente era una balla, e allora ha tanta paura che lo schiaffa in un barile, prima che sua moglie torni a casa, e poi se ne va, se ne va verso il nord, e aveva trovato lavoro sulle zattere, e quello era il terzo anno ormai che quel barile gli dava la caccia. Ci conta che la scalogna cominciava prima leggera, e durava finché non erano morti quattro uomini, dopo il barile non si faceva piú vedere. Dice che se i suoi compagni resistevano ancora una notte, e che tutto andava come il solito... Ma noi ne avevamo piú che basta. Infatti alcuni prendono una barca per portarlo a riva e linciarlo, ma lui improvvisamente si stringe al petto il suo bambino morto, e salta nel fiume col bambino stretto al petto e gli occhi pieni di lacrime, e nessuno l'ha mai piú visto, povero peccatore, né lui né Charles William.

– Chi è che aveva gli occhi pieni di lacrime? – chiede Bob. – Allbright o il bambino?

– Ma come? Allbright naturalmente, il bambino era morto. Da tre anni che era morto, come poteva avere gli occhi pieni di lacrime?

– Be', lasciamo stare come poteva avere gli occhi pieni di lacrime, ma dicci piuttosto come aveva fatto a conservarsi per tre anni, – dice David. – Spiegamela un po' una cosa del genere...

– E come posso mai spiegartela? – dice Ed. – Certo, però, che era ben conservato, ed è tutto quello che so.

– Senti, e del barile, cosa ne avete fatto del barile? – chiede il Beniamino della Calamità.

– L'abbiamo sbattuto subito fuori bordo, e quello cola giú come fosse piombo.

– Edward, il bambino aveva l'aria di essere stato soffocato? – chiede uno.

– E aveva la scriminatura nei capelli? – chiede un altro.

– E c'era il nome della ditta che aveva fabbricato il barile, Eddy? – chiede uno che chiamavano Bill.

– E hai i giornali con tutti i dati, Edmund? – chiede Jimmy.

– Senti, Edwin, non sei mica tu, per caso, uno dei due uccisi dal fulmine? – chiede Davy.

– Uno dei due? Ma lui è tutti e due insieme, – dice Bob. E allora tutti a sganasciarsi dalle risate.

– Senti, Edward, non credi che faresti meglio a purgarti un poco? Hai una brutta cera; non ti trovi un po' pallido? – chiede il Beniamino della Calamità.

– Su, Eddy, su, non farti pregare, – dice Jimmy, – tu

hai certo conservato un pezzo di quel barile, come prova del racconto. Faccelo vedere, facci vedere solo il cocchiume, e tutti ti crediamo subito.

– Sentite, ragazzi, – dice Bill, – dividiamola tra noi. Siamo in tredici, e io un tredicesimo di quella balla mi sento di berla, se voi bevete il resto.

Allora gli salta la mosca al naso a Ed, e dice a tutti che potevano andare in un posto che sapeva lui, e lo indica in modo piuttosto preciso e poi va verso poppa, borbottando tra sé e sé, mentre quelli urlavano, e lo sfottevano, e sghignazzavano, che si poteva sentire un miglio lontano.

– Ragazzi, dobbiamo celebrare la storia con un bel cocomero, – dice il Beniamino della Calamità, e viene al buio, dove mi trovavo io, a cercare tra i fastelli dove li tenevano, e posa la mano su di me. Io ero nudo, caldo, tutto morbido, e lui grida: – Ohi! – e fa un salto all'indietro: – Portate una lanterna o un tizzone da queste parti, ho messo le mani sopra un serpente piú grosso di una vacca!

Allora tutti corrono con una lanterna, e si fanno intorno a me, e mi guardano.

– Fuori di lí, farabutto! – dice uno.

– Chi sei? – chiede un altro.

– Cosa facevi? Rispondi subito, o ti buttiamo nel fiume.

– Tiratelo fuori, ragazzi. Prendetelo per le calcagna.

Io comincio a supplicarli, e mi avvicino a loro tutto tremante. Quelli mi guardano, senza sapere cosa farne di me, e il Beniamino della Calamità dice:

– Non è che un ladruncolo. Datemi una mano, che lo buttiamo nel fiume!

– No, – dice Bob il Grosso. – Prendiamo della vernice e dipingiamolo di blu da capo a piedi, e dopo lo buttiamo nel fiume!

– Ottima idea! Va' a prender la vernice, Jimmy!

Quando arriva la vernice, e Bob prende il pennello e sta per cominciare, e tutti gli altri in giro, che si fregavano le mani dal piacere, io mi metto a piangere, e allora Davy si smonta, e dice:

– Fermatevi! Non vedete che è solo un cucciolo? Lo dipingo io quello che osa toccarlo!

Allora mi guardo in giro e alcuni borbottavano ed erano seccati, ma Bob depone il barattolo, e gli altri nessuno osa toccarlo.

– Vieni qui accanto al fuoco, che possiamo capire cosa

diavolo volevi combinare, – dice Davy. – Adesso siediti, e conta su tutto, senza troppe frottole. Da quanto tempo eri a bordo?

– Non piú di un quarto di minuto, – dico io.

– E come hai fatto ad asciugare cosí in fretta?

– Non lo so, signore. Sono cosí di natura, quasi sempre.

– Ah, sei cosí di natura? Come ti chiami?

Non mi sognavo certo di dire il mio nome, ma non mi viene di trovarne uno sul momento, e cosí dico:

– Charles William Allbright, padrone.

Schiattano dalle risate, tutti, dal primo all'ultimo, e io allora sono contento d'aver risposto cosí, perché forse quelle risate li mettono piú di buon umore.

Quando hanno finito di ridere, Davy dice:

– No, caro Charles William, questa non riusciamo a berla. È impossibile che in cinque anni sei cresciuto tanto, ché eri un lattante, quando ti hanno tirato fuori dal barile, e per di piú morto. Forza, adesso dicci la verità, e nessuno ti fa male, se non avevi delle cattive intenzioni. Come ti chiami?

– Aleck Hopkins, signore. Aleck James Hopkins.

– Be', Aleck, di dove vieni?

– Da un barcone, che è ammarrato lassú, prima del gomito. Io sono nato su quel barcone, e papà è sempre andato in giro a vendere, su e giú per il fiume, e mi ha detto di nuotare e venire qui, quando vi ha visto, perché mi ha detto che voleva pregare qualcuno di voi di parlare con un signor Jonas Turner, in Cairo, e dirgli...

– Non sballarle troppe grosse.

– Ma è cosí, signore, vero come è vero che sono qui, papà dice...

– Tua nonna lo dice!

Tutti scoppiano a ridere, e io cerco di rimettermi a parlare, ma quelli mi interrompono e mi fanno star zitto.

– Be', stammi a sentire, – dice Davy. – Tu hai paura e non sai neanche cosa ti dici. Ma adesso dimmi la verità: vivi proprio sopra un barcone, o anche quella è una frottola?

– No, signore, no, proprio su un barcone. È ammarrato sopra il gomito del fiume. Ma non è vero che ci sono nato sopra. È il primo viaggio che facciamo.

– Adesso va già un po' meglio. E perché sei venuto a bordo? Per rubare qualcosa?

– No, signore, no. Era solo per viaggiare un poco sulla zattera. A tutti i ragazzi piace viaggiare sulle zattere.

– Come non lo sapessimo! Ma perché ti sei nascosto?

– Perché sovente i ragazzi li sbattono via.

– Anche questo è vero, perché possono rubare. Adesso, stammi bene a sentire: se ti lasciamo andare sano e salvo, d'ora innanzi non fai piú delle fesserie di questo genere?

– Ve lo prometto, padrone, ve lo prometto su quello che volete, solo che mi lasciate andare...

– E allora vada, questa volta. Non siamo molto distanti dalla riva, e cosí fa' un bel salto, e un'altra volta non combinare piú altre fesserie. Non lo sai che potevi capitare con della gente che ti pestava tutto, prima di sbatterti via?

Io non aspetto altro, salto nel fiume, e via verso la riva. Quando piú tardi arriva Jim, la grossa zattera aveva già doppiato la punta e non si vedeva piú. Allora mi metto di nuovo a nuotare, e salgo a bordo, e vi assicuro che ero ben contento di ritrovarmi a casa.

Appendice

Nota
di Alessandro Portelli

I saggi di T. S. Eliot e di Leo Marx che accompagnano questa edizione delle *Avventure di Huckleberry Finn* costituiscono i termini di un dibattito che, per quanto ormai lontano nel tempo, è utile per capire non solo le controversie sul libro di Mark Twain, ma anche, piú in generale, il processo di canonizzazione di un testo letterario. A lungo considerato autore popolare e umorista di bassa lega, Mark Twain entrava sul finire degli anni Cinquanta nel canone della letteratura americana grazie al riconoscimento tributatogli dai due maggiori esponenti di una critica ispirata a valori liberal-conservatori ed in piú di un senso elitari, come Lionel Trilling e T. S. Eliot. Le due introduzioni che questi maestri gli dedicavano costituivano la «consacrazione» di *Huckleberry Finn* in senso anche strettamente letterale: l'attribuzione all'opera di Twain di una dimensione sacra, religiosa, mitica (il fiume è un «dio», Huck ne è il sacerdote, se non – come scrisse di lí a poco Cleanth Brooks, un «santo»)[1]; la ricerca in essa di una unità e giustezza formale che, giusta i canoni jamesiani allora vincenti, era anche una giustezza morale.

Il saggio di Leo Marx era la risposta *liberal* e progressista a questa lettura. Era, a suo modo, un atto di coraggio: un critico allora giovanissimo (piú tardi, destinato a confermarsi critico di grande importanza con libri come *La macchina nel giardino*)[2] entrava in contrasto con gli affermati esponenti dell'ideologia e della critica dominante sul piano sia ideologico, sia accademico. Polemizzando sul giudizio da dare riguardo ai

[1] Cleanth Brooks, *A Shaping Joy. Studies in the Writer's Craft*, Harcourt Brace Jovanovich, New York 1939.
[2] Leo Marx, *The Machine in the Garden. Technology and the Pastoral Ideal in America* cit.

capitoli finali del romanzo, Marx afferma che al centro di *Huckleberry Finn* non sta tanto una ricerca di unità formale quanto una ricerca di libertà da parte dei protagonisti, che il finale a suo parere corrompe e tradisce. Ne trae quindi lo spunto per affermazioni importanti sul significato e la funzione della critica: «oggi c'è particolarmente bisogno di una critica attenta alle cadute di visione morale», scrive, per cui non possiamo permetterci di sostituire «questioni di tecnica a questioni di verità». Non è difficile leggere in queste righe anche un'appassionata presa di posizione che vale per gli anni della guerra fredda, ma non solo.

Al di là delle divergenze, tuttavia, fra Eliot (e Trilling) e Leo Marx esisteva un terreno comune, consistente nel rapporto fra coerenza morale e unità formale. Per Eliot, l'unità formale è essa stessa valore morale; per Marx, la caduta morale implica anche una frattura dell'unità formale. La critica successiva ha messo in discussione sia l'unità come valore supremo dell'opera letteraria, sia la certezza sullo sviluppo lineare della coscienza che sta alla base dei discorsi sulla «maturazione» morale di Huck: la coscienza si può conquistare, ma si può anche perdere di nuovo. Cosí, l'apparente frattura fra il finale di *Huckleberry Finn* e il resto del romanzo è diventata sempre piú il fulcro delle analisi e delle riletture del testo. In una straordinaria serie di lezioni all'università «La Sapienza» di Roma nel 1993, il critico di Harvard Sacvan Bercovitch ha preso lo spunto dal dialogo fra Huck e zia Sally «si è fatto male qualcuno?» «Nossignora, è morto un negro» per rimettere in discussione il significato morale di tutto il testo: Joyce Rowe ha letto il finale come l'inevitabile conclusione pessimistica di un viaggio destinato (in questo, d'accordo con Leo Marx) al fallimento: Russell Reising vede nelle ambiguità di questo episodio una metafora delle ambigue soluzioni date in America al problema della libertà dei neri anche dopo la loro formale liberazione nella guerra civile[3].

Accanto al suo valore storico, e al di là della polemica, dunque, l'accostamento dei saggi di Eliot e Marx ha un valore metodologico: conferma che un classico letterario è in primo

[3] Joyce A. Rowe, *Equivocal Endings in Classic American Novels*, Cambridge University Press, Cambridge 1989; Russell J. Reising, *The Unusable Past. Theory and the Study of American Literature*, Methuen, New York - London 1986.

luogo un terreno di confronto, un luogo di contraddizioni, non uno spazio di certezze canonizzate e acquisite. E infine, i due saggi sono classici essi stessi, che vale la pena di rileggere in quanto tali: il saggio di Eliot resta un esempio magistrale di scrittura saggistica, e quello di Marx è la polemica intelligente e appassionata di uno dei maggiori critici del nostro tempo. Insieme, ci aiutano a ricordarci che cosa può essere, e a che cosa può servire, la critica.

Giugno 1994.

T. S. Eliot, Lionel Trilling, e *Huckleberry Finn* [1]
di Leo Marx

[...] Oggi tutti riconoscono che *Huckleberry Finn* è un capolavoro, forse l'unico libro della nostra letteratura su cui intel-
lettuali e lettori di massa possano trovarsi d'accordo. I nostri
critici maggiori lo lodano. Tuttavia, se leggiamo quanto ne
hanno scritto di recente due dei migliori fra loro, ci accorgiamo di seri problemi nella critica contemporanea. Oggi, il giudizio su questo libro è offuscato dall'elogio indiscriminato
quanto lo era un tempo dall'ostilità provinciale.

Mi riferisco a due saggi di Lionel Trilling e T. S. Eliot [2].
Entrambi lodano il libro, e perciò si sentono in dovere di giustificare quello che tanti lettori considerano il suo difetto piú
grave: il deludente finale, da quando Huck arriva alla fattoria
Phelps e ritrova Tom Sawyer in poi. Si tratta di un problema
ineludibile anche solo in termini quantitativi, dato che riguarda quasi un quinto del testo. Ne ho discusso con centinaia di
studenti e ne ho trovati pochissimi che non ammettessero di
trovarsi a disagio. [...] Trilling ed Eliot non sono d'accordo, e
cercano, con argomentazioni analoghe, di spiegare e difende-
re la conclusione del romanzo.

Trilling assume la posizione piú moderata. Ammette che
c'è una «caduta» nel finale, ma vi trova «una certa giustezza
formale». L'approvazione di Eliot è piú incondizionata «è
giusto che il clima del finale del libro ci riporti al clima dell'i-
nizio». Tornerò piú avanti su queste opinioni, ma vorrei no-

[1] Questo saggio apparve originariamente in «The American Scho-
lar», 22 aprile 1953. In questa traduzione e adattamento (a cura di Alessandro Portelli) omettiamo per ragioni di spazio alcuni passaggi descrit-
tivi ed esemplificazioni e la maggior parte dei riferimenti diretti al testo.

[2] Il saggio di T. S. Eliot è quello che compare come introduzione alla
presente edizione; quello di Lionel Trilling è l'introduzione all'edizione
Rinehart, New York 1948, ristampato in *The Liberal Imagination* cit., in
traduzione italiana in *La letteratura e le idee* cit.

tare subito che per ambedue si tratta di un problema di forma. Giusto. Tuttavia, come molte questioni di forma in letteratura, anche questa non è separabile da una di «contenuto», di valori, o, se vogliamo, di giudizio morale. Dare un finale soddisfacente a *Huckleberry Finn* non significava solo trovare un modo elegante di finire una storia, ma, anche se forse Clemens non se ne rendeva conto, inventare un'azione che illuminasse il senso di tutto il viaggio lungo il Mississippi.

Il finale di *Huckleberry Finn* mette a disagio tanti lettori perché sentono che invece incrina il significato del romanzo. Prendere sul serio quello che succede alla fattoria Phelps significa prendere alla leggera quello che succede nel viaggio sul fiume. Qual è il significato di questo viaggio? Da qui deve partire ogni discussione su *Huckleberry Finn*. [...] Accanto all'idillico, all'epico e al comico, in *Huckleberry Finn* c'è un groviglio di significato che agisce sui meccanismi del romanzo come una molla su quelli di un orologio. Non è un significato oscuro, e Clemens lo ribadisce piú volte: le parole con cui invia Huck e Jim nel loro viaggio indicano che non si tratta di un gioco di ragazzi ma di una ricerca di libertà. Dall'eccitante momento in cui Huck torna alla Jackson's Island e sveglia Jim annunciandogli che stanno venendo a cercarlo, siamo invitati a credere che Huck si stia schierando dalla parte della libertà. «Su, Jim, in fretta! – grida, – Non c'è un minuto da perdere, ché ci sono alle calcagna!» La parola chiave è *ci*. Nessuno cerca Huck: tutti, salvo Jim, lo credono morto. In quel monosillabo, Clemens comprime il potere inebriante dell'umanità istintiva di Huck. La sua identificazione subitanea con la fuga di Jim dalla schiavitú è un momento indimenticabile dell'esperienza americana: ogni esito che sminuisca l'urgenza e la dignità con cui il viaggio comincia sarà necessariamente insoddisfacente. [...]

Il problema piú grave, dunque, è il fragile trucco grazie al quale Clemens libera Jim: veniamo a sapere che non solo Jim è libero da due mesi, ma la libertà gli è stata concessa dalla signorina Watson. Se fosse solo un modo per chiudere la storia, non ci sarebbe molto da dire. Ma è qualcosa di piú: è un indizio importante sul significato degli ultimi dieci capitoli. Ricordiamoci chi è la signorina Watson, la sorella della vedova, che Huck presenta nelle prime pagine: è lei che tormenta Huck per insegnargli l'ortografia e le preghiere e fargli togliere i piedi dai mobili; è un'ardente propagandista della religione convenzionale e delle buone maniere, e la sua avidità è la causa prima del viaggio stesso; è la proprietaria di Jim, il quale decide di fuggire solo quando si rende conto che lei sta per violare la parola data e venderlo a valle del fiume, separandolo dalla sua famiglia, perché non sa resistere a un mercante di schiavi che le offre ottocento dollari.

La signorina Watson, insomma, è il Nemico. Salvo il gusto per la violenza, possiede tutti i tratti caratteristici della società della valle del Mississippi, ed è la voce delle educate menzogne civilizzate che soffocano lo spirito di Huck. La libertà che Jim cerca, che Huck e Jim godono temporaneamente sulla zattera, è dunque libertà *da* tutto quello che la signorina Watson rappresenta. L'intensità del romanzo deriva proprio dalla dissonanza fra le aspirazioni dei due fuggiaschi e il rispettabile codice rappresentato dalla signorina Watson. Perciò, il suo riscatto finale, di cui la concessione della libertà a Jim è il poco convincente segno, sembra negare il conflitto essenziale del romanzo. [...]

Si potrebbe dire che leggere il finale come un rovesciamento dei significati profondi del romanzo significa prenderlo troppo sul serio. Certo Clemens non intendeva che gli dessimo tanta importanza: potremmo dire che è solo uno scherzo comico imperniato sulla passione di Tom per il romanzo d'avventure. Il tono è senz'altro familiare ai lettori di Mark Twain. Le stravaganze attinenti al «salvataggio» di Jim, l'improvvisazione sbadata, il disinteresse per la plausibilità e il buon senso non sorprendono i lettori di Twain o della comicità bassa dell'«umorismo di frontiera». Il problema però è che non funziona neanche come scherzo comico: è *troppo* fantasioso, *troppo* stravagante; ed è noioso. [...]

Huckleberry Finn è un capolavoro perché porta l'umorismo della frontiera alla perfezione pur trascendendone i ristretti limiti convenzionali. Ma il finale non è cosí, perché ci costringe a mettere da parte molte emozioni maturate in precedenza grazie alla vivida rappresentazione del timore di Jim di essere ricatturato, alla tenerezza dell'affetto reciproco di Huck e Jim, alle laceranti oscillazioni di Huck fra onestà e rispettabilità. Nella deludente sequenza finale, queste emozioni scompaiono. La presenza della commedia bassa non è di per sé un difetto: non c'è niente da obiettare sulle buffonerie dei due mascalzoni, ed esistono precedenti che legittimano la presenza di umorismo stravagante anche in opere di grande serietà. Ma questo è un caso diverso: qui i personaggi principali stessi sono costretti a recitare ruoli farseschi, e il motivo piú serio

del romanzo — la ricerca di libertà di Jim — viene svuotato di
senso. Insomma, la conclusione è farsa mentre il resto del romanzo non lo è.

Il ritorno finale di Clemens alle convenzioni dell'umorismo
di frontiera è sottolineato dal destino dei protagonisti, Huck
e Jim diventano personaggi comici, cosa ancora meno convincente dell'inspiegata rigenerazione della signorina Watson.
Ricordiamoci che nel corso del viaggio Huck è cresciuto e ma-
turato. [...] Ma quando ricompare Tom, Huck ricade in suo
potere: [...] per soddisfare la smania di avventure di Tom,
partecipa a un gioco che acuisce le sofferenze di Jim. Va detto
subito che Jim non sembra prendersela piú di tanto. Il fatto è
che anche lui ha subito una trasformazione. Sulla zattera era
un uomo, capace di criticare Huck quando gli aveva fatto uno
scherzo, ma nel finale si perde nel labirinto della farsa. [...]
Adesso è una creatura che sanguina inchiostro e non sente dolore, meno che umana, ricalcata sul piatto stereotipo del doci-
le Negro da palcoscenico. Queste buffonate spogliano Jim, come Huck, di gran parte della sua dignità e individualità.

Insomma, le fragili trovate della trama, il dissonante tono
farsesco, la disintegrazione dei protagonisti rivelano il fallimento del finale. Non sono aspetti meramente tecnici e for-
mali, ma di significato: credo che questo libro abbia ben poca
unità formale al di fuori della ricerca di Huck e Jim. Fra gli
elementi che conferiscono la continuità da un episodio all'altro, il piú importante è la coscienza unificante di Huck come
narratore, e il fatto che seguiamo gli stessi protagonisti per
tutte le vicende, disposte in ordine cronologico. Poi c'è il fiume, al quale Huck e Jim ritornano dopo ogni avventura. Eliot
e Trilling parlano eloquentemente del fiume come fulcro di
unità, e si riferiscono ad esso come a un dio. Trilling dice che
Huck è il «servitore del dio fiume». Eliot scrive che il fiume
dà la forma al libro: «Se non fosse per il fiume, il libro potrebbe essere poco piú che una sfilza di avventure a lieto fine».

A me questa visione del fiume sembra assurda. Clemens rispettava il Mississippi perché lo conosceva bene e non aveva
bisogno di santificarlo per spiegare l'intenso rapporto che con
esso intrattengono Huck e Jim. Il fiume è fonte di cibo e bellezza, di terrore e di serenità. Soprattutto, fornisce il movimento; è il mezzo grazie al quale Huck e Jim si allontanano da
una civiltà minacciosa. Tornano al fiume per continuare il
viaggio, ma il fiume non è, né può essere, il fine del viaggio: il
fine sta nella coscienza dei protagonisti, e senza il motivo del-

la fuga dalla società il libro sarebbe davvero solo «una sfilza di avventure». La frase di Eliot indica invece quanto poco gli importi della ricerca di libertà: esagera il ruolo del fiume perché non è interessato al tema centrale del romanzo.

[...] Il fiume è indifferente, ma la sua sfera è relativamente incontaminata dalla civiltà per Huck e Jim che possono godere di una misura di libertà già nel momento in cui mettono piede a Jackson's Island o sulla zattera. Solo sull'isola e sulla zattera possono mettere in pratica quell'idea di fratellanza in cui credono [...] È un ideale che Huck e Jim portano al fiume: non emana dalla natura, né è rivolto ad essa. Perciò non mi sembra che parlare del fiume come di un dio abbia molto senso. Il fiume fornisce una via di uscita e uno spazio dove mettere l'ideale alla prova, ma i significati veramente profondi scaturiscono dalle intrusioni del mondo reale di schiavitú, faide, linciaggi, assassinî e spuria moralità cristiana nel mondo ideale della zattera. Questo conflitto andrebbe risolto nel finale, ma Clemens non è in grado di farlo senza perdere il controllo del tema centrale.

La triste verità sul finale di *Huckleberry Finn* è che l'autore, avendo rivelato la falsità della cultura della valle del Mississippi, cede infine alla sua corrività di fondo. Il tono delle scene conclusive, del quale la rigenerazione della signorina Watson è solo un indizio, conferma l'intuizione di George Santayana, secondo cui gli umoristi americani — dei quali riteneva Mark Twain rappresentante eminente — erano solo «parzialmente sfuggiti» alla *genteel tradition*: erano in grado di «indicare i fatti che contraddicono la *genteel tradition*, ma non di abbandonarla, perché non avevano niente da mettere al suo posto»[3]. Questa mi sembra la vera chiave del fallimento di *Huckleberry Finn*. Clemens aveva presentato il contrasto fra due ordini sociali ma non poteva, o non voleva, accettare il tragico fatto che quello che rifiutava era una realtà concreta mentre l'altro era un sogno estatico. Cosí ci dà la riunione di famiglia con zia Polly, in una scena straripante di approvazione da parte di tutti, compresi i Phelps.

Come la signorina Watson, i Phelps sono esemplari quasi

---

[3] George Santayana in *The Genteel Tradition in American Philosophy*, incluso in *The Winds of Doctrine*, 1912; la *genteel tradition* è qui definita come una «vecchia mentalità» ereditata dall'Europa e consistente in una teologia e moralità cristiane variamente diluite, come nel trascendentalismo – una filosofia schifiltosa e ammuffita che non aveva piú alcuna rilevanza per il pensiero e la vita degli Stati Uniti [N. d. A.].

perfetti della cultura dominante. Sono gentili con gli amici e i parenti, non amano la violenza, sono capaci di dedicarsi a cene spettacolose mentre tengono Jim rinchiuso nella capanna con la finestra inchiodata. Beninteso, zia Sally va a trovarlo per vedere se sta bene e zio Silas va a pregare con lui. Con la loro convivialità domenicale e lo schiavo fuggiasco in catene a pochi passi di distanza ci ricordano quei cittadini tedeschi nostri contemporanei che, si dice, perseguivano un modo di vita altrettanto *gemütlich* alle soglie di Buchenwald. [...]

Torniamo alle affermazioni di Trilling e di Eliot, secondo cui [...] «è giusto che il clima del finale del libro ci riporti a quello dell'inizio». Secondo me, non è giusto affatto. Il clima dell'inizio di *Huckleberry Finn* è quello in cui Huck cerca di adattarsi alle usanze di St Petersburg. [...] Ma Huck non sopporta il nuovo modo di vita, e il suo stato d'animo si evolve verso la ribellione. [...] Dopo la fuga di Huck da suo padre, l'azione, come la corrente del Mississippi, tende ad *allontanarsi* da St Petersburg [...] perciò il ritorno al clima iniziale significa la sconfitta di Huck. Ritornarvi *con gioia*, poi, significa presentare la sconfitta come una vittoria.

Eliot e Trilling dicono che non è cosí. Per loro la cosa principale è la forma, intesa soprattutto come simmetria di struttura. Per Eliot è giusto che il romanzo abbia una forma circolare e che finisca cosí perché è cosí che comincia. Ma a me sembra che questa unità strutturale sia ingannevole perché è *imposta* artificialmente sul romanzo, sacrificando i personaggi e il tema. Il principio formale è, apparentemente, l'unità ma si tratta di un'unità concepita artificialmente. La struttura, in ultima analisi, è solo un elemento, e dei piú meccanici, dell'unità. Un'opera unitaria deve mostrare anche coerenza di significato e chiaro sviluppo tematico, mentre il finale di *Huckleberry Finn* sfoca l'uno e l'altro. L'ansia di Eliot e Trilling di giustificare il finale è sintomo di quell'impulso assolutizzante della nostra critica, per cui, una volta ammessa un'opera ai canoni della rispettabilità letteraria, diventa necessario ammirarne tutti i particolari.

Quello che colpisce in questi giudizi è che contraddicono palesemente gli standard sia di Trilling, sia di Eliot. Entrambi hanno un'idea di unità letteraria molto piú complessa di quanto non trapeli da ciò che scrivono su *Huckleberry Finn*. Entrambi sono moralisti, ma ignorano una questione morale per lodare una dubbia unità strutturale. Lo sforzo che fanno per giustificare la contraddizione dell'opera di Clemens rivela una ristrettezza che sorprende chi conosce il loro lavoro. Possiamo dedurre che ci troviamo in presenza di una tendenza, non del tutto consapevole, della critica contemporanea.

Come mai due dei nostri critici piú rispettati trattano con tanta superficialità la clamorosa caduta di immaginazione morale in *Huckleberry Finn*? Forse — e insisto sul forse — forse la questione morale sollevata da questo romanzo non è di quelle che piú interessano la critica attuale. Oggi i critici, come i romanzieri e i poeti, sono piú sensibili a problemi morali attinenti alla sfera individuale: sono profondamente coscienti del peccato, delle violazioni individuali dell'etica cristiana della nostra cultura. Ma ho l'impressione che — forse per reazione contro la critica sociologica degli anni Trenta — siano meno sensibili a questioni che potremmo chiamare di morale sociale o politica.

Con questo intendo i valori impliciti in un sistema sociale, che possono essere anche distinti dalla moralità personale dei singoli. Come tutti i romanzi, *The Adventures of Huckleberry Finn* tratta di comportamenti individuali; ma la grandezza di Clemens consiste nella capacità di rappresentare il contrasto fra come le persone agiscono in quanto individui, e come agiscono quando esplicano ruoli imposti dalla società. [...]

Il conflitto fra ciò che la gente crede di rappresentare e ciò che le pressioni sociali gli impongono di fare sta al centro del romanzo. È presente nella mente di Huck e spiega i suoi conflitti piú seri. Huck sa che cosa sente per Jim, ma sa anche che cosa ci si aspetta che faccia. Questa divisione nella sua mente corrisponde alla divisione del territorio morale del romanzo in aree rappresentate rispettivamente dalla zattera e dalla società. La vittoria di Huck sul «cane giallo» della sua coscienza assume perciò una dimensione eroica: è una vittoria sulla morale dominante. Ma l'ultimo quinto del romanzo ne sminuisce l'unicità e l'importanza. Ci si chiede di accettare l'idea che la libertà può essere ottenuta nonostante il potere paralizzante di quella che ho chiamato morale sociale. Perciò, meno importanza attribuiamo alla presenza di questa forza nel romanzo, piú accettabile ci appare il finale.

Questa idea di libertà che non interessa Eliot e Trilling assume pieno significato solo se prendiamo atto del potere che la società esercita sulla mente degli uomini. In questo libro la libertà non è definita secondo il tradizionale concetto cristiano, ma come libertà dalla società e dai suoi comandi: Huck e Jim non cercano la libertà da un peso di colpe personali, ma da restrizioni sociali. In altre parole, il male in *Huckleberry Finn* è un prodotto della civiltà. [...] Quindi, la visione profonda del romanzo appartiene alla tradizione dell'Illuminismo. Il significato della ricerca non si può ricondurre ad una concezione della natura umana incarnata nel mito del peccato originale. Oggi tuttavia va di moda ribadire la depravazione innata degli esseri umani: perciò non sorprende che le virtú di *Huckleberry Finn* siano attribuite alla sua forma anziché al suo significato.

Ma, come chiede Eliot, «se questo non è il finale giusto, quale altro lo sarebbe?» È una domanda imbarazzante (non sempre il critico è in grado di riscrivere ciò che critica), ma ci sono alcune cose che si possono dire. [...] Sarebbe giusto, ad esempio, aspettarsi che la ricerca di libertà di Huck e Jim abbia un esito plausibile alla ricerca. La libertà nel senso estatico in cui la vivono sulla zattera, non era certo a portata di mano nella valle del Mississippi attorno al 1840 — né in nessun'altra società umana conosciuta; perciò un finale adeguato deve necessariamente frustrare il lettore. Clemens se ne rendeva conto, come dimostra un esame del chiaro, anche se inconsapevole, schema simbolico del romanzo. Consideriamo, per esempio, le implicazioni della geografia. Il fiume, alla cui corrente si affidano Huck e Jim, li porta di fatto nel cuore del territorio schiavista. Una volta passata Cairo, la ricerca è condannata al fallimento [...]. Consideriamo inoltre i limiti della zattera come veicolo per la libertà. La zattera non ha energia e non è manovrabile. Può solo abbandonarsi alla corrente — verso sud e la schiavitú — e non è in grado di evitare lo scontro col vapore. L'impotenza della zattera corrisponde alla candida impotenza dei suoi occupanti: i due mascalzoni la invadono senza trovare resistenza. [...] La geografia del romanzo, l'impotenza della zattera, la vulnerabilità di Huck e Jim costituiscono quella che Hart Crane chiamava la «logica metaforica» del romanzo e prefigurano, forse inavvertitamente, una conclusione molto diversa da quella che Clemens ci ha dato, una verità profonda che il finale nasconde; la ricerca è destinata a fallire.

Clemens arriva a questa verità nelle ultime parole del romanzo [...] che [...] Eliot giustamente loda come «la frase conclusiva giusta, l'unica possibile». Ma non basta certo una sola frase per sostenere, come fa Eliot, la giustezza di dieci capitoli. Inoltre, se la frase finale è giusta, allora il resto del finale è sbagliato, perché questa frase contraddice la farsa conclusiva.

La decisione di Huck di andare ad Ovest precedendo l'ineludibile avanzata della civilizzazione è una confessione di sconfitta: la zattera dovrà essere abbandonata. [...]

Eliot e Trilling sostengono sarebbe stato un errore fare di Huck un eroe tragico, e probabilmente hanno ragione. Ma tra il finale che abbiamo e la tragedia in senso pieno erano possibili soluzioni intermedie: Clemens, per esempio, avrebbe potuto lasciare il destino di Jim in dubbio come quello di Huck, in modo da lasciarci i protagonisti sconfitti ma vivi, e la ricerca di libertà sconfitta ma non abbandonata. Questo sarebbe stato in armonia con i simboli, i personaggi e il tema che Clemens aveva creato — e con la storia. [...]

Quale che ne sia la spiegazione, il finale debole poco coraggioso di *The Adventures of Huckleberry Finn* rimane un dato importante nella storia del pensiero e dell'immaginazione americana. Critici e lettori non professionali se ne sono accorti in passato; non dobbiamo dimenticarcene oggi.

Minimizzare la serietà di quello che deve essere considerato un grave difetto in un'opera cosí grande significa ripetere la mancanza di coraggio di Clemens e rendere un cattivo servizio alla critica. Oggi c'è particolarmente bisogno di una critica attenta alle cadute di visione morale. Una valutazione equilibrata di fallimenti e successi dei nostri grandi scrittori presenti e passati può insegnarci molto sulla letteratura e su noi stessi. Questa è la funzione del critico. Ma il critico non è in grado di svolgerla se sostituisce considerazioni di tecnica a considerazioni di verità: non solo ne deriveranno errori di giudizio letterario, ma potremmo incoraggiare simili evasioni in altri campi. Non sembra improbabile, per esempio, che l'attenzione attuale alla forma sia connessa con una tendenza, non solo letteraria, ad evitare di dare risposte dolorose a questioni complesse di moralità politica. Il finale di *The Adventures of Huckleberry Finn* evitò sia a Clemens sia ai suoi lettori di fare i conti con tali risposte. Ma noi dobbiamo essere piú rigorosi. Perché il problema che assediava Huck, quello della disparità fra i suoi impulsi migliori e il comportamento che la collettività cercava di imporgli, riguarda noi come riguardava Twain.

Indice

Le avventure di Huckleberry Finn

Stampato per conto della Casa editrice Einaudi
presso Mondadori Printing S.p.a., Stabilimento N.S.M., Cles (Trento)

C.L. 18628

Edizione								Anno			
7	8	9	10	11	12			2012	2013	2014	2015